MW00618466

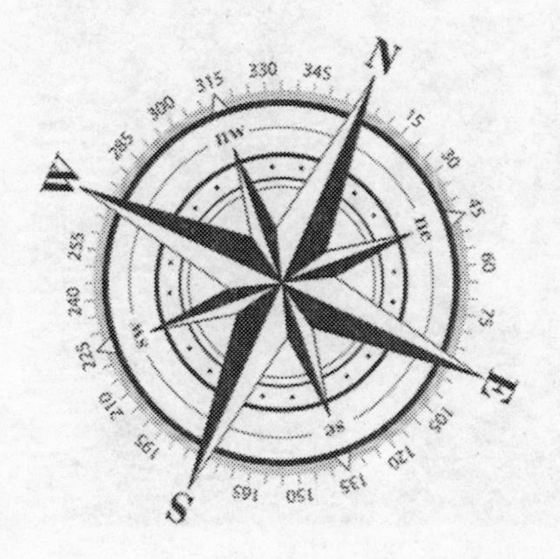

"El Marco Polo de Lorica", narra la fuga de un monaguillo de 14 años que por el deseo de emular los viajes de Marco Polo, abandona su pueblo, Lorica, en la costa Caribe Colombiana, para recorrer el mundo.

Para celebrar los primeros cincuenta años de ese infatigable viaje -que aún no termina- y que por ahora abarca apenas 117 países, el autor decidió plasmar en este libro lo que dicta su memoria.

Una vez este libro vea la luz, el autor planea realizar una peregrinación hasta Venecia Italia, para que Marco Polo de Lorica, le rinda homenaje de gratitud al hombre que el inspiró sus sueños infantiles... (seguro que este episodio será motivo, de otra de sus maravillosas crónicas)

Enrique Córdoba Rocha
Cartagena, Colombia 1948

Primogénito de una familia de once hijos, se crió en Santa Cruz de Lorica, Córdoba, la puerta de entrada al Mar Caribe, por el exuberante Río Sinú. A sus 14 años rompió amarras con su cómoda vida de estudiante para lanzarse a la aventura de descubrir un mundo -real y maravilloso- que cargaba en su imaginación.

En medio siglo se ha desempañado en infinidad de roles que le han permitido aliviar su sed de viajes y aventuras: desde contrabandista, hasta diplomático; desde divulgador de la cultura, hasta corresponsal de guerra; desde escritor solitario, hasta popular conductor de radio y televisión, y columnista viajero del Miami Herald.

El testimonio de su trasegar por este mundo, y de informar en vivo desde 117 países, está grabado en 8.244 horas de su programa "Cita con Caracol", que se emite desde Miami y en sus libros de crónicas:
"Cien voces de América"
"Mi pueblo. el mundo y yo"
"Te espero en la frontera"

Entre los reconocimientos recibidos se destacan , el de Ganador del Premio cervantes 2007, de la Universidad Nova, de Ft. Lauderdale y la condecoración que le otorgo Juan Carlos I, Rey de España.

ENRIQUE CORDOBA

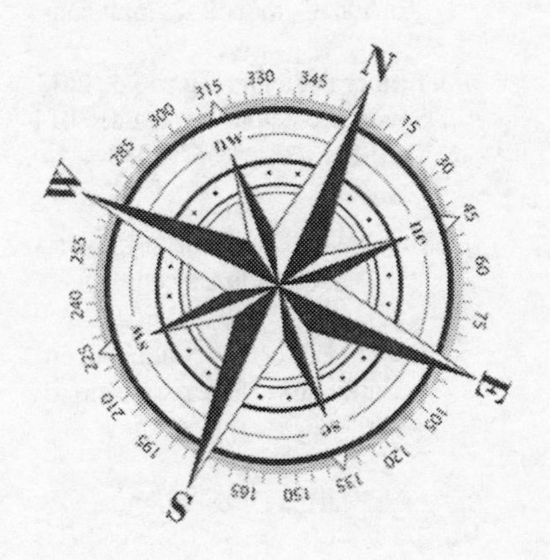

El Marco Polo de Lorica

50 Años de Crónicas y Una Vida de Novela

El Marco Polo de Lorica

www.enriquecordoba.blogspot.com
EnriqueCordobaR@gmail.com

Primera edición: Agosto de 2013
Segunda edición: Agosto de 2014
ISBN 978-0-615-85469-4

Creación y Diseño de la Cubierta
Armando Caicedo

Diseño Editorial y Maquetación:
Catalina Martínez-Caicedo

Revisión:
Martha Daza-Miranda

Fotografías:
Contraportada: Maripaz Pereira
Biografía: William Prazuela

Ilustración “compass dial” de la portada:
www.zcool.com.cn

Impreso en Colombia

"El dinero lo invertí en viajes, vino y mujeres, el resto lo malgasté".

Enrique Córdoba Rocha

"Todo periplo es una experiencia civilizadora".

J. L. Borges

A Maripaz Pereira,
mi compañera de viajes
y mi paciente e iluminada musa

Gracias a
Armando Caicedo y Catalina Martínez
por su entusiasmo contagioso

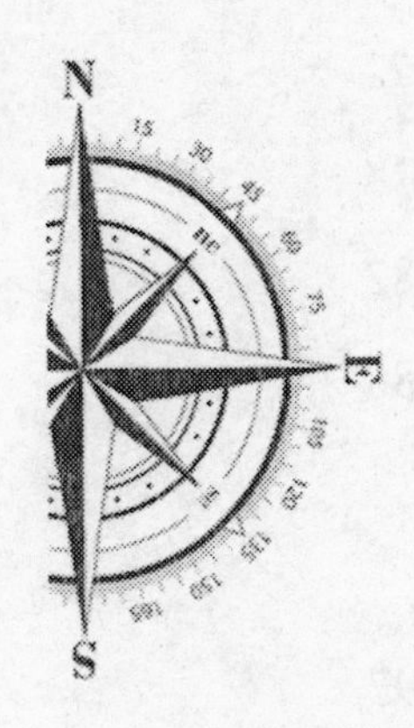

CONTENIDO

X. EN MIAMI EL CORCHO SE HUNDE Y EL PLOMO FLOTA

XI. LORICA ES UN INVENTO ZENU

XII. VIVIR PARA VIAJAR

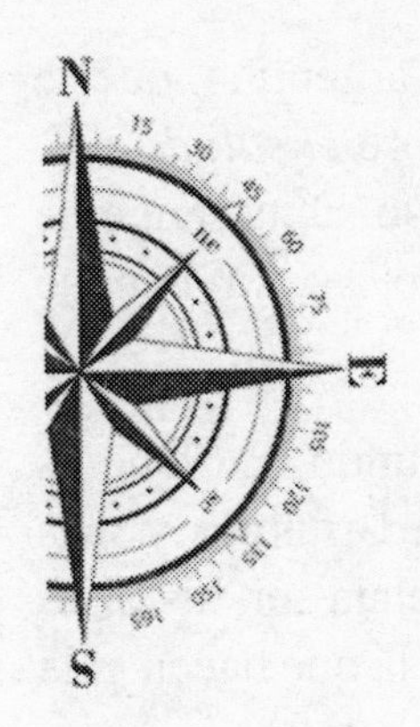

Nota Bene

Por *Armando Caicedo*

Cuando este manuscrito cayó en mis manos, vine a descubrir que no todo lo *real maravilloso* en este mundo ostenta la "marca registrada" de Alejo Carpentier, porque esa misma prosa barroca también vibra en la desordenada biografía de un tal *Enrique Córdoba,* escrita por Enrique Córdoba.

Porque este loriquero -que ostenta sobre sus cien pasaportes más timbres que El Judío Errante- es un fabulista empedernido, cuentero irreverente, no canta ni toca instrumento alguno, pero es un trovador de oficio. Si uno se guía por su figura, evoca un hidalgo caballero andante, de los de "lanza en astillero" y "adarga antigua", que respeta un código de honor, resuelve entuertos, defiende a la dama de sus sueños y acepta desafíos tan complejos como demostrarnos que su mundo es cuatro veces más ancho que el del famoso Marco Polo.

El Enrique Córdoba que yo conozco posee el "don de la ubicuidad". Si el lunes transmitió sus padecimientos desde una trinchera en el cercano Oriente y se lamentó por el inconveniente de estar encerrado entre tres fuegos cruzados, el miércoles aparece hablando -como si nada- con algún descendiente del conde Drácula en un castillo de Transilvania…y el fin de semana ¡Oh milagro! Lo veo en la televisión de Miami entrevistando a un escritor argentino que se maravilla de la sabiduría que exhibe Córdoba, sobre *el salado previo y el punto justo* de una tira de asado, ritual que supuestamente es patrimonio exclusivo de los gauchos de caballo, lazo, rebenque y boleadoras.

A fuerza de cincuenta años de recorrer el mundo, Enrique es una especie de enciclopedia, menos parecida a la Británica y más cercana al Libro Gordo de Petete. Porque lo que relata son historias profundas y muy serias, pero con la ingenuidad de la que hacen gala quienes escriben cuentos para niños.

Enrique Córdoba se le mide a las quijotadas más exóticas, como haberle apostado -hace 25 años- a promover la cultura en la radio Caracol de Miami, que él contribuyó a fundar. Para imponerse semejante misión tan excéntrica se requiere poseer, como él, una fe de iluminado, una disciplina de asceta y su vocación de faquir.

Cuando terminé de leer sus memorias y estas deliciosas crónicas, me percaté que Córdoba Rocha es un gitano que no necesita inventarse un Macondo, porque Lorica ya existía, incluso, antes del descubrimiento del hielo. Ha fungido como embajador extraordinario y plenipotenciario de los espíritus que aloja el Río Sinú, ante gobiernos y cortes extranjeras. En el sur de la Florida es invitado de honor en los banquetes de Estado, en los bazares de caridad, en las parrandas vallenatas y hasta en los sepelios de la comunidad hispanohablante pues conoce más anécdotas sobre el finado, que la misma viuda.

Y como carga una amalgama de genes judíos, lusitanos, criollos y fenicios, nos permite entender porqué este maravilloso fabulista es una mezcla de Simbad el Marino y Marco Polo. Lo que causa pasmo es que después de medio siglo de cruzar fronteras, no ha perdido su capacidad de asombro. Corresponsal de guerra, cronista de viajes, narrador, hipnotizador de masas, crítico de arte, locutor, encantador de serpientes… sólo le falta la ciudadanía argentina, *para ser perfecto.*

Ha llevado una vida a las carreras. Su pasaporte, al que no le caben más sellos, ya no se lo examinan en los puestos de inmigración, sino que se lo pesan. ¡Seguro que sí! ¡Hay que controlarlo! Porque sí sus editores lo dejan suelto este libró no tendría 424 maravillosas páginas sino 4.240.

Este libro contradice aquel cuento chino -o chimbo- que "una imagen vale más que mil palabras"...Porque las cien mil fotografías que Enrique mantiene en su archivo, donde atesora sus memorias, de frente, de perfil, de arriba, de abajo, incluidas radiografías y ecografías, ellas no son capaces de expresar lo que Córdoba cuenta, en vivo, en directo, a todo color, y en el caso de este libro, en tercera dimensión.

Para los lectores que cargan el escepticismo de San Agustín y su "ver para creer", les recomiendo -en esta singular ocasión- la variante: "*leer para creer*".

La apuesta para un verdadero lector, es adivinar en este libro, dónde yace la frontera entre la verdad y *la asombrosa realidad.*

Miramar, Florida, julio 1 de 2013

Armando Caicedo
Escritor colombiano.
Periodista y editorialista gráfico

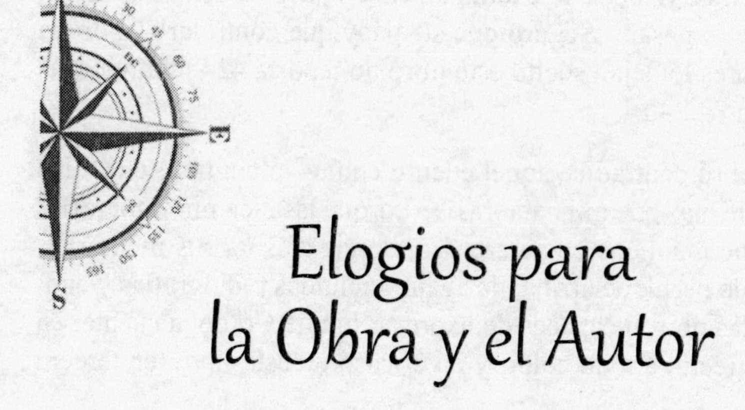

Elogios para la Obra y el Autor

Enrique, el hijo del avión.

Por *Juan Gossaín*

Aquel caballero atildado, todo de caqui hasta los pies vestido, y con mangas largas, que llevaba puesto un sombrero sinuano de vueltas y tenía más aspecto de ganadero que de vendedor de seguros, me tomó de la mano. Yo era un niño y estaba muerto del susto. Subimos al avión en el aeropuerto de Lorica, que la gente llamaba graciosamente "el campo de aterrizaje". Mi madre me encomendó a él para que me llevara hasta el internado que sería mi colegio por los nueve años siguientes.

¿De manera, pues, que este Enrique Córdoba, periodista y escritor, viene siendo hijo de aquel señor tan cariñoso y refinado? Entonces no tengo nada de qué asombrarme. Viajero y andariego, aventurero y navegante, Marco Polo tropical y Colón de Córdoba, Enrique ha ido por medio mundo, desde el frío de Bogotá hasta la torre de Babel de Miami, pasando por la sofocación de Panamá y la solemnidad de Europa, escribiendo, hablando, observándolo todo, en sus oficios disparejos de diplomático, de reportero, de conferencista. Inquieto y sagaz, como cualquier loriquero que se respete, Enrique sabe perfectamente que el hombre es lo que ve y lo que oye.

En este libro está su historia completa. Que será reveladora para ustedes, sus lectores, pero no para mí. Qué va a serlo si el autor es el heredero de aquel señor que se atrevió a llevar de la mano a un hijo ajeno, subirlo a un avión, ocuparse de su cuidado, aterrizarlo en Cartagena y cargar con él hasta un colegio que no conocía. Después de eso, un descendiente suyo es capaz de cualquier cosa.

A mí solo me resta agregar que, quinientos años después de aquel episodio, todavía hoy le tengo miedo al avión. Enrique, en cambio, no le tiene miedo a nada.

Juan Gossaín
Periodista y escritor colombiano,
Ex director de Noticias de RCN

Un libro para compartir

Por *Élmer Mendoza*

Enrique Córdoba, confiesa ser la reencarnación de Marco Polo y desde esa perspectiva nos entrega las cuatrocientas mil maneras de ver el mundo. Es un viajero que mira, nombra, bebe, come, se excita; posee un gen que le hace disfrutar el movimiento y el sentido del descubridor. En estas páginas se bebe café, se hacen amigos y se comparten el asombro y la imaginación. El autor huyó de Lorica, Colombia, hace 50 años y nos cuenta su recorrido. Ha estado en Paz de Ariporo, Bucaramanga, Ginebra, Guadalajara, Lisboa, Cartagena, Corleone, Dehli, El Cairo, Río de Janeiro, Tegucigalpa, Tánger, Quito, Taiwán, Ámsterdam y Duitama. Comió papas, yuca, plátano topocho, carne de res, cerdo, pollo, pescado, sancocho de bocachico, jugo de corozo, batido de níspero, cus cus, y las ricas tortas ahogadas de Guadalajara.

¿Tienen ustedes una lista de taxistas del mundo? Pues Enrique sí. Dice que sabe rendirle culto a la instantaneidad.

El Marco Polo de Lorica es un libro autobiográfico con una gran virtud: es conversado. La oralidad se convierte en estilo y es fácil hacer presencia en el lugar de los hechos y advertir que el mundo es un cubo de rubik donde participamos de paisajes hechos música, climas, rostros, historia, tradiciones, radio Caracol y apretones de mano. Claro, muchas veces alrededor de una taza de café, García Márquez o el proceloso mundo de los migrantes. Puedo decir también que este es un libro para compartir, no sólo los viajes y los sitios emblemáticos que aparecen, sino un gran amor por Colombia, ese inmenso país sudamericano donde todo parece renovarse con los años.

Élmer Mendoza,
Escritor mexicano,
Premio Tusquets de novela 2007.

La perspectiva del beduino.

"Enrique Cordoba escribe desde la perspectiva que más me interesa en este mundo globalizado: desde la perspectiva del beduino que va observando, percibiendo, describiendo e interpretando las diferentes culturas que explora durante su interminable peregrinar. Y además convierte al lector en un amigo y cómplice de su desplazamiento, y su desplazamiento en una vivencia inolvidable".

Roberto Ampuero
Escritor
Embajador de Chile en México.

Desde Miami...

Por: Enrique Córdoba

¿Qué dice de nosotros aquella gente?

En los mares en Oceanía.

Por la vieja Europa de los castillos.

Los pueblos pacientes de Asia o millones de sedientos en Arabia.

Aquellos sonoros tambores de África.

Y los de este continente,

América Latina: verde, inmadura e inocente.

¿Qué comentan cuando nos miran?

Lo pensé, hace unas noches de luna virgen

Seducido por los rayos del amanecer.

Ayer por fin tomé la decisión: eché esas curiosidades en una mochila y agarré el camino del Sol.

Cuando la luciérnaga cantó,

Yo estaba lejos en otros puertos.

Esas que fueron preguntas, mi gente las hizo propuesta:

¡Cuéntanos de esos mares...!

Resultado: estas narraciones, a manera de relatos, de ese mundo maravilloso que desfiló ante mis ojos.

Viajes más allá de la frontera

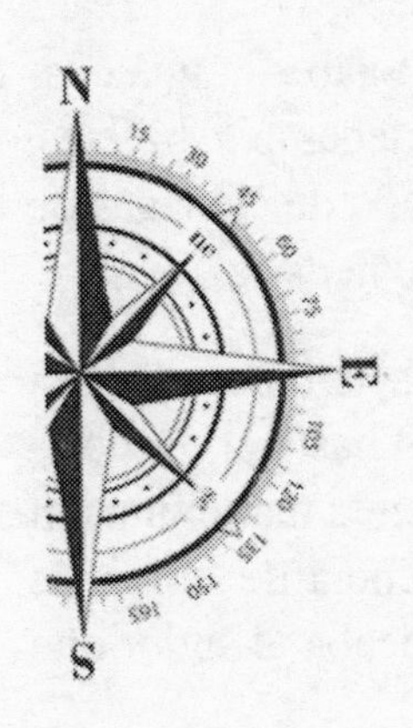

1. LA FUGA DEL MONAGUILLO

El cura enamorado

El sol del caribe teñía de naranja el caprichoso río Sinú, la tarde que el representante de Dios en Lorica, aquel sacerdote italiano —colosal como un David de Miguel Ángel y con ojos azul mar— entrecerró la puerta de la oficina de la parroquia, para oír en confesión a Alicia Saleme, la libanesa más hermosa de la provincia.

Ella nunca pasó desapercibida, pues solía desafiar las miradas de hombres y mujeres, meneando su natura por las calles polvorientas de Lorica, mientras buscaba en las aceras la sombra de los almendros ¡Ay! con ese caminado apretadito de potranca pura sangre, sus pollerines verdes de tafetán, kilos de joyas de Alepo colgando de sus muñecas y un rostro sensual calcado de Cleopatra.

—¿Se le ofrece algo más, su reverencia? —pregunté al cura, sin poder despegar mis ojos de la libanesa.

—Sí, joven. Vaya al almacén de Félix Manzur Saab —a una cuadra de la iglesia— y diga que le cambien las monedas por billetes, me señaló el párroco a la salida, exhibiendo un mapa de ciénagas de sudor impreso sobre su sotana blanca, a la altura de la axila.

El bochorno de esa tarde era evidente en los seis botones de la sotana que el cura debió aliviarse —desde el cuello hasta el pecho— para recibir el fresco, y su impaciencia era patente en la manipulación nerviosa de un pañuelo amarillento, oloroso a esencia de limón de María Farina de Roger & Gallet, con el que se trapeaba el sudor que le escurría de su rostro rubicundo.

—Cuente las monedas usted primero, allá en la banca del parque y después vaya y exija que se las vuelvan a contar ante sus ojos, me ordenó el carismático religioso con su voz de tenor que retumbó en la casa cural.

A pesar de mi condición de impúber, yo estaba dotado de la suficiente malicia caribeña para captar en el aire el mensaje cifrado, y entendí que el cura necesitaba deshacerse de mí para ejercer, en paz, su oficio de confesor.

Sobre el escritorio en cedro vi la canasta repleta de monedas que toda la tarde ofició como pisapapeles, encima de una pila de partidas de bautismo que, pacientes, esperaban por su firma. Al lado, la biografía de siempre, la de Santo Domingo Savio, más una Biblia monumental, y ediciones viejas de "La Stampa" de Turín, que el cura releía en sus noches de insomnio.

Pasé con la canastada de monedas frente a su modesto cuarto, que un biombo dividía para alojar, a este lado, la cama, y al otro, sus efectos personales y su pequeña biblioteca. Bajé las escaleras y me escurrí por el patio de los mangos, hacia esa "otra" ciudad, en el mismo vecindario, donde la ensordecedora música de la "Sonora Matancera" que salía de los parlantes de "El Tigre Mono", ese bar de billares y cerveza, que competía -mano a mano- con las letanías y cantos gregorianos que emitía el cura por los altavoces de la iglesia.

El Padre Fernando Slovez y yo mantuvimos una relación cordial, pero distante.

—¿Dónde nació usted? —le pregunté en la fiesta de su cumpleaños, seis meses atrás.

—En Trieste, cerca de Venecia, la tierra de Marco Polo, —expresó, con deleite.

—¿Y ese Marco Polo es algún pariente suyo? —le pregunté curioso.

El cura me relató con tan vívidos detalles sus viajes hasta más allá de los últimos confines del mundo, que la media hora del exótico paseo que me regaló, trepado gratis en la maravillosa cháchara de su historia, me quedó zumbando durante muchos meses en ese sector del cerebro donde se anidan los sueños. "Con que el tipo se fue de su casa a los 17 años" fue el pensamiento que desde entonces me agobió.

Desde la tarde del cuento de Marco Polo, el cura me cayó bien. Recuerdo que por esos días, él y yo conocimos a la libanesa.

La fila de siempre serpenteaba desde el patio de los mangos en el primer piso, hasta la oficina de la parroquia, ubicada en el segundo. Ese día me topé con mucha gente, una pareja de novios que llegó del corregimiento de Mata de Caña a buscar fecha para su casamiento; un agente del semanario "Frontera" que solicitaba un anuncio con el horario de las misas; un profesor que aspiraba a dar clases de historia universal en el Colegio Pío XII; el maestro de albañilería que vino a pedir un anticipo para repellar la torre del campanario de la capilla, y así, unos tras otros, hasta que me sorprendí por la belleza de la última parroquiana en la fila —la libanesa— que cedía su puesto a quien iba llegando, para poder disfrutar de una confesión tranquila con el cura, sin el acoso de alguien que quedara detrás de ella, en espera del siguiente turno.

Así, por la vía de la confesión de boca, el Padre Slovez vino a saber que ella estaba locamente enamorada del párroco, cuyos rasgos varoniles de galán de cine provocaban suspiros y sueños inconfesables a las beatas del vecindario.

Mientras cambiaba las monedas de la limosna, miré hacia arriba, hacia el cuarto donde el Padre Slovez confesaba a la libanesa. ¡Qué envidia! Ninguno de estos señalados por la Diosa Fortuna, eran de aquí. El cura era de Trieste, Italia, la joven era libanesa y, de encime, el Marco Polo era veneciano. ¡Ñerda! Exclamé, convencido de haber descubierto el agua tibia: el éxito solo se consigue viajando.

Antes que despuntara el amanecer del día siguiente, empaqué todo mi patrimonio en una tula y me fugué de mi casa. Cargaba dos mudas de ropa, la novela "El tigre de la Malasia" de Salgari y una cámara Kodak Brownie, que me gané en una rifa. También cargué con un viejo ejemplar de la revista "Peneca", donde encontré "Los viajes de Marco Polo" y un reloj de pulso, "Mido multifort", automático y con cronógrafo, que me acababan de regalar, cuando cumplí los 14. ¡Ah! Y además, las monedas que por la derecha me metí entre el bolsillo, santa comisión por mis servicios como agente bursátil del Padre Slovez, en la Bolsa de Valores de Lorica.

Salir de madrugada de mi casa en Lorica no era sospechoso. Yo era un fiel monaguillo que no me perdía misa, bautizo, entierro, ni procesión. Aguardábamos ansiosos los sábados, porque eran días de numerosos matrimonios de parejas procedentes del campo, y los novios dejaban las arras, trece monedas de diez centavos, que al final de la jornada las repartíamos entre el sacristán y los acólitos. Con ese dinero pagábamos el desayuno en las mesas de frito del mercado, nos alcanzaba para un batido de níspero con leche y para gastar en galguerías a la hora del "recreo" en el colegio.

Tenía catorce octubres cuando me largué, apropiado del fantasma del "marco polo de Lorica". Pero claro, si me intrigaban el mundo, la gente y los enigmas que se ocultaban más allá de la última frontera de mi imaginación.

Con ese espíritu recorrí la geografía de media Colombia —más de mil kilómetros— desde mi casa, en la Costa Caribe, hasta alcanzar, allá arriba, la imponente cordillera de los Andes, para luego descender hasta los Llanos Orientales. Esta primera aventura la viví en una patria exuberante, provinciana, desvertebrada e incomunicada, donde las trochas se hacían pasar por carreteras, en el año de gracia, de 1963.

Mi primera decepción la padecí pocos días después. Yo pensé que mi pueblo estaba estremecido por mi fuga. No fue así. Me contaron que por pura coincidencia, el padre italiano y su enamorada libanesa también se volaron, justo la misma madrugada, y ese hecho sí que conmovió a las beatas, creyentes y ateos de la Lorica que deje atrás.

“La *Vorágine*” *no es un cuento*

Llegué a Villavicencio con un nudo en la garganta, el corazón explotando de emociones y con la dificultad de que nadie entendía fácilmente lo que decía.

—Los costeños hablan muy rápido —me dijo el señor de una tienda. No pronuncian la s, se comen las palabras. ¡No vocalizan!

¡Claro! en esa época los caribeños colombianos poco emigraban por el resto del país. Todo quedaba lejos aquellos días. Los propios compatriotas nos desconocíamos unos a otros y las canciones se quedaban en la cocina o a la orilla de los ríos. Lo único que sonaba eran historias de masacres y rumores de los conflictos sociales inconclusos que el país arrastraba desde la mitad del siglo XX. Pocos emigraban al exterior. De Estados Unidos y Europa uno que otro excursionista de negocios o esmirriado de la postguerra se arriesgaba a visitar el país.

En la geografía nacional apenas cambiaban de plaza los gerentes de bancos, los soldados, los policías, los curas, los deudores, los ladrones, los pordioseros, las prostitutas, los músicos, los presos, los visitadores médicos, los desplazados del choque armado entre liberales y conservadores y los aventureros como yo que soñaban con viajar por el mundo y seguir los pasos de Marco Polo.

Mi contacto con la violencia nació en estas hermosas tierras libertarias, de ríos embravecidos, atardeceres poéticos y hatos sin fronteras.

El mundo de Villavicencio se me había convertido en un destino deseado a partir de "La Vorágine", una novela que me despertó un profundo interés de ir a esa lejana Colombia de escenarios selváticos y sensaciones vibrantes que describía el autor. Yo deseaba recorrer los parajes que Alicia y Arturo Cova transitaron por Casanare en su fuga amorosa desde Bogotá. Mi pasión era viajar, como el Marco Polo de Venecia, del que habló el Padre Slovez. Este pretexto literario validó mi propósito de seguir una vida nómada y de imprevistos, que cincuenta años después aún conserva felizmente el vértigo de ayer.

Llovía torrencialmente cuando llegué a Villavicencio. Los relámpagos iluminaban los abismos al pie de la carretera. Las camisas de los hombres aún estaban sucias de dolor y odio, y los truenos sonaban entre clamores, aquella primera noche que Villavicencio fue cómplice de mi melancolía y soledad a esa altura de mi vida.

Convoy al Orinoco

La noche era silenciosa. Aquí tenemos que dormir en chinchorro y con fogata para protegernos del tigre, recuerdo que aconsejó en un tramo selvático, mi tío. Su nombre Bernardo Rocha, sargento del Batallón de Infantería de la Séptima Brigada del Ejército colombiano.

A los pocos días de mi llegada a su casa en Villavicencio y de matricularme en el Colegio Caldas puso el llano al alcance de mis ojos. Me dio la oportunidad de ser parte de un convoy del ejército cuyo destino era visitar los puestos militares distantes de las ciudades, perdidos en las lejanías del Meta, Arauca, Casanare y Vichada, en la frontera con Venezuela.

Me colé camuflado como un polizón entre los soldados, las cajas con municiones y la carga. Dormí con la tropa en los cuarteles de caseríos y puertos fluviales. Empecé a descubrir una geografía infinita, virgen y preciosa. Viajé en amaneceres luminosos, días de calor y noches de luna roja. La excursión fue como un regalo del cielo.

Una oportunidad para conocer un mundo de mujeres que no se asustan con los truenos y de hombres que nacen sobre el lomo del caballo. El convoy avanzaba. En las noches se asomaban millones de luces como diamantes bajo la inmensidad del cielo del Vichada.

Los hombres medían la distancia de un lugar a otro en tabacos y el sol de los venados era un espectáculo que hasta el alcaraván aguardaba para sorprenderse en su matorral, todas las tardes.

En esa llanura aprendí a tomar café amargo.

—"Tómelo cerrero para que el azúcar no le quite el sabor", — me insinuó una mañana el baquiano Florentino Enciso, en el corral del hato "El Turpial".

Aromático y humeante, ese café, acabado de colar, me supo a gloria, reemplazó los olores salvajes del corral de las vacas y de los terneros de destete. Entre sorbo y sorbo, los peones ordeñaron. El rocío mañanero se diluyó con los rayos del sol y el concierto de carraos, arrendajos y pájaros amarillos se trasladó al morichal de enfrente.

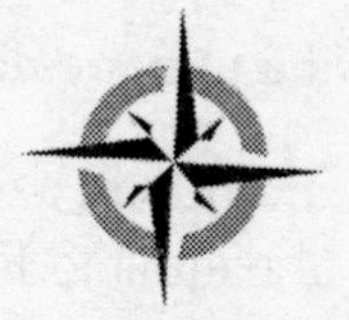

Las guerrillas de Aljure

Había transcurrido una década, desde que en esa hacienda, Guadalupe Salcedo, el comandante guerrillero más famoso de las guerrillas liberales que operaban en el llano, entre 1949 y 1952, emboscó al ejército de un gobierno conservador que mantenía con mano de hierro su dictadura hegemónica en el poder y le propinó un centenar de bajas.

Salcedo, había nacido en Arauca, y era hijo de un ganadero venezolano y una mujer del departamento de Casanare, Colombia. Entre la gente el líder guerrillero era visto como un verdadero héroe. Por aquellos tiempos los hombres cargaban con el ocio hasta los bares. Distraían las horas tras el licor, coqueteando con las mujeres, escuchando la música de las victrolas y jugando carambolas en las mesas de billar.

"El hombre que está en esa mesa perteneció a las guerrillas de Dumar Aljure", me indicó mi tío. Era de noche y nos tomábamos unos tragos de aguardiente en el bar "Entra si puedes" de Paz de Ariporo. Las guerrillas del llano fueron amnistiadas por el gobierno militar del general Rojas Pinilla en 1953. Luego de un encuentro entre el Capitán Veneno y el general Duarte Blum, en una finca cerca del municipio de San Martín, los rebeldes depusieron las armas. Ambos bandos coincidieron en declarar "perdón y olvido para trabajar como hermanos en una patria común".

Llano adentro

En Villavicencio afiné el oído y calibré la vista para capturar la mínima sensación. Tuve la suerte de encontrar a un tío cariñoso que se hizo cómplice de mis aventuras, seguramente porque en mí se prolongaba un espíritu trotamundos que él también había intentado.

La primera noche de ese viaje llano adentro por las amplias sabanas, de murmullos, insectos, color de penumbra y movimientos desconocidos, fue de película.

"Dame el fusil", susurró mi tío a un soldado del grupo. Hizo dos movimientos convencionales, se afirmó la culata del arma entre el pecho y el hombro y afinó la puntería con el punto de mira alineado a la presa. Disparó y más allá de los doscientos metros cayó sobre el suelo el animal. Caminamos con varios soldados y verificamos que la danta estaba sin vida. "Pesa unos ochenta kilos", comentó uno de los dragoniantes. La agarraron por las cuatro extremidades y la cargaron hasta el platón de uno de los camiones. Subimos a los vehículos y seguimos el viaje hasta el siguiente puesto del ejército; ya había anochecido. Abrigados por una mata de monte poblada de palmeras los soldados despresaron la danta en una mesa, le agregaron sal, le rociaron cerveza y la pusieron al fuego en una parrilla con leña. En otro fogón echaron a cocinar en una olla, papas, yuca y plátano topocho.

El mejor momento llegó y todos saboreámos la carne de danta asada.

—Sabe a carne de cerdo —comentó un soldado.

—Cierto, esta exquisito —respondió mi tío—. Minutos mas tarde aparecieron unos músicos conocidos de mi tío que venían de una hacienda vecina y se integraron al grupo. Cuando terminaron de comer el arpista Alberto Curvelo, de Orocué, acompañado de cuatro y maracas, cantó estos versos:

"Llanero no es el que canta/ ni aquel que baila joropo/ ni quien forma el alboroto/

dándole golpes a un arpa/ ser llanero vale un alma/ y muchas leguas de tiempo/ hay que sentirse por dentro/ como la sabia en la palma/ como la pepa en la guama"

Todo es majestuoso en el llano. La recia personalidad de su gente y la inmensidad de la espesura. Los hatos de cinco mil cabezas y 30 mil hectáreas que a veces ni el dueño ha recorrido. Al llegar la noche los llaneros juntan las butacas bajo la luna y narran historias que rayan con el mito y la leyenda. Siempre salta alguien que asegura haber tropezado con "La Llorona" o "La bola de fuego", una luz que se mueve por la sabana girando como si fuera una rueda. Dicen que cuando se acerca se le pueden ver los ojos, la boca y otras partes del cuerpo. "Tienes que decirle groserías para que se aleje", sostienen los lugareños.

Ellos mismos comentan que puede ser el alma en pena de un obispo pagando sus pecados. En los llanos, las historias brotaban como el monte pálido que tupía los matorrales verdes. Con el tiempo y sin darme cuenta quedé seducido por la oralidad de los jinetes a la hora del ordeño en los corrales y fui cómplice de las mujeres que anunciaban noches de vientos, amores y lluvias, con solo ver un manojo de nubes.

De las historias trágicas que vivieron mis condiscípulos y sus familias, me contaron que los estragos de la violencia los obligó a dejarlo todo y huir al llano para salvar sus vidas. Por ese motivo mis compañeros de aulas en segundo, tercero y cuarto año de secundaria en el instituto "Francisco José de Caldas", de Villavicencio, provenían en su mayoría de Cundinamarca, Cauca, Boyacá, Tolima, Santander y Valle donde la guerra civil dejó miles de muertos, campos arrasados y decenas de miles de desplazados, muchos de los cuales siguieron de largo hacia Venezuela.

Casos excepcionales fueron los de dos condiscípulos: Edmundo Rubiano Groot y Hernando Plazas, quienes disfrutaban de un confortable nivel de vida en razón al trabajo de sus padres. El primero era hijo del brigadier general Edmundo Rubiano, comandante de la séptima brigada con sede en Villavicencio. Esto le permitía tener acceso a las instalaciones del club militar y el uso de otras prerrogativas reservadas a la oficialidad de alto rango. Con Edmundo cultivamos cierta amistad porque fuimos compañeros en segundo y tercero de bachillerato. Él vivía en El Barzal, un barrio de cómodas casonas ubicado en las faldas de una colina que se desprende de la cordillera donde se recuesta Villavicencio. Yo, en casa de mi tío, en La Esperanza, un barrio de clase media con viviendas uniformes, sector donde se concentraban los suboficiales del ejército, casas construidas dentro de un plan gubernamental de cinco mil viviendas. En esa época, con dieciséis años de edad, me gradué como ayudante de albañilería. Mi tío me integró al equipo que contrató para levantar las paredes y el techo de la casa 25 del lote 4, primera etapa -lugar donde él aún reside- junto con su esposa, María Enciso, oriunda de los llanos de San Martín.

Mi oficio consistía en cargar piedra, cemento y arena en una carretilla, —bajo el sol de 40 grados centígrados de Villavicencio— y con una garlancha ayudar a preparar la mezcla para pegar los ladrillos. "Pareces el rey del palustre" decía para animarme, el maestro de la obra, un viejo cabelludo y bonachón, como salido del óleo Los paperos de Van Gohg que ví en un museo de Amsterdam. Le faltaba más de la mitad de la dentadura y días después del pago semanal debía salir a buscarlo entre las tiendas del barrio, pues se escondía a tomar aguardiente y olvidaba su responsabilidad de terminar de construir la casa donde en las mañanas me recogían los jeeps y camiones de la brigada del ejército para llevarme a estudiar.

Edmundo estaba afrancesado recién llegado de París, creo que su papá acababa de cumplir una misión de agregado militar de la embajada de Colombia en Francia.

A veces llegaba por mí a la casa, un Mercedes Benz color verde olivo con chofer y Edmundo en el asiento de atrás y salíamos para el colegio. En otras ocasiones fui invitado a presenciar programas de aerotransportados en la Base Aérea de Apiay y a las fiestas de navidad en el batallón, junto al Parque del Hacha. Allí ya me conocían como el sobrino del sargento Rocha y tenía entrada libre al bar del casino, al comisariato o a la peluquería.

Hernando Plazas era más alto pero flaco como yo y por motivos de estatura compartíamos el área de la retaguardia del salón de clases, porque a los bajitos les asignaban los pupitres delanteros. Tenía gran afición por la natación y me invitaba a los campeonatos en el Club Militar para apoyarlo en los torneos, junto con su familia.

En el Colegio Francisco José de Caldas era curiosa la composición de los profesores, porque también representaban un mosaico de las regiones de Colombia. El profesor Víctor Díaz de matemáticas, de mejillas rosadas, serio y metódico, nacido en Antioquia, tenía el hábito de caminar por los pasillos del Colegio resolviendo crucigramas del diario "El Tiempo", antes de entrar a clase. Manlio Gamboa, un desgarbado, dicharachero y jovial profesor de educación física, venía del Chocó.

El profesor de inglés era un hombre alto, colorado y de porte atlético que asociábamos con Dick Tracy el personaje de las tiras cómicas, procedía del eje cafetero. El fino profesor Fidel A. Rivera, dictaba castellano. De él conservo unas páginas amarillas con unos fragmentos de la monografía del Departamento del Meta que soñó publicar. Religión estaba a cargo de un resabiado sacerdote bogotano que expulsó a un compañero a quien apodábamos el "loco" Arias, porque lo confrontó el día que tocó el tema de la predestinación. "Si Dios sabe nuestro destino no tiene sentido que yo intente salvarme, si él ya me tiene predestinado a condenarme" sostuvo Arias. El cura no aceptó que le retara y lo vetó para asistir a su clase. "Sálgase del salón y tiene cero en religión", le castigó.

Éramos muchachos en formación académica, en ese momento, y desde ese día Arias se ganó mi admiración por su valor y carácter de defender públicamente lo que pensaba. Los educadores oriundos de la costa Atlántica eran casi todos egresados de la Universidad Pedagógica y Tecnológica de Tunja. Entre ellos el rector Antonio Sánchez Barrios, de Corozal, Sucre, ahora residente en La Unión, Valle. Emiro Verbel Mercado, profesor de música y escritura. Y Teofastro Tatis, un excéntrico cartagenero que nos enseñaba historia universal y se ganó la fama de "dandy" gracias a su elegancia en el vestir. Combinaba sagradamente los tonos de la camisa de acuerdo con el color del pantalón y el color de las medias (calcetines) cuando el dacrón fue una tela de moda en el diseño de la ropa masculina.

Literatura fue una asignatura que dictó Julio Saltarín de la Hoz, un pecoso y orgulloso profesor que se casó con la hija del boticario de la capital del Meta. En mis itinerarios sin rumbo por Villavicencio acostumbré visitarlo semanalmente antes de regresar a la casa de mi tío. Disfruté sus charlas sobre narrativa y fue una de las primeras personas que en 1965 me habló de la obra de Gabriel Garcia Márquez antes que "Cien Años de Soledad" disparara la fama de Gabo, como gran escritor.

Una calurosa tarde me aseguró: En Piojó cerraron la cárcel porque no había presos.

Ese tal Piojó, ubicado en el departamento del Atlántico, era su pueblo natal.

Conservo, como un tesoro, un fajo de cartas escritas por mi madre con tinta y con lágrimas, en respuesta a las que yo le envié desde los Llanos, en esa etapa de adolescente. Cada semana, al principio y cada mes, después, yo le relataba en clave de diario la forma de como impactaba en mi alma y mi corazón la vida en ese otro lado del país, lejos de ella. Fueron años dolorosos para ella, y duros para mi.

Con la de mi madre también escribía una carta a cada uno de mis diez hermanos y para no repetir las mismas cosas opté por hacerle un relato diferente a cada uno. Les llamaba la atención escribiéndole a uno del asombroso llano infinito, a otro sobre la costumbre de comer carne a la llanera adobada con ajo y cerveza y asada en leña, y asi alternaba las historias de mis experiencias en el oriente colombiano.

Hoy, no dudo en afirmar que estos fueron mis primeros ejercicios de calentamiento para poner el brazo a tono y convertirme en periodista y cronista de viajes.

Un costeño en el páramo

Duitama ha sido un emporio de la papa desde de la época de los indios muiscas y fue una de las localidades que más aportó reclutas para la batalla de Boyacá, —donde se selló la independencia de Colombia—. Este será mi siguiente destino. Yo soñaba con vivir en una ciudad con aire acondicionado a toda hora. Mi tía Blanca Rocha de Fernández —hermana de mi tío Bernardo, el hombre que me permitió descubrir los Llanos— me ayudó a cumplir mis deseos: convertirme en el primer costeño vecino de Duitama.

En su casa tuve la oportunidad de vivir, por primera vez, en un cuarto con piso de madera. Eso sí, estaba obligado a virutearlo y encerarlo todos los fines de semana. De cuatro y cinco grados centígrados era la temperatura a las 5 de la mañana. A esa hora en que todo estaba mojado por la escarcha y el frío, yo llegaba a la plaza de los transportes. Por llegar a última hora debido a mi mudanza de región geográfica, me vi obligado a ir hasta Santa Rosa de Viterbo, municipio distante 30 kilómetros de Duitama, donde vivía y matricularme para ingresar a quinto de bachillerato en el Colegio "Carlos Arturo Torres". Formaba parte de la red de colegios públicos nacionales, al igual que el Caldas de Villavicencio, instituciones que gozaban de reconocido prestigio por su excelente nivel académico.

En la plaza abordaba el bus que nos transportaba hasta el municipio de Santa Rosa de Viterbo. El grupo se creció hasta los quince estudiantes. Viajábamos en la mañana, asistíamos a clases y regresábamos en la tarde a casa por una carretera que serpenteaba entre fincas con cultivos de peras y manzanas. Para comerlas, el chofer, a quien apodábamos "Diablo", de mejillas coloradas y cabello negro engominado, detenía el vehículo unos minutos y nos turnábamos por grupos de compañeros para subirnos por las paredes de tierra pisada y entrar a los cultivos privados. Frutales propios de alturas de páramo que yo nunca antes había visto y se convertían en una verdadera novedad.

Un costeño recién desempacado, con el espíritu caribeño y todos los bríos de los 18 años de edad causaba sensación en la provincia del Tundama. Al vecindario y compañeros del colegio les atraía mi acento de otro confín. Me veían como un ser raro bajado de otro planeta. "Doña Blanca présteme a su sobrino para una fiesta", le decían a mi tía, las maestras de la red de escuelas públicas los fines de semana. Mi tarea consistía en estar dispuesto a bailar en los bazares de barrio o ir a las fiestas patronales de Tunja, Paipa, Tibasosa, Soatá y Sogamoso. El ánimo de los festejos se estimulaba con chicha de maíz, cerveza o aguardiente ónix sello negro.

El sexto de bachillerato lo estudié con los curas del Colegio Salesiano de Duitama. Ese año de 1967, en lo deportivo fundé el Club River Plate para competir en el torneo local de fútbol. Con tres compañeros del colegio creamos un programa dominical "Antena Cultural Salesiana". Frente a los micrófonos de La Voz de los Libertadores, emisora afiliada a Caracol, —y por iniciativa de su gerente Clemente J. Rodríguez— me inauguré en un oficio que más adelante se transformaría en un estilo de vida.

El contrabandista no se improvisa

Llegué a Bogotá con el diploma de bachiller en una mano y un torbellino de preocupaciones en la cabeza.

Mi sueño era estudiar periodismo en la Universidad de América, pero carecía de los recursos para matricularme ya que mis padres me suspendieron la ayuda. El invierno provocó desastres en la agricultura del Sinú y arruinó el algodón en la finca "Santa Elena" de mi papá en el corregimiento de San Nicolás de Bari. Como las benditas sorpresas nunca llegan solas, mi novia me anunció algo inesperado:

—Enrique vas a ser papá —dijo Marina.

Por primera vez me percaté que ya tenía diecinueve años y cumplía cinco años de haberme volado de la casa. Mis responsabilidades crecían y eran más serias. Conseguir un trabajo estable se convirtió en mi prioridad. Toqué todas las puertas, pero ninguna se abrió. Los que tuvieron la cortesía de recibirme me rechazaron aduciendo inexperiencia y lo que a mi edad resultaba peor: no tener libreta militar.

Una mañana al despertarme y sentirme acorralado entre cuatro paredes en algún un suburbio de Bogotá me formulé esta inquietud: ¿Cómo voy a salir de estos líos en esta urbe de concreto, hostil e indiferente?

En medio de tantas malas noticias tuve la suerte que el decano de Periodismo de la Universidad de América, Gonzalo González, GOG, aceptó que yo asistiera a clases, en calidad de estudiante presencial. Ello significaba, sin derecho a presentar exámenes ni a obtener calificaciones.

Me vi a gatas para asistir regularmente a la Universidad y atender los retos que debía enfrentar día tras día. El dinero no nos alcanzaba para los gastos básicos, mucho menos para los antojos derivados del embarazo de Marina. Eso nos obligó a una espiral de cambios de vivienda que nos iba enviando a lugares cada vez más económicos. Fue una forma dura de conocer otra de las caras cueles de la capital colombiana. Un drama que se vive en silencio porque uno le oculta a la familia la tragedia que está atravesando por el temor reverencial al qué dirán.

Acudí a los Almacenes "Tía" a ofrecer mis servicios de locutor de promociones, esos que anuncian vajillas, calzones y ollas, pero fui rechazado porque como costeño no vocalizaba correctamente las palabras. Decidido a todo crucé la vía y entré a un café de la carrera séptima, famoso porque allí jugaba Mario Criales, el campeón colombiano de billar. En esa oportunidad, conocí a algunos billaristas tahúres, a quienes les escuché algo que llegó como música a mis oídos: "contrabandear artículos de Venezuela". El negocio me sonó como carambola a tres bandas.

La aventura de ida requería quince largas horas para cubrir un trayecto de quinientos kilómetros, a través de tortuosas carreteras de montaña, peligrosas y en pésimo estado. Empecé de pasajero pero me dí cuenta que podía ahorrarme el costo de los pasajes si trabajaba como ayudante. Al poco tiempo era parte de la tripulación de los buses de "Berlinas del Fonce" y de "Expreso Bolivariano" en la ruta Bogotá-Cúcuta, como ayudante del chofer.

En mi calidad de rutilante asistente del chofer yo viajaba atornillado a una incomodísima banca de madera, que colocaba al lado de la puerta. Claro que no pagaba el valor del boleto, pero, a cambio debía limpiar los vidrios, echarle agua al radiador y tanquear la gasolina en las estaciones de servicio y, como es propio del oficio, ayudarle al conductor del armatoste a parquear en sitios estrechos con el "déle...déle...déle...pare...párelo!". No sé si por mi vocación de comunicador, la parte que más gozaba de este oficio, era cuando, colgado en la puerta de la flota, gritaba los nombres de los pueblos para atraer pasajeros: "Chocontá, Ventaquemada, Tunja, Arcabuco, Moniquirá, Barboza, Oiba, Vado Real, Socorro, San Gil, Piedecuesta, Bucaramanga, Pamplona... y quinientos kilómetros adelante, por fin: Cúcuta".

Cuando llegábamos a Cúcuta, capital de norte de Santander, dábamos un respiro de alivio, porque estábamos a mitad del periplo. En ese momento dejaba de ser ayudante de bus y pasaba a fungir en mi nueva responsabilidad en el ramo del comercio internacional, porque gracias a Dios no se había negociado el TLC con Estados Unidos. Debía atravesar la frontera de Colombia a Venezuela para hacer las compras en los almacenes de San Antonio de Táchira.

En la primera ocasión que pisé tierra extranjera, no podía quitarme la imagen de mi mamá de la cabeza, así que lo primero que hice al poner un pie al otro lado de la frontera, fue correr hasta una oficina de telégrafos para escribir el siguiente marconigrama: "Mami, encuéntrome en el extranjero, me siento Marco Polo. Te extraño".

Como en esa época no existía el Facebook, mi telegrama "urgente" llegó a sus manos en físico papel, cuarenta y ocho horas más tarde. Debido a que no contaba con recursos para el hotel, el negocio consistía en comprar, en el menor tiempo posible, en los almacenes del Táchira: aparatos electrónicos japoneses, té hindú, manzanas de California, ropa francesa y pomada tigre de China por encargo especial de algunos amigos libidinosos. Una vez cruzaba la frontera de regreso a Colombia, corría a asumir mis funciones como empresario en el ramo del transporte inter departamental.

Los buses salían repletos de mercancías de prohibida importación a cargo de unas señoras y señores que llamaban "matuteros".

La carga se escondía estratégicamente debajo de las sillas y en el maletero del bus. El objetivo era tratar de disimular la cantidad y calidad del contrabando para poder regatear con los agentes de aduana que establecían retenes a lo largo de la carretera.

Por eso cada viaje de regreso a Bogotá era una estresante batalla de regateo entre el personal de la aduana y los dueños de la mercancía. La mecánica era siempre la misma. Los inspectores de la Aduana subían al bus, daban un vistazo a la carga y luego descendían. Acto seguido un representante de los "honestos ciudadanos matuteros" bajaba del bus para negociar con un representante de los agentes de la aduana. Luego del tire y afloje de rigor, los policías recolectaban su "mordida" y los satisfechos pasajeros continuaban su viaje a Bogotá.

La novedosa mercancía se vendía en los San Andresitos, unos establecimientos de comercio informal de Bogotá, donde se ofrecían productos de contrabando. Este comercio le permitía a los pobres alcanzar su "sueño americano", pues a través de esa ilegalidad consentida podían acceder a productos de nueva tecnología o de última moda, que solo los ricos que viajaban al extranjero lograban comprar.

Estos comercios florecieron en los años 60 en las principales ciudades del país, para vender artículos que en esa época no se podían importar del exterior. El contrabando lo traían desde Panamá, San Andrés Islas, Maicao y San Antonio del Táchira, Venezuela. Resultó tan exitoso este comercio ilegal, que ningún gobierno ha podido erradicarlo y que, como todo negocio subterráneo, sigue creciendo en proporciones monumentales. Es lo que ocurre en todos los mercados negros del mundo, que no se acaban porque el dinero lo compra todo, en especial los favores del poder.

En esa época mi vida dependía de la economía del rebusque. Aprovechando las circunstancias volvía a la facultad, asistía a clases y, de paso, vendía perfumes a los compañeros de periodismo.

"Salgan a la calle hasta la carrera séptima y vayan a la esquina del diario "El Tiempo": observen, tomen nota y regresen", nos ordenó un profesor de periodismo de la Universidad de América. "La tarea consiste en escribir una pieza narrativa sobre ese recorrido", dijo el profesor. En una de esas caminatas estando en el edificio del periódico de la Avenida Jiménez, soñé con escribir en "El Tiempo" y pensé: nada pierdo con ofrecerles mis servicios. Era medio día, entré y luego de preguntar por uno de los mandamases esperé en el Mezzanine, que volviera de almorzar el jefe de la sección Bogotá D. E. Casi a las dos de la tarde llegó el titular de esa posición un cachaco bogotano de saco, chaleco y corbatín que me recibió con una actitud que me hizo sentir cómodo. "El barrio en el que tu vives ya tiene corresponsal", comentó. Otra oportunidad como ésta no se me vuelve a presentar en la vida, pensé y saqué una carta del fondo de mi atrevimiento. Se me ocurrió manifestarle que me diera la opción de hacerme cargo de las noticias del Centro Nariño. "Me voy a mudar a ese barrio la próxima semana", atiné a decirle. Kilian aceptó encantado y de inmediato fui a la Carrera 22B con Calle 44, frente a la Universidad Nacional, casa de la familia Rincón Zapata, viejos amigos desde cuando fueron mis vecinos en Villavicencio. "Si preguntan: digan que yo vivo aquí", les solicité. Aceptaron, sin problemas y justamente dormí allí, más de una noche que amanecimos jugando naipes y escuchando música de Los Iracundos y Los Ángeles Negros, entre copa y copa. Mis primeras notas para el diario fueron de esencia comunitaria como el registro de accidentes seguidos de los buses de servicio de transporte público de la Flota Blanca, provocados por los huecos en la vía, la falta de semáforos, el aumento de grafittis en las paredes y la presencia de pandillas de delincuentes. Años mas tarde cuando ya me había graduado en relaciones internacionales en la universidad, subí a la oficina de Don Enrique Santos, director de El Tiempo, junto con Edmundo Viña Laborde, un competente profesor uruguayo de geopolítica. Ofrecimos escribirle artículos sobre actualidad internacional que luego fueron publicados en el suplemento dominical.

A algunos de los condiscípulos de la universidad les entregué frascos de agua de colonia fiadas para cancelarlas a plazos y hoy cuarenta años después, no me resigno a aceptar que estos compañeros me tumbaron. Con algunos de ellos nunca más nos volvimos a ver, pues mi vida giraba sin rumbo fijo y me veía precisado a tomar sin proponerme, caminos inesperados. “A Hernando Villalba tienes que ir a cobrarle al Cerrejón”, me recomendaron entre risas.

En esos días, ante la precaria situación que vivía con Marina, nos sentamos a pensar en un “plan B”.

—Prefiero irme a vivir a la finca de mis hermanos —sentenció mi novia.

Desde esa tarde, tuve el privilegio de descubrir donde queda el corazón del departamento de Santander. Cada quince días me programaba para visitar a la que en pocos meses sería la madre de mi primer vástago, en una finca ubicada en las vecindades de Vado Real, caserío del municipio de Suaita, Santander. Para arribar allá, me trepaba en Bogotá en uno de esos buses que efectuaban el viaje por la autopista troncal del norte por la vía Tunja-Bucaramanga. Al cabo de ocho horas de viaje, en Vado Real realizaba el transbordo a un bus abierto, tipo “chiva” que trepaba montañas con su carga de campesinos y mercados. Luego descendía en una fonda refundida en el cruce de cordillera y río, sitio donde servían esos generosos platos “levanta-muertos” con exquisita carne oreada, chorizos y yuca asada, que la gente reconoce como “comida para camioneros”. Allí debía contratar una mula que me subiera hasta la finca.

Si no había mula disponible, caminaba como un “jodido errante” por las trochas, fangosas en días de lluvias, hasta que más tarde coronaba la montaña donde me esperaba mi amada.

En la finca dormía con un ojo abierto. Mi familia política no me tragaba con facilidad. Cuando les aseguré que éramos casados noté una sombra de cabreo en sus miradas que me puso a sudar. Ellos eran conservadores y sobreprotectores y no concebían que un costeño irresponsable se atreviera a manchar el honor de la familia. Allí tuve que actuar en uno de los papeles teatrales más exigentes de mi adolescencia. Ante mis nuevos parientes aparecí como un joven marido, dispuesto a conformar un hogar, al lado de su joven hermana que esperaba su primer bebé. Con tal de salvar el honor de la familia, y mi propia vida, me ofrecí a realizar, las labores más duras del campo.

Mi ilusión era la universidad, pero el destino me convirtió en un desaliñado e improvisado hombre de campo. Mi nueva familia trató de ayudarnos y nos asignó un cuarto, pero resultó ser el más ruidoso de toda la finca. Ahí mismo en el sótano, bajo el piso de madera, rugía el motor de kerosene que generaba la energía, tanto para la casa, como para el trapiche donde fabricaban panela con melaza de caña. ¡Qué experiencia tan sonora! Era como intentar dormir trepado en una Harley Davidson de 1500 CC, con escapes abiertos.

Hubo días en que al sentirme al aire libre, cobijado por ese cielo santandereano, mientras contemplaba los cultivos, la huerta y la vaca lechera, dejaba volar la imaginación y me sentía protagonista de la "Familia Ingalls", pero en segundos las responsabilidades me bajaban de esa nube, y entonces me calaba el sombrero y corría a cumplir, tanto los deberes propios de un trabajador del campo, como los de esposo diligente. Allí, entre la belleza del paisaje y mi mujer embarazada hice todos los honestos esfuerzos para adaptarme a la dura vida campesina y, de paso, despejar toda sospecha que yo era un costeño fiestero y dicharachero recostado en la sólida economía de mi nueva familia política.

Fueron días muy exigentes. Primero, porque debía mantener ante los hermanos de Marina la ilusión que éramos casados y, segundo, porque debía compensar con derroche de simpatía mi torpeza para los trabajos del campo. Confieso que pasé dificultades, pues como hombre de ciudad jamás tuve la fuerza y las destrezas que adornan a nuestros esforzados campesinos. Qué nostalgia por esa vida muelle en Lorica, cuando lo más exigente era madrugar en ayunas para servir como monaguillo en la parroquia.

Durante muchos días, preocupado por el futuro y mis estudios, regresé a la fría Bogotá y le descubrí colores que jamás antes noté. Esta vez, sin norte definido, decidí especializarme de "todero" para cuadrar los recursos básicos que me permitieran atender a mi nueva familia, pero eso sí, sin renunciar a mi sueño de graduarme algún día en la universidad, y continuar recorriendo los caminos de la vida, con espíritu libre.

Cuando ya logré consolidar mi negocio de comercio internacional, y aprendí de memoria la tortuosa carretera que me llevaba cada semana hasta Venezuela a traer productos novedosos de contrabando, cometí el error del ingenuo.

"Fíeme don Enrique que yo soy buena paga. El lunes le traigo la plata" me juró un maestro de la construcción que hacía un trabajo de remodelación en la casa de mi tía en Bogotá cerca del Jardín Botánico. Convencido de su palabra, le entregué mercancía por valor de cinco mil pesos. Todavía lo estoy esperando. Un albañil, más vivo que yo, me dejó en la calle. Sin capital de trabajo, con un golpe emocional tan sorpresivo decidí cambiar el rumbo de mi vida.

Volví a madrugar para espulgar los avisos con ofertas de trabajos del diario "El Espectador". Transcurrida una semana de peregrinar por oficina y fábricas ¡Milagro! encontré el aviso que aliviaría mi situación, por el resto de mi vida

"!Oportunidad!. Se necesita joven menor de 25 años interesado en ganar 25.000 pesos al mes. Presentarse en Interlibros Ave. Jiménez No. 8-79 oficina 801 entrevista con el Sr. Quintana".

Incrédulo, releí el aviso clasificado sin ocultar mi emoción.

"Ese es mi puesto". Me enfundé mi traje a rayas que me hacia lucir "muy ejecutivo". En el ascensor me acomodé la corbata y me presenté en el octavo piso del edificio que se levantaba al lado de la "Librería Buchholz".

Antes de cinco minutos me percaté que era otro de los 100 soñadores, disfrazados de "ejecutivos", que aparecimos ansiosos de meternos, sin mayor esfuerzo, 25.000 pesos al bolsillo. Nos recibieron con una larga charla de introducción. Durante tres días nos lavaron el cerebro con conferencias y talleres sobre técnicas de venta. Cuando los primeros 94 "ejecutivos" se sacudieron la tentación de volverse millonarios, el señor Quintana sentenció: "Los triunfadores en la vida son pocos, porque la excelencia no se da silvestre". Los seis despistados que resistimos las interminables conferencias, y nos graduamos de "nada", sonreímos, como idiotas, y sacamos pecho. Con semejante desafío, más la bendición del señor Quintana, armado con los catálogos de una editorial de Barcelona comencé el vía crucis de recorrer —de arriba a abajo— la capital, en el intento de venderle libros a amigos, conocidos y desconocidos.

Organicé mi itinerario por zonas para aprovechar mejor mi tiempo. Fui a ver a cada cliente trajeado de manera impecable, con camisa de cuello blanco almidonado, saco, corbata y pisacorbata.

Fiel a las técnicas aprendidas en los libros de superación personal, de Dale Carnegie leídos en la biblioteca de mi padre, saludaba con un apretón de manos, al tiempo que miraba directamente a los ojos a mi presa. Derrochaba seguridad, energía y optimismo. Con aire de ejecutivo, tomaba nota de las fechas de cumpleaños de mis presuntos clientes y las de sus hijos, y preguntaba sobre la fecha de sus aniversarios de bodas. En cada caso solicité que me repitieran sus nombres, apellidos y profesión para grabarlos y dirigirme a ellos por sus nombres completos, como aconsejaba el exitoso autor norteamericano Carnegie en "Cómo triunfar en la vida e influir sobre los demás". Pedí que me compartieran datos, profesiones y aficiones de algunos amigos cercanos con el propósito de anunciarles mi visita. Lista de chequeo en mano puse en práctica todos los pasos que me enseñaron para convertirme en un ejecutivo líder del mundo editorial. Aprendí de memoria los secretos que nos transmitió el vendedor estrella de la compañía que, según el Sr. Quintana, era la octava maravilla en gestión comercial, productor de millones de pesos en ventas, lo que le permitía ganar jugosas comisiones.

Pese a que apliqué todas las recomendaciones recibidas, pasaron días y semanas sin poder cristalizar ningún negocio.

"No se rindan, el comienzo es duro", nos animó el asistente del Sr. Quintana, la mañana que aparecimos los tres "mejores ejecutivos de nuestra promoción" dispuestos a devolver los catálogos y las tarjetas de negocios… Después de unos minutos de dudar sobre mis capacidades para ese oficio recuperé el ánimo. Me acordé que mi padre, José Manuel Córdoba García, fue durante los años 1960, 61 y 62, el mayor vendedor de seguros de vida en Colombia, como agente de Colseguros. Aunque él jamás trabajó fuera del departamento de Córdoba —una provincia feudal y sin industrias— superó a los vendedores de Bogotá, Cali, Medellín, Barranquilla y demás ciudades importantes del país.

"No me doy por vencido. La estrategia triunfadora es cambiar de territorio", fue mi reflexión. Unas semanas más tarde le extendí el catálogo con las ilustraciones a color de las enciclopedias, a Juanita García Manjarrés, directora del Instituto Comercial y de Cultura Femenina, en Sincelejo, Sucre. Mientras ella observaba el folleto, mi imaginación sacaba cuentas alegres sobre el treinta por ciento de comisión que me correspondía. Cuando Juanita levantó su mirada del catálogo y me sonrió, yo sentí que mi caja registradora tintineaba, señal que había cerrado mi primera venta.

Pero justo, en ese momento, escuché la voz de mi tía, Feliciana Córdoba García, secretaria del plantel.

"Enriquito, esos libros ya los tenemos en la biblioteca del colegio".

En ese momento sentí un viento frío, que en semejante calor, me congeló el alma.

Cuando ya estaba haciendo cuentas de cuál sería la forma más económica de suicidarme, la tía me reanimó: "Pero si me traes la enciclopedia cultural Uthea y la Biblioteca de Premios Nobel de Aguilar, te las compro".

Salí entre aturdido e ilusionado con la idea fija de viajar a Bogotá, para solicitar empleo en la otra editorial y regresar a la costa para coronar mi primera venta en el colegio de Juanita García.

Durante el viaje le di una segunda pensada a esa estrategia. Quizás debería explorar el mercado de Villavicencio. Suponía que "allí había dejado muchos amigos" y pensé en convencer a los conocidos de mi tío Bernardo. Con esa obsesión atravesé en diagonal el extenso país convencido que en los Llanos me haría rico a punta de colocar enciclopedias.

Para aprovechar el potencial comercial de los Llanos pacté una alianza estratégica con Antonio Akel, un tipo calvo, dicharachero y bonachón, de origen greco-libanés, con quien recorrí, casa a casa, todos los barrios de Villavicencio, Cumaral y San Martín. Él vendía telas y yo ofrecía libros. “Confía en mi”, decía. “Un griego hace por dos judíos”. A los tres meses, Akel me reforzó mi sospecha: en los Llanos se cosechaba arroz y se engordaban vacas, pero la cultura no se cultivaba en la región.

Ese día, frente a una cerveza, Akel me confesó que su aventura comercial se había trocado en aventura pasional. “Enrique, paisano querido, necesito tu ayuda. Acompáñame a Bogotá”. Sin tiempo para darle una segunda pensada a la propuesta, me vi envuelto en un lío de faldas. Una bellísima rubia apareció corriendo con una niña en los brazos. “Me estoy fugando de un marido violento que me maltrata” Tan pronto arrancó el bus, la rubia me agarró la mano: “¡Señor, agáchese! Es mi marido, es peligroso y está armado! Por segundos me libré de aparecer en la página roja de la prensa bogotana, bajo el titular: “Rubia envuelve en crimen pasional a joven costeño que vendía enciclopedias”.

Padrino de gamines

Bogotá me recibió con un sol radiante, como si retornara un caballero andante (de los de antes) que venía a dar parte de "misión cumplida" Me sentí "un hidalgo de los de lanza en astillero, adarga antigua, rocín flaco y galgo corredor" Le acababa de defender el honor y la vida a una dama rubia (que se la disputaban en un duelo a muerte, su marido furioso y mi amigo Akel). Pero tan pronto descendí del bus, me sentí más encartado que un loro criando murciélagos.

Me escondí en un café de dudosa ortografía, desde donde podía atisbar el arribo de mi asociado Akel. Allí debí soportar tres horas de angustia, con un frío de madre estacionado debajo del esternón. Tan pronto ocurrió el milagro de su aparición y vi materializar ante mis ojos su panza y su calvicie, le entregué el contrabando humano que me encargó en Villavicencio, apreté su mano y salí presuroso del lugar.

Nuestra despedida como amigos y cuasi socios comerciales y de faldas fue fugaz.

—Enriquito, eres un bacán.

—Hermano, cuídate. Y no dudes en mandarme a buscar si me necesitas para que me encargue del discurso de tu despedida en el Cementerio Central.

Me sentí tan aliviado que no caminaba, sino que flotaba. Dí un paseo, como todo recién llegado, por la Carrera Séptima, desde la Plaza de Bolívar hasta la Avenida 19, al lado de señores cachacos trajeados con abrigos negros, paraguas y el diario bajo el brazo. En ese trayecto una docena de fotógrafos callejeros ubicados a lo largo de la vía, se dieron banquete tomándome instantáneas que se reclamaban al día siguiente. Bogotá vivía entonces un ambiente de euforia que contrastaba con ese tradicional clima gris, y conventual que siempre le conocí.

No era para menos. Si ya anunciaban la llegada del primer pontífice que se arriesgaba a visitar a Latinoamérica. Además, según las malas lenguas, Bogotá se debía preparar para el arribo de millones de peregrinos que vendrían a presenciar el milagro. Ahí me olí que esa visita sería mi anhelada redención.

En busca de oportunidades, decidí hacer un recorrido por los sitios de la ciudad que me eran familiares. En la facultad de periodismo de la Universidad de América, me encontré con los actores de televisión Franky, Linero, el Chato Latorre y mi paisano David Sánchez Juliao, aquel amigo con quien de niños descubrimos a Lorica. Él dictaba clases en la Facultad de Periodismo, y con los años se convertiría en uno de los narradores más notables de Colombia. Allí, en tono de confidencia, me reveló que la histórica visita del Papa sería mi gran oportunidad en la vida: "No joda… tu futuro en esta ciudad depende que te gradúes como guía de turismo".

—Se esperan millones de turistas y se requieren miles de guías para acomodarlos en Bogotá, —afirmó David en un susurro.

Ahí mismo abandoné la venta de libros. Me inscribí como un rayo en el Instituto de Estudios Turísticos y me encomendé al Papa Paulo VI porque, gracias a él y a las oraciones de mi mamá, por fin había encontrado mi oportunidad de triunfar en la vida.

El destino me puso al lado de Dago David Forero, cuñado del ex Director de la FAO, Mr. Eduard Sauma. Se trataba de un seminarista, que abandonó su carrera sacerdotal para dedicarse a recoger niños abandonados en la calle. Para acogerlos contaba con una casa de apoyo en Funza, Cundinamarca. Me entusiasmó tanto su misión que resulté comprometido en la causa y nombrado como vicepresidente de una fundación que se conocía como "Amigos del Pormi". ("Pormi": significaba "por mitad" expresión usada por los muchachos de la calle para confirmar el pacto de repartirse las cosas que consiguen -comida o dinero- por igual). Esta tarea tenía dos propósitos: el primero, apoyar la labor social de Yolanda Pulecio —la mamá de Ingrid Betancourt—, Directora de la Oficina de Bienestar Social del Distrito, quien se propuso la meta de redimir a los niños de la calle. El segundo propósito era estético: que ni el Papa ni los peregrinos vieran un niño gamín en la calle.

Para cumplir con esos dos propósitos recogimos a cientos de niños abandonados y les proporcionamos techo, comida y entretenimiento (por lo menos, mientras el Papa retornaba a Roma)

Estaba tan embelesado con los niños, que mi Diosito decidió recordarme otras obligaciones. La mañana del 1 de mayo recibí un marconigrama fechado en San José de Suaita, que me despertó del sueño y me colocó de bruces en la realidad: "Nació varón, eres papá. Marina".

Nunca había sentido en el centro del hígado un terremoto "grado siete", en la escala de Richter.

Enfrentado a mis nuevos deberes de padre primíparo me propuse dividir mi tiempo en dos frentes vitales: ayudar a mi mujer a criar al bebé en la finca de Suaita y no abandonar del todo a Bogotá, donde esperaba resolver mi brillante futuro laboral.

Al final de semejante alboroto pontificio, hice el gran balance de mi experiencia en el tan promovido XXXIX Congreso Eucarístico Internacional. Si bien se encarnó el milagro de la visita de un Papa, ningún peregrino se interesó en mis servicios, excepto, claro está, mi tía Feliciana y Juanita García, quienes llegaron de Sincelejo, parroquia donde no se perdían el estornudo del obispo. Todo transcurrió tan rápido que no tuve la oportunidad de estrenar mi carné que me acreditaba como flamante guía turístico, y para compensar mis vanas expectativas me sentí —ahora sí— desempleado, desesperanzado, sin dinero, pero eso sí, con un centenar de amigos gamines que en la calle me gritaban: "padrino".

En esas circunstancias, coloqué, de nuevo, mis ojos en Villavicencio. Me encomendé a las once mil vírgenes para que me protegieran de los maridos celosos e iracundos y me presenté en casa de mi tío Bernardo, militar retirado de la Séptima Brigada, quien, según mis cálculos, era la persona indicada para ayudarme a conseguir la libreta militar, documento obligatorio para todo colombiano mayor de 18 años y requisito sine quanon para encontrar un empleo decente.

"No apto para ir al ejército por tener el pie plano", escribió el médico militar que me examinó. Hasta hoy no estoy seguro si ese dictámen fue verídico o si tuvo alguna influencia un auténtico sombrero "vueltiao" que le regalamos al doctor de la brigada para que me examinara. En todo caso de ahí salí con mi libreta militar, convertido en un ciudadano preparado para ponerle el pecho a cualquier trabajo decente.

El sargento Tucho Camargo, de Villavicencio, amigo y compañero de andanzas militares de mi tío, compró una lancha y me la ofreció para administrarla.Yo le propuse la fórmula de negociación que aprendí con los niños de la calle: "el pormi". Así acordamos repartir, por partes iguales el producido de la lancha... De la noche a la mañana me sentí un grumete fluvial, con ínfulas de capitán de corbeta. "Suelten amarras" intenté impresionar a mis cinco despistados ayudantes que conformaban la tripulación. Con ellos navegué los más de seiscientos interminables kilómetros que separan Puerto López en Colombia, sobre el río Meta, hasta Ciudad Bolivar, en Venezuela, sobre el Orinoco. De ida, cargábamos novillos de ceba del llano colombiano y de regreso, traíamos hierro venezolano en varillas, de la Siderúrgica de Sidor. De pronto me sentí convertido en un "Indiana Jones" criollo. Cocinábamos los alimentos en fogones de leña, y al caer la tarde, colgábamos nuestros chinchorros en cualquier claro de la selva. En los primeros viajes me dejé hipnotizar por la novedad del paisaje, sin embargo, con el paso de los días, las jornadas se volvieron interminables, las noches largas y los mosquitos, decidieron multiplicarse -en progresión geométrica- para declararnos la guerra.

Vencido por la monotonía y los zancudos, mis sueños de almirante fluvial se esfumaron. La lancha quedó anclada y el sargento Camargo, mi socio, recuperó su nave. Al día siguiente, me fui a tentar al destino en el Bar Ganadero de la Plaza de los Centauros de Villavicencio de donde pasé a administrar el cabaret de "Las Mechudas", lugar en el que me encontré con Carlos Arturo Pavón López, reportero "free lancer" de La Voz del Llano.

—Si tú sabes escribir a máquina, la puerta del llano se nos abre. Vámonos Llano adentro. Nos pagan todo —me dijo, en tono confidencial.

No me concedió un segundo más para pensarlo. Al día siguiente volábamos sobre el extenso llano en un avión Curtis C-46 de Líneas Aéreas La Urraca, que comandaba el Capitán Henao, con rumbo a Paz de Ariporo.

Por pura necesidad me gradué de mecanógrafo en Paz de Ariporo, Casanare. Mi flamante oficina a cargo de la titulación de tierras era, durante el día la mesa de una cantina de noche se transformaba en un bailadero de borrachos y guarichas. Los interesados en mis servicios acudían para dictarme los detalles de los predios que reclamaban. Yo llenaba páginas de papel sellado con información de las tierras y los linderos, para ayudarles a solicitar su titulación al gobierno.

No todo podía ser trabajo. La vida en Paz de Ariporo era una mezcla —muy ordenada— de mecanografía y parranda. Llegaban las botellas de aguardiente "Llanero" y ese era el combustible para que funcionara ese heterogéneo grupo de servidores de la comunidad: el médico Jorge Camilo Abril, la policía rural, el representante de la aerolínea en ese municipio y Miguel Ángel Martín, el afamado autor de "Carmentea", uno de los joropos más populares de Colombia.

La gente de Paz de Ariporo era conversadora, sencilla y generosa. Con frecuencia, los hacendados ordenaban matar una ternera para invitarnos a la tradicional "mamona" a la llanera, asada en leña, acompañada de yuca y, naturalmente, rociada de manera generosa, con cerveza al clima.

El día que esperábamos en la pista el avión de La Urraca para seguir con nuestro itinerario, anunciaron que el HK 500 había desaparecido. Luego supimos que decoló de Aguazul y ¡oh milagro! resultó, como si se tratara de un acto de magia, en La Habana, Cuba. Corría el año 1969 y esa era la máxima aventura que soñaban los jóvenes revolucionarios que brotaban silvestres.

En busca de Albert Camus

El día que me cansé de despachar como oficinista de asuntos sin importancia, en un pueblo en la mitad de la nada, retorné a Villavicencio.

La suerte —que yo llamo "la Divina Providencia"— y mi búsqueda afanosa de un lugar en la vida me acercaron a lo que Albert Camus consideró "el oficio más bello del mundo".

Picado por aquella experiencia de estudiante en Duitama, cuando frente a un micrófono de La Voz de los Libertadores, me lancé de periodista improvisado; esta vez, decidí empezar esta apasionante profesión desde su escalón más bajo: reportero en la calle.

Cecilia y Jorge García, oriundos de Barrancabermeja, tenían un local en el parque de "El Hacha", donde combinaban el negocio de fotografía social con la publicación del semanario "El Candil". Esas oficinas, además, hacían las veces de un consulado costeño donde se congregaban para conversar y planear juegos de béisbol: suboficiales, profesores y personas oriundas del litoral caribe.

Sin pensarlo dos veces, pactamos mi vinculación. Al día siguiente salté a la calle equipado con mi libreta de apuntes y unas tarjetas con la inscripción: Enrique Córdoba Rocha, periodismo, publicidad y relaciones públicas.

En ese semanario y en "El Correo del Llano" de Raúl León, publiqué mis primeras columnas periodísticas. De los avisos que vendí recibí mis primeras comisiones. Y para consolidar mi profesión gestioné mi primer carné, que firmó "Juan B. Caballero, Presidente del Círculo de Periodistas del Llano".

Esta experiencia como reportero de la calle me abrió las puertas de la universidad de la vida. Aprendí periodismo manteniendo los cinco sentidos alerta y comunicando los hechos como si mi auditorio estuviera conmigo, tomando café en una mesa.

Con el tiempo tuve la oportunidad de trabajar al lado de quienes en ese momento eran los ídolos de la radio. Se trataba de los locutores consagrados como Eucario Bermúdez, Carlos Arturo Rueda, Pastor Londoño, Julio Arrastía, Alberto Piedrahita Pacheco y otros, que nos permitieron descubrir nuestra propia geografía, gracias a sus ingeniosas transmisiones de "La Vuelta a Colombia".

Cuando llegaban a Villavicencio a trasmitir pruebas de ciclismo, yo me integraba al equipo, como uno de los periodistas locales, para disfrutar de la maravillosa aventura de las transmisiones radiales.

Como resultado de esas experiencias me dejé contagiar por el virus de la radio. Mis primeras incursiones en este medio se las debo a Marco Antonio Franco, director de noticias de Radio Villavicencio de Caracol, quien creó un espacio en el noticiero, a mi medida: "el comisario cívico".

Mi misión era informar sobre las necesidades de los barrios. Este trabajo de la reportería callejera no demandaba equipos especiales ni tecnología sofisticada: simplemente, pedía prestado el teléfono en una tienda, farmacia o en una casa particular, y hacía mi informe, en vivo y en directo, desde el sitio de los acontecimientos. Y claro, con el paso del tiempo, aproveché esta oportunidad para influir en la programación de la estación.

Como Dios no olvida a sus vagos devotos, el senador tolimense Jaime Pava Navarro, dueño de La Voz del Centro en el Espinal (Tolima) y de La Voz del Llano, adquirió otra emisora: Ondas del Meta, en Villavicencio. Seguramente él me escuchó en Caracol, lo cierto es que, sin mucho preámbulo, me disparó una propuesta: "jovencito, encárguese del noticiero".

Así, de la noche a la mañana, me sorprendí, como director de "Supernoticias". Mi trabajo se movía en el área del reportaje, pero en otra dimensión. Mis fuentes ya eran la mismísima gobernación, la alcaldía, juzgados, dirección de tránsito y los comandantes de la policía. A esas alturas del partido mi voz se empezó a escuchar por todo el inmenso Llano, desde la cordillera oriental, hasta los límites con Venezuela. Era la época en que todo campesino cargaba —junto con su azadón, su machete y su caballo— un radio transistor japonés remachado en la oreja.

Mensajero de cartas y noticias

Apenas cumplí veintiún años, mi Dios me abrió las puertas del Incora, el temido y polémico Instituto Colombiano de la Reforma Agraria, creado en 1961, por el gobierno del presidente Carlos Lleras Restrepo.

No pregunté en cuál de las ramas de tan frondoso árbol burocrático me colocarían, lo cierto es que me sentí feliz de servir a los campesinos colombianos.

Esta oportunidad en el Incora cambió mi vida. Experimenté las ventajas de contar con mejor salario y prestaciones sociales, con estabilidad laboral y seguro médico. Y lo que para un tipo con múltiples trabajos —como yo— me pareció más exótico; tuve un horario de trabajo de ocho horas, cinco días a la semana.

Me posesioné como empleado público, pero sin renunciar a mi labor como pomposo director de uno de los informativos más influyentes de la capital del Meta. No le vi incompatibilidad legal, pero, por si las moscas, mantuve en secreto esa doble vida, como si yo mismo me exigiera "vivir discreto entre un closet". Pude mantener el penoso equilibrio entre mis dos obligaciones, gracias a la pedestre posición que me ofrecieron: mensajero del Incora

Como debía salir con frecuencia a la calle para poner las cartas al correo, aprovechaba ese privilegio para rastrear en las dependencias oficiales la última noticia.

En algunos momentos del día sentía una suerte de conflicto de personalidad porque era al mismo tiempo mensajero y director de noticias. Salía de la correspondencia oficial y me ponía el sombrero de reportero para hablar de los problemas del gobierno nacional, departamental o local, con el senador Hernando Durán Dusán, los representantes a la cámara Daniel Arango Jaramillo y Leovigildo Gutiérrez Puentes o el gobernador Policarpo Castillo Dávila.

Aprendí a ingeniármelas —día tras día— para sentarme a la hora precisa frente a los micrófonos a satisfacer la demanda de información de los llaneros. Aprovechaba la pausa del almuerzo para cumplir la cita del noticiero del mediodía con mis oyentes.

El noticiero era tan variado como en cualquier metrópoli, porque no faltaban las noticias de pavorosos accidentes en esas carreteras de montaña de Bogotá a Villavicencio. Eran frecuentes los choques, derrumbes sobre la carretera y caídas a los abismos donde corría el río Negro, tragedias causadas por exceso de velocidad o desperfectos mecánicos.

En síntesis, debía redactar y leer las cuarenta noticias que consumía el noticiero del medio día, más otras cuarenta a las nueve de la noche. Ahí descubrí que un hombre de la radio debe rendirle culto a la instantaneidad. Por eso desarrollé una gran capacidad para improvisar, aprendí a entretener a mis públicos y descubrí que mi papel era convertirme en un amigo conocido en el que mis oyentes pudieran confiar.

La instantaneidad de la radio me permitía hacerle vivir al oyente la crudeza de los acontecimientos. Gracias al oficio diario, aprendí a modular mi voz, recurso para capturar la imaginación de los oyentes, que aprendieron a soñar con los ojos abiertos

Ejemplo de la confianza que un periodista de radio genera entre sus oyentes es el testimonio de un campesino que se me acercó en la calle: “Señor periodista, yo lo distingo a usted. Por donde yo vivo unos colonos están matando indios a mansalva dizque porque no tienen alma, los blancos nos quieren quitar los fundos".

De inmediato, olí la dimensión de la tragedia. En esos días me promocionaron como promotor de los programas del Incora y empecé a comprender las grandes contradicciones y fricciones que generaba la Reforma Agraria.

Volé a un teléfono para transmitir a Bogotá la noticia a "El Espacio", un diario vespertino, popular y sensacionalista, que me pagaba por la corresponsalía. Aprovechó el impacto de la historia y le dedicó su primera página. La primicia causó tanto revuelo nacional que decenas de periodistas cayeron sobre Planas, Vichada, para investigar a los dirigentes, terratenientes y políticos enredados en la masacre de los indios guahibos. Ese crimen de lesa humanidad tenía un perverso propósito: quitarle a los nativos sus tierras, pues se rumoraba que en el subsuelo se acumulaban inmensos yacimientos de petróleo. Ésta, mi primera "chiva", alcanzó tal resonancia nacional e internacional que varios gobiernos e importantes centros de investigación social intervinieron.

Esa angustia cosquillera de sentirme infiel —como el marido que atiende esposa y amante al mismo tiempo— se terminó abruptamente, cuando algún pajarraco envidioso del Incora influyó en los más altos niveles de la institución, con el argumento que las oficinas no debían funcionar en la ciudad, sino en el campo.

Como consecuencia, me vi obligado a colgar los tratos de informar. Renuncié así, a la dirección de "Supernoticias" en "Ondas del Meta" y resulté despachando —a hora y media de Villavicencio— al lado de un enorme grupo de funcionarios en una casa que había sido una escuela anteriormente, ubicada en el municipio ganadero de San Martín.

En este nuevo destino me percaté que la reforma estaba plagada de enemigos. El testimonio más crudo lo recibí del abogado Didier Martínez Molina, director del Proyecto "Meta No.1" quien llegó del departamento del Cesar, con el dudoso honor de haber sido "herido en combate". El iracundo propietario de una finca, ofendido porque le "incoraron" sus tierras, le disparó a mi jefe un tiro de escopeta en una nalga. Eso me llevó a reflexionar que mi nuevo trabajo como promotor de desarrollo social del Incora, debía ser clasificado como "oficio de alto riesgo".

Nunca supe qué planes tuvo mi jefe, Didier Martínez conmigo. Él era un abogado sobresaliente de la Universidad Libre de Bogotá, intransigente con los mediocres, estricto al extremo y convencido del proceso agrario. Como yo estaba dispuesto a medirme a lo que fuera, él decidió nombrarme en los cargos más exóticos que iban quedando libres: primero de auxiliar del almacenista, después, supervisor de crédito y, meses más tarde, promotor de desarrollo social.

Este último cargo exigía mi ágil movilización por municipios y veredas con la responsabilidad de asistir a los campesinos beneficiados por la reforma agraria.

Como una cosa es vivir la realidad en el campo y otra interpretar esa realidad desde las altas esferas del gobierno, por fin llegó la anhelada solución a mi solicitud de recursos para desplazarme: me asignaron un caballo.

En ese instante llegué a sentir la misma depresión que aqueja al "Llanero Solitario".

Durante los siguientes meses eché mano de todos los argumentos divinos y humanos para convencer a mi jefe, que para recorrer medio país por llanuras interminables, morichales, trochas y caños, resultaba más eficiente que me cambiaran mi rocinante de pedigrí sospechoso, por una motocicleta japonesa de dos tiempos y, por lo menos, diez caballos.

¡Qué trabajo tan revelador! Trepado en todos los medios de transporte —mula, lancha, tractor, jeep, caballo y bicicleta— recorrí —de arriba abajo— esa media Colombia que por la fuerza de la indiferencia sigue olvidada y despreciada por los burócratas de todos los gobiernos.

Esta enriquecedora experiencia con el Incora me permitió entender y comprender a la otra Colombia.

No solo porque conocí desde adentro el debate, entre los propietarios de predios, los ganaderos, las organizaciones campesinas, el gobierno y los teóricos internacionales de la reforma agraria, sino porque también, pude valorar la perversa influencia de la politiquería al servicio de aquellos terratenientes que torpedeaban los buenos propósitos de dotar de tierra a los campesinos colombianos.

Pronto me di cuenta que el balance no podía ser más deprimente: las fincas objeto de la "incorización" del gobierno resultaban abandonadas e improductivas, mientras unos campesinos continuaban siendo explotados laboralmente y otros quedaban arruinados por su incompetencia o por el rezago cultural. Lo grave es que la mayoría de ellos seguían marginados del desarrollo socioeconómico del país.

Un día —cual si se tratara de una milagrosa revelación— descubrí la oportunidad de volver a mis raíces: mis paisanos, las corralejas, los pescadores del río Sinú, el mar, los agricultores y mi familia.

Me nombraron Coordinador de Divulgación del Incora para la Costa Atlántica, con sede en Sincelejo, Sucre, para atender a los siete departamentos caribeños; desde la Guajira hasta Córdoba. No lucí como un frío tecnócrata de la capital y pude balancear mis responsabilidades de promotor oficial, con mis inclinaciones por el humanismo, lo que me permitió investigar —de primera mano— las expresiones más genuinas de la cultura Caribe. En ese orden de ideas, despaché en Sincelejo durante el mes de enero, para estar presente en la fiesta de toros de Majagual. En abril trasladé mis operaciones a Valledupar, durante el festival vallenato. A finales de febrero operaba en Barranquilla, en tiempo de carnavales. Durante el mes de septiembre oficiaba en Santa Marta, para aprovechar las fiestas del Reinado del Mar. En octubre me reportaba en Riohacha, coincidiendo con el festival del Dividivi y el 11 de noviembre, sin falta, gozaba del Reinado Nacional de la Belleza en Cartagena. Así logré el triple objetivo: trabajar en contacto con la gente, conocer mejor a Colombia a través de sus celebraciones populares, y promover las bondades de las políticas de Reforma Agraria.

Entre mis funciones debía sostener un programa de radio que transmitía al filo de la madrugada a millones de campesinos. Programaba campañas para el mejoramiento de los cultivos, control fitosanitario, recomendaciones sobre cuidados de los animales y, divulgaba los alcances de la Ley 135 de 1961, a favor del campesinado. Para complementar mi gestión, escribía boletines de prensa y nutría con contenidos sobre la reforma agraria a la prensa regional y nacional.

Lo que más valoro de estos viajes al fondo de mi Colombia vernácula, fue la oportunidad de descubrir el alma de los colombianos de a pie, material que me inspiró para los trabajos literarios que publiqué en el "Magazine Dominical" del diario El Espectador, de Bogotá.

Un año más tarde, abrumado por la anemia de mi salario, le expresé mi desilusión al abogado Álvaro Rodríguez Torres, director del Proyecto Sucre, quien, de paso, era mi "roommate" en un apartamento en el edificio "Ochoa Cuartas" en el barrio Las Peñitas. Debo reconocer el plebiscito de apoyo que recibí —tanto en inglés como en español— del resto de compañeros de rumba y de apartamento: el sociólogo Alfredo Barreneche de Barranquilla, el zootecnista Raúl Correa, de Manizales, el economista Ricardo Mejía de Villavicencio, y Paul Krawn, voluntario de los Cuerpos de Paz, oriundo de Illinois.

"Enrique, te comprendo, pero por más que yo quiera no puedo ascenderte. Tú no tienes título universitario"

Frente a esa realidad solicité mi traslado a las oficinas centrales del Incora en Bogotá y muy a mi pesar, abandoné Sincelejo.

Regresé a la fría Bogotá con esa superioridad —medio argentina— de ser reconocido como veterano de la reforma, y lleno de nostalgia por dejar atrás ese Caribe alegre, genuino y espontáneo, donde resuenan tamboras, acordeones y parrandas.

Bogotá ya no me deslumbró. Me sentía jugando de local. Ya no tenía que improvisarme de guía turístico so pretexto de recibir a un Papa, no tenía que subir empinadas cuestas con la esperanza de vender una enciclopedia, ni vendía artículos de contrabando. Ahora tenía un empleo decente que me daba estabilidad. Germán Uribe, jefe nacional de divulgación del Incora me posesionó como flamante editor de radio. En mi nuevo cargo tenía la responsabilidad de escribir el libreto para un programa diario que se transmitía de 6:30 a 7:00 AM por la Radiodifusora Nacional.

En esa oficina de prensa compartí asignaciones, afanes y carreras con el periodista y escritor Germán Santamaría. Recorrimos toda Colombia, junto con el fotógrafo Julio Santana, realizando entrevistas para las páginas agropecuarias de los diarios y preparando series audiovisuales sobre los beneficios de la Reforma Agraria.

De esos viajes tengo vivo en mi memoria aquel periplo que iniciamos en Cartagena y continuamos por las playas de Tolú.

Santamaría recordando años después, diría: “Inolvidable la magia de ese viaje, cuando me llevaste a conocer el mar”.

A Santamaría —embajador de Colombia en Portugal— le debo una gran revelación. Me introdujo en el mundo fascinante de Ernest Hemingway. Nuestras largas jornadas las hacía menos penosas con su entusiasmo contagioso, cuando hablaba de las novelas y crónicas periodísticas de este escritor norteamericano. Desayunábamos literatura con “Adiós a las armas”, a la hora del almuerzo nos servía una dieta a base de “Por quién doblan las campanas”, por la tarde nos recitaba fragmentos de “El viejo y el mar” y ya a la medianoche, lubricados con media canasta de cerveza al clima, no paraba de hablar de “París era una fiesta”. A fuerza de pasión y reiteración Hemingway me cautivó.

En aquellas noches también descubrimos el encanto de los talleres de lectura y crítica literaria que animaban los escritores Arturo Alape, Policarpo Varón, Carlos O. Pardo y otros militantes del grupo “Punto Rojo”, de quienes reconozco influencia en mis afectos literarios.

Mochilero en Centroamérica

El pequeño "marco polo" que desde los 14 años cargo aquí en el alma, empezó a inquietarse de nuevo. Al comenzar diciembre sentí un insoportable malestar. De inmediato olí que se trataba de los ahorros que atesoraba en una cédula de capitalización que —según mis cuentas— estaban a punto de maduración. La cédula la adquirí en Sincelejo, como efecto del "sermón de las siete palabras" sobre "la responsabilidad con mi futuro", que la tía Feliciana me endilgó, entre sorbos de su agüita de tilo.

Luego de soportar prolongadas noches en vela, pensando cuál sería el destino menos irresponsable para ese dinero, me dejé seducir por la opción que, a mi juicio, sonaba más exótica: hacer mi primer viaje al extranjero.

Así, a cambio de los veinticinco mil devaluados pesos colombianos de 1972, logré agenciarme en el Banco de la República, mil dólares de los verdes. ¡Qué fascinación! Hasta me aventuré a olerlos… recuerdo que despedían un aroma como a "sueño americano". Con semejante capital me sentí el "Aristóteles Onassis de Lorica " y decidí que solo tenía una opción: soñar en grande. En el telón de cinemascope de mi mente aparecieron esas películas mexicanas que proyectaban en la función nocturna del "Teatro Martha" de Lorica, solo para mayores de 18. En mis recalentados desvaríos me pude ver de cuerpo entero —naturalmente en blanco y negro— chapaleando en el balneario de Acapulco, rodeado de mansiones, yates de famosos y playas. Antes que se desvaneciera el sueño, compré un tiquete de la aerolínea Copa hasta Panamá y boletos de "Tica Bus" para viajar hacia el norte, por la columna vertebral de Centroamérica, con destino a México.

Gracias a la materialización de ese sueño, le dije por primera ocasión "adiós a Colombia" y, de paso, adiós a la cédula de capitalización que me enseñó "la importancia del ahorro".

"En Panamá hay un campeón mundial de boxeo por cada quinientos mil habitantes", decía la valla gigante que me recibió al salir del aeropuerto internacional de ciudad de Panamá.

"Te tomas una copa" dije en son de invitación a una dama que encontré en la barra de un bar y aceptó. A las pocas horas de abandonar el país mi anhelo se proyectaba hacia mundos lejanos, quería escuchar otros acentos, conocer otra gente, que compartiera conmigo vivencias de tierras distintas. Brindamos con un choque de copas.

¿De dónde eres?", pregunté ilusionado con conocer gente de otra latitud. "Soy de Cali", respondió y yo no podía creer. (Venir a Panamá a toparme con una colombiana, no hay derecho, pensé). Me sumí en una desilusión del tamaño de la moña que tenía sobre su cabeza y multipliqué por veinticinco pesos al cambio cada dólar, el valor de los tragos. Cancelé la cuenta, me despedí y cargué con mi frustración hasta que llegué a dormir al hotel.

En dos días recorrí Panamá y la tercera noche me subí en un autobús, pasé por una zona donde se angosta la carretera llamada "La Nariz del Diablo", en la mitad del camino y llegué a San José de Costa Rica.

El 22 de diciembre en la mañana arribé a Managua y, sin darme reposo, recomendé mi maleta en el hotel para aprovechar el aporreado jeep Willys, veterano de muchas guerras, que partía en ese instante hacia León. Sentí que mi primer deber espiritual era peregrinar a la casa donde nació uno de mis poetas favoritos: Rubén Darío. Qué maravillosa experiencia. Con esa curiosidad que siempre ha sido mi compañera de viaje, viví cada rincón de su casa. Me senté en la cama donde murió el padre del modernismo, tomé apuntes y fotos y regresé en la tarde a Managua, magullado por el viaje, y sacudido por la magia de los "Cantos de Vida y Esperanza" de Rubén Darío.

¿Sacudido?

¡Sí! Sacudido por los poemas del vate, y zarandeado por los sucesos que esa misma noche me iba a deparar el destino.

Ávido por conocer la ciudad avancé sin rumbo fijo, y ¡OH! coincidencia, me encontré con Fabio Rincón Zapata, pintor bogotano y encantador compañero de bohemia en Villavicencio, a quien no veía desde hacía varios años. Con la naturalidad de un aventurero de oficio me comentó.

—Vamos con mi hermano para México. Esta es la cuarta escala de nuestra travesía.

Nos reunimos con su hermano, el poeta Carlos Rincón Zapata, Alfredo Alegui, un artista plástico barranquillero y una joven nicaragüense, estudiante de música.

En patota fuimos a parar al rincón más discreto de una cafetería, para otorgarle licencia para hablar a ese duende curioso que acompaña a los colombianos en el exilio y que siempre plantea la misma pregunta: "¿en qué líos andan metidos los amigos comunes?"

Entre coca colas, cafés y helados sentí, por primera ocasión, el espíritu dicharachero de la diáspora colombiana. Allí compartimos, entre risas y lágrimas, chistes y anécdotas. Al filo de la media noche, sin que el tema estuviera agotado, decidimos ir a cenar a un restaurante localizado cerca del Hotel Intercontinental —hogar desde hacia un año— del excéntrico hombre de negocios Howard Hughes.

—¿Qué hace en Managua este exótico personaje de Hollywood?

—Hace negocios con el Presidente Somoza —manifestó en tono de confidencia la chica nicaragüense.

En ese instante —cual si se tratara de una película de terror producida por el mismo Howard Hughes— ¡Purrundum! Se desplomó el cielo. ¡Qué explosión tan atronadora! La tierra se estremeció. La oscuridad fue total. Si el planeta no cambió de órbita en ese instante, por lo menos modificó su eje de rotación. El mundo entero se vino abajo. Miré el reloj para grabar en mi memoria la hora en que arribó el Apocalipsis: eran las cero horas más treinta minutos del sábado 23 de diciembre. En los siguientes segundos, los edificios colapsaron en cadena, como fichas de dominó. Ese histórico terremoto con una intensidad grado 7 en la escala Richter, arrasó en treinta segundos con Nicaragua. Obedientes a nuestro instinto de supervivencia emprendimos angustiosa carrera en procura de un espacio a cielo abierto que no tuviera construcciones a su alrededor. En medio de una oscuridad de espanto, sin conocer la ciudad, fuimos a parar a una Plaza, frente al edificio de la Asamblea de Diputados. Allí, entre los tremores, las sirenas, los incendios y la angustia que me estrangulaba por la incertidumbre, fui testigo de la llegada del amanecer

El terremoto dejó un saldo de 30.000 muertos y el 90% de las casas y edificios destruidos en toda Nicaragua.

Como la calle donde horas antes se levantaba el hotel resultó irreconocible por la destrucción, le dije adiós a mi maleta. Por fortuna cargaba conmigo el pasaporte, los benditos dólares de la cédula de capitalización y mi inseparable Nikon. Sin esperanza de redención, partimos con lo que teníamos puesto por la carretera que conduce a Honduras. Avanzamos en medio de pueblos destruidos, donde reinaba el drama y la desolación. En Tipitapa y Ciudad Darío, contemplamos, inermes, a miles de damnificados llorando la muerte de sus seres queridos o lamentando la pérdida de sus viviendas. Avanzamos con grandes dificultades, en algunas ocasiones a bordo de camiones, pero cuando los puentes colapsados o los caminos destruidos impedían la circulación, nos vimos obligados a emprender esos trayectos a pie.

El mejor regalo que nos dimos la noche de Navidad fue ofrecernos como voluntarios de la Cruz Roja en Estelí. Cinco días más tarde, con esa tristeza nacida de la impotencia, cruzamos la frontera hondureña, hacia el norte, en el platón de una furgoneta.

La tarde cuando me presenté en el Consulado de Colombia en Tegucigalpa, pedí que me prestaran el baño. Allí, frente al espejo, descubrí que portaba la irreconocible facha de un náufrago: "¡Mierda! Estoy vivo de milagro" —exclamé.

Para recuperar el tiempo perdido, abordé en Tegucigalpa un avión de TAN que me llevó a Ciudad de México. En el apartamento de Enrique Jaramillo Levi, reconocido escritor panameño, que por esa época cursaba su doctorado en literatura latinoamericana en el Colegio de México, encontré amistad, ropa prestada y su guía para equiparme con lo indispensable para continuar mi aventura.

El arribo del año nuevo de 1973 lo celebramos en Ciudad de México, en medio de una parranda que más parecía una "asamblea general de naciones latinoamericanas". Decenas de amigos nos dejamos tentar por los vapores de un menjurje cristianizado "cola de mono", bebida chilena que ofrecieron los anfitriones de la reunión.

Sin pegar el ojo, portando un guayabo del tipo "pomarroso", o sea, intensa resaca, no pude faltar a la presentación de la orquesta de Dámaso Pérez Prado, que —al rayo del sol de ese mediodía— inauguraba el primer día del año 1973, sobre la tarima que le montaron frente a la Torre Latinoamericana, en esa época, la de mayor altura del subcontinente.

El famoso compositor cubano apareció "de blanco hasta los pies, vestido" agitando unas arandelas festoneadas que portaba sujetas a ambos brazos. Sin más preámbulo, el tipo zapateó el "un-dos-tres-cuá" de rigor, y entonces su gran orquesta inundó la galaxia con las melodías pegajosas de sus mambos inmortales.

Durante una semana le permití a mi asombro que vagara, a su aire, por los monumentos y lugares emblemáticos de Ciudad de México, hasta cuando el pequeño "marco polo" que cargo dentro de mi espíritu, me recomendó, desandar el camino. Para el viaje de retorno tuve el privilegio de recalentar el asiento de un autobús durante veinticuatro horas, incomodidad pasajera que no logró domesticar mis ansias de aventura. Sin pestañear un instante, me dejé hipnotizar por esos mil quinientos kilómetros de paisaje árido y desértico que encontré en la ruta que me condujo por la vía de Chiapas, hacia Ciudad de Guatemala.

La madrugada de un viernes cuando toqué a la puerta de la casa de mis padres en Lorica, con la cámara terciada y un atado de ropa al hombro, casi los mato del susto.

—¿Fue que te atracaron, mijo? —fue lo único que atinó mi madre a preguntar.

Mi vocación para la crónica internacional se materializó ese día. Desde las cinco de la madrugada, hasta la medianoche, les relaté, con pelos y señales, mi primera aventura internacional.

—¿Primera vez? Hijo, hace unos años me escribiste que habías salido al extranjero.

—Claro, mamá, pero fue en la frontera. Apenas puse un pie en Venezuela.

Esa noche concluí mi relato con el recuento de mis experiencias en Guatemala y El Salvador, el salto que pegué en avión a San Andrés Islas, para conectar una semana más tarde con Cartagena, y la parranda que debí soportar —de tienda en tienda— durante dos días, por haberme dejado tentar por la propuesta de un músico que iba para Sincelejo, quien me convenció que el mejor negocio era que contratáramos un taxi en compañía para que nos transportara desde Cartagena hasta tierras sabaneras.

-No paras de hablar, muchacho. Come que tienes cara de haber pasado mucha hambre -insistía mi mamá, cada vez que me servía otro plato.

De tripulante de buses a la *órbita internacional*

Uno nace con cara de "algo", fue la reflexión que me hice antes de decidir la carrera universitaria que estaba en la obligación de estudiar, única vía para ascender en el escalafón del Incora.

Como yo intuí que algún "gen agropecuario" debía estar corriendo por mis venas, me sonó familiar estudiar "economía agrícola", programa que ofrecía la Universidad IINCA de Colombia. Contribuyó a esa rural decisión el hecho que la sede de la facultad estaba ubicada en el centro de Bogotá.

Coincidió mi matrícula en la IINCA con una época de extrema politización en los centros universitarios en el mundo. En Colombia, las universidades, se trenzaban en coloridas confrontaciones dialécticas, con el intento de buscar nicho en los más rebuscados matices de la izquierda. Podría jurar que en esa época, los estudiantes competían para demostrar cuál universidad era capaz de montar la huelga más notoria, larga y enredada.

Por culpa de "no se qué" demandas laborales que se mezclaron con "no recuerdo qué" línea de pensamiento político, bostecé durante dos semestres en los cafés vecinos a la universidad esperando a que los profesores en huelga se reintegraran a sus cátedras.

El dinero que pagué por la matrícula se esfumó en el altar de unos tales ideales políticos que no me interesaban. Perdí un precioso año de mi vida. Y el agro colombiano perdió un pichón de economista.

Mi evolución profesional en el Incora y como consecuencia, mis ingresos laborales, continuaron aquejados de parálisis funcional, por falta del bendito título universitario.

Empecé la búsqueda de una carrera nocturna que no interfiriera con mis obligaciones y horarios en el Incora y que, además no tuviera relación ni con economía, ni con agricultura, ni con profesores revolucionarios barbados. Con esos parámetros, más el entusiasmo por viajar que se me acrecentó gracias al sermón sobre "ahorro y futuro" de mi tía Feliciana, quedé impresionado por la carrera en Diplomacia que ofrecía la Universidad "Jorge Tadeo Lozano".

Con mi mejor cara de "cónsul honorario de Lorica" me presenté a los exámenes. No supe sí pasé las pruebas escritas, de lo que sí estoy seguro es que logré impresionar a los profesores que me entrevistaron, con mi mejor crónica internacional: "el terremoto de Nicaragua". Ahí me sorprendí, al descubrir que tenía vocación de fabulista, o de vendedor de específicos.

En la facultad de Derecho Internacional y Diplomacia me sentí como pez en un acuario. Mis condiscípulos se destacaban por ser estudiosos de las relaciones internacionales y casi todos soñábamos con ingresar a la carrera diplomática. En el proceso de maduración académica me volví ávido de conocimientos sobre tratados internacionales de Colombia, monomanía que resultó muy útil el día que me lancé como candidato para la Presidencia del Centro de Estudios Internacionales de la Universidad. Mi campaña fue muy notoria pues ninguno de mis oponentes pudo exhibir los pergaminos, que demostraban mi amplia familiaridad con el "ambiente internacional": desde mi probada experiencia en "comercio ínter- fronterizo" que obtuve trayendo artículos de prohibida importación que compraba en la frontera con Venezuela, hasta mi reciente periplo internacional que me llevó a conocer —palmo a palmo— siete países centroamericanos, a lomo de autobús.

Electo Presidente, me convencí que la agricultura era una necesaria referencia, pero que mi verdadera vocación era el escenario diplomático. Moví cielo y tierra para organizar eventos académicos que me enriquecieron de experiencias. Descubrí que mi carrera estaba llena de gratificaciones. Organicé importantes encuentros y seminarios que alcanzaron amplia notoriedad, tanto en el ámbito de la academia, como en los medios de comunicación: "La Orbita Sincrónica Geoestacionaria", "Los Derechos Humanos" y "La Nueva Dimensión de la Amazonía". Para ese esfuerzo conté con el generoso aliento del Decano, Diego Uribe Vargas, connotado internacionalista colombiano y con el apoyo de importantes embajadores acreditados en Bogotá.

Con un grupo de profesores y estudiantes conseguimos el respaldo de SATENA -la aerolínea de las Fuerzas Militares- para viajar a nuestra más lejana frontera sur: Leticia. En esa triple frontera, donde coinciden Colombia, Perú y Brasil, nos reunimos con los miembros del concejo municipal de Leticia, la capital del departamento del Amazonas, para hacerles entrega formal del libro que recogió las ponencias y conclusiones del Simposio Amazónico. Aprovechamos para visitar a Tabatinga en Brasil y a Ramón Castilla en Perú, y luego enriquecimos esta experiencia con la visita a importantes comunidades indígenas que se asientan a lo largo del caudaloso río Amazonas.

Nuestra diplomacia universitaria también se nutrió de los intercambios que se acordaron con la República del Ecuador. Gracias a la amistad del decano de nuestra facultad, con Julio Prado Vallejo, director del Instituto de Estudios Internacionales de la Universidad Central de Quito, desarrollamos un intenso intercambio de experiencias. Los estudiantes ecuatorianos viajaron inicialmente a Colombia y, para corresponder a su visita, organizamos una delegación de veinte estudiantes y dos profesores de nuestra facultad, que por escasez de recursos debió realizar el periplo por vía terrestre, Bogotá-Cali-Pasto-Quito.

Debido a las lamentables condiciones mecánicas del vehículo que contratamos en Bogotá, que solo alcanzaba su máxima velocidad de 40 Km. por hora, en las bajadas, acumulamos un día de retraso, contradiciendo nuestro minucioso "plan de vuelo". Entonces debí agregar a mis obligaciones académicas como Presidente del Centro de Estudios Internacionales, la nueva responsabilidad como "negociador de conflictos". Aproveché la experiencia que gané como tripulante de buses interdepartamentales, durante la época en que fungí como comerciante en la frontera Colombo-venezolana, y me di mañas para liquidar —a las buenas— el acuerdo con el dueño del bus y contratar en Popayán otro vehículo, que virtualmente volara, para recuperar el tiempo perdido.

Esos intercambios universitarios fueron clave para obtener experiencia internacional y para crear un clima de cooperación académica y amistad con los universitarios del vecino país.

Cuento familiar incluido Juan Gossaín

Desde la altura del piso 14 de mi apartamento, me dio por pensar en mis hermanos y por filosofar; Bogotá es ciudad, me dije y lo demás es pueblo. Inspirado en ese axioma, tomé una decisión que treinta años después sigo evaluando, sin saber si fue la mejor.

La noche que me encandelilló la brillante idea, acababa de salir de la clase de geografía política que dictaba el profesor Gilberto Morales, en la Universidad Jorge Tadeo Lozano y corría, perseguido por el frío sabanero, hacia el tibio apartamento que allá, en el Edificio Sabana —Avenida Diecinueve con carrera Quinta, vecino del Centro Colombo Americano— compartía con mis "roommates", Armando Gómez Arana —de Buga— estudiante de ingeniería y los hermanos Omar y Eduardo Silva Puerta, de Villavicencio, estudiantes de derecho de la Universidad Libre.

En la fría capital colombiana de los años 70, los costeños padecíamos de "complejo de oso polar". Lo único cálido en esa extensa meseta cundi-boyacense eran esas rumbas que brotaban por generación espontánea, cualquier tarde y que eran coordinadas a gritos —de ventana a ventana— desde los altos edificios. En minutos, terminábamos compartiendo nostalgias en una cena de compadres, salpicada con ron blanco, o en ruidosas asambleas en cualquiera de los apartamentos de mis coterráneos costeños, rindiéndole fiel homenaje al concepto garcíamarquiano del mamagallismo, que por esa época ganó estatus entre los cachacos bogotanos.

Uno de los contertulios de ese vecindario asomaba su barba por el Edificio Embajador, donde una docena de universitarias monterianas, montaron la sucursal de sus haciendas, en las alturas del penth house. Bulliciosas y extrovertidas, se volvieron famosas en el sector in de la Avenida 19 por sus rumbas y su algarabía. En ese ambiente de exilio costeño, ávidos de sol, brisa y acentos, compartí nostalgias con mi amigo de infancia y colega de oficio, Juan Gossaín —embajador extraordinario y plenipotenciario de su natal San Bernardo del Viento— periodista de imaginación macondiana que fungía por esos calendarios, como director de la revista Cromos.

El padre de Gossaín —Don Juan— fue uno de los tantos comerciantes "turcos" residentes en San Bernardo del Viento, a quien mi papá le vendió un seguro de vida. Ni la terca resistencia libanesa de un patriarca de apellido Gossaín, pudo resistirse a los argumentos de mi padre, que en esos tiempos se había convertido en leyenda en la Compañía Colombiana de Seguros, por su capacidad para convencer a sus clientes sobre las bondades de invertir en seguros de vida y de incendios, más la importancia de atesorar en cédulas de capitalización.

En la pista del aeropuerto de Lorica, bajo la canícula del mediodía, Don Juan le pidió a mi padre un favor especial. "Te recomiendo al muchacho. Llévamelo al colegio La Esperanza". Eran tiempos en que Avianca cubría la "ruta Lorica-Cartagena" con aviones super constellation. Mi padre se embarcó con Juan Gossaín y allá en Cartagena se encargó de acompañarlo hasta el internado donde estudió la secundaria. "Quién iba a pensar que ese muchachito, gordito, peludo y con gruesas gafas llegaría a convertirse en estrella de la radio y genio del periodismo colombiano", comentó mi padre, mucho tiempo después.

¿Cómo descubrieron a Juan Gossaín en Bogotá?

La fuente de este jirón de historia es de altísima fidelidad. Se trata de Don Nicolás Chadid, un libanés alto, amable y huesudo quien era representante en Sincelejo, del diario El Espectador de Bogotá. Por allá en 1971, el Incora me trasladó a Sincelejo como Jefe de la Oficina de Divulgación, cargo que me permitía mantener una estrecha relación con las páginas agrícolas de dicho diario. Con su proverbial generosidad, Don Nicolás, me ofreció su ayuda:"Cuando necesites enviar tus artículos para El Espectador, vienes y usas el teletipo". En una de las sabrosas tertulias en que terminaba cada visita a su oficina, me contó detalles de la operación que debió realizar para localizar, capturar y enviar a Juan Gossaín, de la Costa a Bogotá.

Por esa época el universo de Juan no iba más allá de los algodonales de San Pelayo, población donde se celebra el festival de las bandas de porro.

Aquella columna titulada "Carta desde San Bernardo del Viento", que El Espectador le publicaba semanalmente a Juan, se convirtió en un fenómeno periodístico que acaparó la atención de los lectores en Colombia y se convirtió —mas tarde— para él, en un tiquete sin retorno, a la gélida capital. Don Nicolás disfrutaba recordando la misión que le encomendó Don Guillermo Cano, director del diario: "Cómprale ropa de clima frío, consíguele el tiquete de avión y envíamelo para Bogotá".

Mi madre Rosa Rocha de Córdoba, tuvo 22 embarazos, —pero solo once hijos— ella fue una mujer especial. Yo la molestaba diciendo que nos criamos los primeros once que llegábamos a comer, que los otros once se murieron de hambre. "No digas eso, que Dios castiga", replicaba. Mujer solidaria, justa y campeona de la bondad y la conciliación, mi madre se caracterizó por una profunda fe en Cristo, que cultivó con mística, logrando un océano de devotos en Lorica, tanto entre los que allá conocíamos como la gente del pueblo, como entre los miembros distinguidos de nuestra sociedad

Con esa solidaridad práctica que uno desarrolla ante la realidad de tener una camada tan generosa de hermanos, me surgió aquella idea que me encandiló, a la salida de la universidad Jorge Tadeo Lozano. Así, sin mayor preámbulo, levanté el teléfono y llamé a Lorica.

—Mamá, dígale a la Nena que si quiere estudiar en Bogotá.

No terminé de decirlo cuando escuché la algarabía de su aceptación y así, detrás de Rosita llegó Teresita, luego Cecilia, Luz Marina, Feliciana, Gloria y más tarde se desgranaron con el mismo propósito: Jacqueline, José Miguel, María Helena e Isabel Cristina.

Gracias a un par de generosos amigos que poseían propiedad raíz, pude exhibir sobre una solicitud de arrendamiento los dos fiadores de rigor. El apartamento que alquilé estaba ubicado en plena Zona Rosa de Bogotá, carrera 15 con calle 85. Para amoblarlo liquidé los ahorros que atesoraba en la Cooperativa del Incora, total, era una buena causa. Montamos campamento y con el cristiano propósito de ayudarle a mis hermanos a mitigar el frío, me agencié en el mercado Bomboná, media docena de gruesas cobijas cuatro tigres fabricadas en Pasto.

El apartamento de la Quince se constituyó —durante veinte años— en el internado de mis hermanos y en la sede diplomática de los Córdoba-Rocha, en la capital. Claro que cada vez que fue necesario, fungió también como consulado permanente y hogar de paso de mis paisanos en Bogotá.

Las oraciones y gestiones de mi madre obraron el milagro de valorizar nuestras vidas, con la negociación del pase de Nicolasa Flores, vecina de El Carito un pueblo de cuenteros, que se recuesta a orillas de esa ciénaga cercana a Lorica. ¡Qué sazón la que redescubrimos, qué magia en su modo de ser, qué autenticidad, qué música caribe la que volvimos a escuchar con sus dichos sabaneros y su sabiduría campesina!

Nicolasa con su espíritu obró como bálsamo para curarnos de los males que acarrea la nostalgia.

Por otra parte, con derroche de simpatía y suerte logré conseguir cupo a mis hermanos en las universidades donde tenía amigos en los niveles directivos.

Es memorable la algarabía que se armaba en ese apartamento con la febril actividad de una alegre tribu de estudiantes costeños:

cinco de derecho, una de odontología, dos administradoras de empresas, una técnica dental y dos pedagogas, que solían debatir sobre sus estudios, y en el área doméstica se disputaban con Nicolasa los dos fogones de la cocina y con el resto de hermanos, el turno para entrar al baño.

Convencido de mi rol de animador y redentor no abandoné a mis hermanos en el apartamento de la "zona rosa".

Con ocasión de un homenaje que algunos amigos parlamentarios me hicieron en el Club Lorica, para destacar mi nombramiento como funcionario del Ministerio de Relaciones Exteriores y unas representaciones en el exterior, mis genes me susurraron al oído que no podía desaprovechar esa oportunidad. Con gran generosidad hablaron Simón López, rector del Instituto San Pedro Claver, Gonzalo Bula embajador de Colombia ante la FAO en Roma, el poeta Morales Austin, y Germán Bula Hoyos, Ministro de Agricultura. Como en mis palabras de agradecimiento hice una leve mención del "clan Córdoba-Rocha" y del "consulado de Lorica en la capital", el Ministro Bula Hoyos me confió al oído: "Tú eres un héroe civil, acércate el lunes al Ministerio, te ayudaré con dos nombramientos". Por esa vía, una de mis hermanas quedó matriculada en la nómina del Ministerio de Agricultura y la otra en un instituto del sector agropecuario.

En esos días me sentía como un padre de la Patria y pensé que si desperdiciaba la generosidad de mis amigos colocados en la frondosa burocracia oficial, no me lo perdonaría ni mi Dios. De esta manera, logré entusiasmar a todos mis hermanos para que prestaran sus servicios a la Patria y quedaron matriculados en la nómina oficial.

Siguiendo mi ejemplo, todos los miembros del clan repitieron el modelo: estudiaron de noche, trabajaron de día, terminaron sus carreras y salieron con novios del apartamento, directo para la iglesia a santificar sus bodas.

Después de muchos años, algunas de mis hermanas dejaron Colombia y me siguieron el rastro hasta la Florida, donde el mismo clan —ahora multiplicado y bilingüe— se ha vuelto a reunificar, como en los viejos tiempos del apartamento de la zona rosa. Eso sí echamos mucho de menos a nuestra Nicolasa y su menú: gallina guisada, sancocho de bocachico, berenjenas rellenas, quibbes y jugos de corozo y níspero que ella logró importar de nuestra lejana Lorica, para hacernos sentir en la capital el calor de nuestra casa.

A la misión de ayudar a educar a mis hermanos, se sumaron nuevas responsabilidades: Mauricio Bernardo Córdoba Ricardo, mi segundo hijo nacido en 1985 en Cartagena, le tramité la visa de inmigrante, apenas terminó su secundaria en Bogotá para que continuara sus estudios en esta nación de sueños y pesadillas, que el comediante colombiano Saulo García bautizó como "los Esclavos Unidos".

Carlos Enrique Córdoba Castillo mi primogénito, natural de Santander, Colombia, nacido cuando yo terminaba mi bachillerato, reside hoy en Madrid, España donde trabaja como ingeniero de una empresa francesa. En apenas una década transformó su típico acento santandereano en un melodioso lenguaje de saleroso arrastre de "zetas" para sus apasionadas batallas futbolísticas por el Real Madrid.

Hoy de once solo quedan tres de mis hermanos en Colombia. Supongo que, como es habitual, ya se habrán puesto de acuerdo para que "el último que salga… apague la luz".

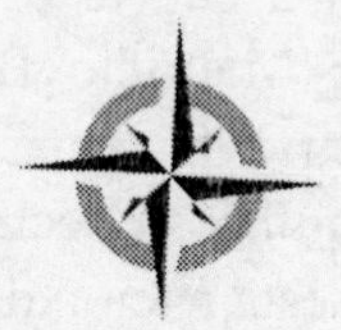

Entre rotativas, diplomacia y la radio de Miami.

Una columna que escribí sobre la experiencia vivida durante el viaje al Amazonas me abrió las puertas del diario "El Espectador" de Bogotá. Doña Inés de Montaña —la leída IM Contesta— me facilitó, con generosidad, las páginas de su sección para mis crónicas. Gracias a su espaldarazo, en poco tiempo, resulté enfrentado a un nuevo desafío. Me ofrecieron integrarme al equipo editorial del diario más antiguo del país, como jefe de la "Sección Agrícola".

Ese día me di cuenta que mis "genes agropecuarios" me montaron la perseguidora y, en una vuelta del camino, me emboscaron de nuevo.

Esta nueva responsabilidad tuvo como generosa contraprestación renovados motivos para viajar. No hubo feria agrícola y ganadera en Colombia donde no asomara mi nariz para escribir sobre el pujante desarrollo de nuestra industria agropecuaria.

De paso, tuve el privilegio de alternar con los mejores profesionales de la información sobre este tema, entre otros, Timoleón Gómez Pachón de "Caracol en la Tierra" y Julio Roberto Bermúdez de El Tiempo.

Recuerdo con gran intensidad aquel jueves, cuando cerré con anticipación la edición de las páginas agropecuarias que se publicarían el domingo. Ese día salí a cumplir una cita con mi futuro. Pleno de dicha, sin que me cupiera el alma entre el cuerpo, recibí mi diploma de grado en la universidad.

—Felicitaciones, Enrique —me estrechó la mano el doctor Diego Uribe Vargas, senador de la República y decano de la Facultad de Derecho Internacional y Diplomacia.

Sentí que se movió el piso, con la intensidad del terremoto que experimenté en Nicaragua.

Un mes más tarde, mi decano fue nombrado Ministro de Relaciones Exteriores por el Presidente Julio César Turbay Ayala.

Al instante quise entrevistar a ese maestro que me enseñó la teoría del Derecho Internacional Público y la mecánica de los asuntos internacionales. El doctor Uribe Vargas me apoyó en muchos proyectos que le esbocé por la época de mi desempeño como Presidente del Centro de Estudios Internacionales de la Universidad, como los intercambios universitarios con Brasil y Ecuador y simposios de largo alcance. Ahora un internacionalista prestigioso, catedrático y amigo se convertía en Canciller.

Así las cosas madrugué con la esperanza que la mía fuera la primera entrevista del doctor Diego Uribe como Ministro de Estado. Para ello preparé un cuestionario y hablé con su asistente para obtener una cita.

Esa misma tarde recibí una llamada telefónica de Ivonne del Vecchio, funcionaria de la Cancillería.

—El Ministro Diego Uribe te espera a las 5 de la tarde en el despacho.

Con puntualidad inglesa, armado con mi libreta de apuntes y mi grabadora terciada, aparecí en el piso veinte de la carrera sexta con calle quince, sede del Ministerio de Relaciones Exteriores.

—Enrique cómo le va, —me saludó el canciller.

Su oficina se encontraba repleta de gente, entre funcionarios y otros visitantes.

—Lo he llamado porque el presidente y yo queremos que usted venga a trabajar con el gobierno. Organíceme una oficina de prensa, que aquí en el Ministerio no existe —concluyó.

Como era de suponer, semejante oferta sepultó la entrevista.

Sin tiempo para sesudas reflexiones, realicé un inventario mental de mi experiencia en el oficio de comunicar, como "graduado" que era en esos menesteres, en la "universidad de la vida". Me despojé del saco, me aflojé la corbata, me remangué la camisa y esa misma tarde sentencié: "¡manos a la obra!"

Para enfrentar el reto, organicé un primer equipo con María Teresa Bermúdez, quien acababa de llegar con su familia de New Orleans, con mi compañero de promoción Humberto Becerra Iragorri y otros asesores.

Poco tiempo después de estar entre el agite que demanda ser el Jefe de Prensa de la Cancillería, cuando recibí una llamada del Ministro. Me nombró para que viajara y lo representara ante organismos y conferencias internacionales, sin que ello implicara aliviarme de las responsabilidades como vocero de la Cancillería.

Así, de la noche a la mañana, se me abrió, como por arte de "abracadabra" el vasto escenario internacional. Este "marco polo de Lorica" quedó estupefacto.

Bruselas, Praga, Ginebra y Basilea fueron los primeros destinos. Entre las muchas misiones recuerdo de manera especial las que compartí con Joaquín Molano Campuzano, co-fundador de la Universidad "Jorge Tadeo Lozano" y secretario de la Unión Mundial de Geógrafos en La Habana, Moscú, Tanger, Tokio, Helsinki y Chipre. Fueron tiempos en los que en Panamá tuve de interlocutor a Walter Mondale, vicepresidente de los Estados Unidos, al calor de unos whiskys en el Hotel Sheraton. Ese encuentro se realizó con ocasión de la firma de los tratados Torrijos- Carter, sobre los derechos del Canal de Panamá.

Del Sheraton, seguimos la parranda en casa de Moisés Torrijos, quien nos atendió en un kiosko en el patio de su casa, identificado con un letrero: Roldanillo.

—Los Torrijos venimos del Valle del Cauca en Colombia, —me dijo.

Cuando ya era un avezado viajero, con más millas acumuladas que Marco Polo, me nombraron Primer Secretario de la Embajada de Colombia en Quito. Mi paso por Ecuador me proporcionó gratas experiencias y buenas oportunidades personales. Como Primer Secretario de la Embajada de Colombia en Quito viví de cerca la gestión de Luis González Barros, un embajador integral, con enorme experiencia en el quehacer diplomático. Me desempeñé como Cónsul general en Guayaquil y posteriormente, Cónsul en Quito. En ambas ciudades tuve la oportunidad de realizar un intenso trabajo con la comunidad. Aproveché mis años en Ecuador para estudiar y terminar el doctorado en Derecho Internacional, en la Universidad Central. La tesis de grado se tituló "Historia de las relaciones bilaterales de Colombia y Ecuador 1821-1935".

Tantas experiencias en el escenario internacional no domaron mi espíritu aventurero, antes bien, fueron acicate para emprender nuevos vuelos, hacia otros destinos.

En Bogotá hice una pausa en el Ministerio de Relaciones Exteriores con la idea de regresar mas tarde, para desarrollar un proyecto internacional sobre el empleo auspiciado por el Ministerio del Trabajo, SENA y la Presidencia de la República. Mi pasión pedagógica la ejercité dictando cátedras en la Universidad "Jorge Tadeo Lozano" y la Escuela de Administración de Negocios. Más tarde y pensando en vivir una nueva experiencia periodística, le propuse al director de "El Espectador" cubrir las noticias del diario en Miami. Asi fue como ingresé a los Estados Unidos el 7 de febrero de 1987 con mi visa I por cinco años, de corresponsal extranjero, decidido a vivir y comprender la cultura americana, y luego retornar a Colombia en un par de años.

Pero Miami me cautivó con su luz, su mar y su paisaje humano.

Los dos años se convirtieron en cuatro y luego en ocho y más tarde en dieciséis. Pasaron muchas cosas buenas en mi vida personal y laboral y lo cierto es que ya superé un cuarto de siglo sumergido en este ambiente cosmopolita, dedicado a divulgar la cultura, a defender el buen castellano, a gozar de la compañía de los buenos amigos y a escribir. Lo resaltó el embajador Javier Vallaure al anunciarme que sería condecorado por el Rey de España Juan Carlos I con la Orden del Mérito Civil. Cita con Enrique Córdoba, primero y Cita con Caracol, mas tarde es un programa para Record Guiness. "Es el único caso en el que un espacio de contenido cultural, literario, viajes y entrevistas sobrevive por un cuarto de siglo en la radio privada, sin patrocinio oficial. Es un programa que ha sido comercializado, producido, dirigido y presentado por su gestor, Enrique Córdoba".

En efecto, mi programa radial nació inesperadamente en Julio de 1987, a los pocos meses de llegar a Miami. Fue una forma de diversificar mi actividad periodística y para explorar otras fuentes de ingresos económicos. En ese momento, no existía emisora colombiana, solo unas pocas horas con voces de locutores colombianos en la emisora 10.80 AM, WVCG, cuyos estudios estaban en Coral Gables. Se identificaba como "La Voz de Colombia" y las ventas de los comerciales estaban a cargo de Alvaro Botero. Como era una estación donde sus dueños alquilaban las horas a diferentes grupos, la programación pasaba de inglés al francés y del creole al castellano. Escuchando esas ondas radiales, hice una evaluación; si Eucario Bermúdez transmitía las noticias con Jaime Florez y Orlando Torres, mientras que Victor Manuel Velásquez hablaba de deportes e Ivan Nossa, se encargaba de los temas musicales, yo conquistaría a mis oyentes hablando de cultura, viajes y música. Alquilé el horario de 11 a 12 de la mañana, salí con un maletín a vender publicidad en la calle, conseguí patrocinadores —Héctor Alarcón, fue el primero— y me inventé un estilo que ha resultado exitoso por veinticinco años. Fue un camino para llegar a la prestigiosa Radio Caracol de hoy y debo reconocer la contribución de muchos hombres y mujeres —comerciantes, anunciadores, empresarios y profesionales del micrófono—, que han apostado por esta, mi pasión durante tantos años.

Todo marchaba a buen ritmo, hasta que en el año 1988, a Rudy García, un hombre dedicado al negocio de night club le cayó en las manos la propuesta del actor Alberto Jiménez para crear lo que se llamó Radio Kalidad, nombre ingeniado por el cantante Noé Castro con base en las letras de la frecuencia de la 13.60 AM, WKAT. La transmisión de sus programas se prolongaba de las 5 de la mañana al medio día, en tiempo alquilado. A los pocos días consideramos que debíamos unirnos las dos programadoras, en una sola frecuencia para tener posibilidades de subsistir. Los periodistas y locutores que teníamos espacios en la 10.80 AM nos pasamos a la 13.60 y este ensayo empresarial se mantuvo con programación al aire, con algunos tropiezos económicos hasta el 2 de abril de 1990, fecha en que el Hernando Díaz Cobo crea la organización Radio Klaridad. Su proyecto salió por la misma 13.60 AM con programación de 24 horas y le dio nueva dimensión a la radio colombiana en los Estados Unidos.

Tres años más tarde la cadena Caracol de Colombia adquiere la frecuencia 12.60 AM, donde se había trasladado la programación de la 13.60 AM y asume el control de la emisora que hoy es líder en noticias en el sur de la Florida.

En todos esos cambios y movimientos estuve presente como enlace de negociaciones, periodista y empresario de mi propio programa.

Hoy continúo mi deambular por el mundo, detrás de las historias, personajes y sueños, trasmitiendo mi programa, con el mismo entusiasmo de ese jueves, cuando a mis 14 años, colgué mis hábitos de monaguillo y adopté los de impenitente "jodido errante".

Cuando me ausento por más de quince días, no importa si vago por París, Nueva York o Buenos Aires, siento que mi apartamento en Brickell, me llama. Seguramente se debe a que en Miami está mi cama, mi almohada, los cuatro libros que ya empecé y que me esperan pacientes, y éste -el mar de la Bahía de Biscayne- que contemplo desde mi balcón, el mismo que algún ángel iluminado, pintó con crayolas azules, el mismo día de la Creación.

Marco Polo se largó de Venecia a sus 17 años, en dirección a Oriente, siguiendo la ruta de la seda. Al lado de su padre y de su tío recorrió -durante 24 años- la cuarta parte de la tierra y conoció a la China como ningún otro europeo, antes.

En mi caso, yo me largué de Lorica, cumplidos los 14 años, en la dirección que me señaló la brújula de mis instintos. Viajé solo, acompañado por una angustia atorada en el esternón. Qué terco. Me dejé fascinar por las lecturas de viajeros y soñé con explorar las tres cuartas partes de ese mundo sorprendente -"*terra ignota*"- que no se imaginó Marco Polo,.

¿Cómo celebrar estos 50 años de trasegar por un mundo, amplio y misterioso, tan rico en culturas y paisajes?

Nada mejor que abrirles a mis lectores mi memoria y mis "cuadernos de notas". Allí he coleccionado -durante medio siglo- anécdotas, testimonios, grabaciones, fotografias, pasaportes y visas, mapas y coordenadas, nombres y teléfonos de amigos en cien países, recetas, sensaciones y experiencias sobre esos lugares que -sin vergüenza- me aventuré a imaginar, a mis 14 años.

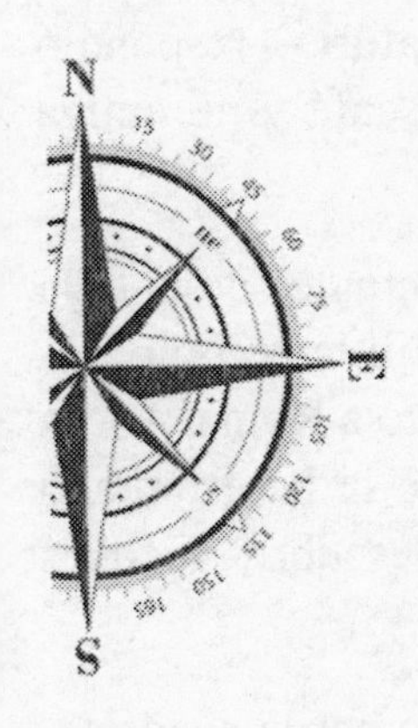

11. VIAJES POR UNA TAZA DE CAFÉ

Expresso en Vía Condotti.

Como siempre, ese martes la gente reía en la Plaza España y los enamorados se besaban sentados a lo largo de los 135 peldaños de las escalinatas. Los turistas se refrescaban del calor veraniego, echándose agua en la cara y tomaban fotos al pie de la "Fontana de la Barcaccia". A nadie le interesó saber algo del Bernini, el artista que la hizo, ni del Rey Fernando el Católico que la regaló.

Acompañado de mi amiga Ingrid Hartman, buscamos la vía Condotti para tomarnos un café. A la entrada, en un costado de la puerta una placa: "Caffe Greco fundado en 1760". Al frente y a lo largo de la callecita, almacenes exclusivos. Cartier, Gucci,Valentino, Prada, con mercancías a precios para millonarios. En la esquina un hombre aviva el fuego y asa castañas en un fogón improvisado. Los turistas le hablan en lenguas de todo el mundo y compran bolsitas del delicioso fruto.

—Soy de Macedonia y mi nombre es Ildet Gafuri —respondió en tono alegre cuando me acerqué. Entramos al café y mi amiga Ingrid me dice:

—Por aquí han pasado famosos. Desde intelectuales de la talla de Lord Byron, Stendhal y Wagner hasta líderes políticos como Benito Mussolini. Siempre llamo a Ingrid cuando llego a Roma. Adora a su Cúcuta, natal, pero la historia de Roma, que la ha estudiado muy bien es su pasión. En cada viaje me lleva a descubrir rincones y me traslada a los tiempos imperiales.

Por nuestra vieja amistad, ella sabe de mi gusto por la historia y el buen café.

Dí un vistazo a las pinturas, lámparas colgantes, salas, cortinas y baños. La decoración del Greco transporta al ayer. Estábamos sentados frente a una de las dos mesitas de madera redonda ubicadas en la sala inmediata a la barra. En las paredes, unos treinta cuadros, contando fotografías, óleos y una caricatura antigua de Hyakusui. Más allá, acomodado en una esquina, un hombre lee el diario "La Republica". Antes de decidir, el camarero, un señor de lentes con smoking y corbatín negro, habla como si estuviera en plena acción de una película. Mi impresión es que: Italia es una gran producción cinematográfica. El camarero nos explicó la clave para saber pedir el café:

—Si pides expresso, en Italia, te sirven simplemente un café —aclaró. Caffé latte, si lo prefieres con leche, es latte macchiato. Café doppio, es más fuerte. Capuchino es el clásico con leche y espumoso, es el típico de las mañanas. —Los italianos son amigos del buen café —añadió Ingrid.

Tomamos un delicioso expresso humeante, con olor y buen sabor. Lo sirvió en una taza de porcelana blanca con cintillo color naranja, acompañado con galletitas.

Nos trajeron la cuenta y ahí estaba la sorpresa: 8 euros por cada café.

—Si lo hubieran tomado en la barra, habrían sido 2 euros por persona —nos comentó después la bogotana Carmen Moreno, en su almacén de textiles tribales de Asia y Africa de la vía Della Lungara.

—¡Cómo te gusta el café! —anotó Ingrid.

—Yo tomo café desde niño, —le respondí—. En mi casa no faltaba el café. Mi papá se tomaba dos y tres termos de café al día. Se respiraba café a todo momento.

—¿Cómo sabes si un café es bueno? —preguntó Ingrid.

—El aroma es lo básico —le dije. Luego el cuerpo, que es como la sensación en la boca, es el peso del café. Después viene la acidez y por último el sabor, lo que te queda gustando del café.

Una taza de café inspira, porque es un maravilloso estímulo. Un café es una infusión alrededor de la cual se hacen negocios y vida social, agregué. Ella hizo un gesto de aceptación, volvió a inspeccionar lo poco que quedaba en la taza y tomó otro poco de café.

Dije:

—Cada vez que tomes un café intenta dejar volar la imaginación hasta el lugar en el que se cultivó ese grano.

Piensa en las condiciones de vida de las personas que intervinieron en ese proceso hasta llegar a tus manos. Ten la curiosidad de saber en qué montañas creció ese arbusto. Lo disfrutarás de otra forma.

Ingrid se interesó por saber el origen del café.

—Salió de Etiopía, dije.

Se propagó por los países del ecuador de la Tierra, ubicados entre el Trópico de Cáncer y el Trópico de Capricornio. Puse un trago de café en mi boca, lo moví alrededor de la lengua y sentí un placer que me transportó a las colinas de Guatemala.

Terminamos la sesión y nos levantamos para salir del Caffee Greco.

—¡Espera! —exclamó Ingrid—, voy al baño.

Me quedé sentado y pensé lo siguiente: tengo el título para un libro divertido, "De qué hablan las mujeres en el baño". Más que una curiosidad será una misión que debe quitar el velo a muchos misterios. Por ejemplo: la demora de las mujeres en los baños. Y, porqué les da miedo ir solas. "Me acompañas", dicen siempre a las amigas.

Regresó del baño y trajo una inquietud:

—¿Cuando te nació esa inquietud por los viajes?

Ingrid tuvo la curiosidad de saber el porqué de mi vida andariega y la pregunta no me sorprendió, a pesar de que en ese instante ya no tenía la mente en el tema de la mujer en el baño. Me ocupaba con el telegrama anunciando la muerte de su madre, que recibió en Argel, el personaje de "El extranjero" de Albert Camus.

¿Cómo? —le dije para ganar tiempo, desenredar mi cabeza y responderle. Repitió la pregunta y le expliqué lo de siempre: soy un viajero impenitente. Nací aventurero. Soy algo así como la reencarnación de Marco Polo.

—Amo la vida por los caminos que he trillado. Mi vida es una aventura de viaje, insinué.

Caminamos y pasamos por la tienda de Mirela Dinu, una amiga rumana que vende en su tienda de la Avenida Cola de Rienzo, cerca del Vaticano, corbatas fabricadas en un pueblo a orillas del Lago Como.

Seguimos la charla:

—Poco a poco, me hice vagabundo sin darme cuenta —dije; me animaba la pasión de viajar, de conocer fronteras y de acercarme a culturas nuevas, hablando con la gente, lo tenía en las venas.

Tomamos un descanso y seguí hablándole.

—Yo no puedo arrogarme el papel del Marco Polo colombiano, —señalé— pero en cincuenta años he recorrido diez veces más caminos que él. Le he dado la vuelta al mundo cinco veces. Es más, me honro con tener amigos en 102 países, entre esos tú, le dije. Desde contratistas de camellos en Giza, a orillas del Nilo y vinicultores en Calabria, hasta el capitán del Expreso de Oriente.

Finalmente, existe un gran secreto que me ha permitido recorrer el mundo, durante medio siglo, con buenos resultados. Fue verificar que el único lenguaje universal que abre todas las puertas y corazones, en cualquier latitud de este bellísimo planeta es la autenticidad y la sencillez del ser humano.

—Disfrutas los viajes…

—Conocer es mi obsesión. Persigo, entre otras cosas: tomar el mejor café donde voy; soy un cazador de fronteras, siento una satisfacción cruzando los límites de los países, no me importa que sea una talanquera, un sendero montañoso o un mercado persa, como el paso de Ecuador a Perú, Marruecos a Argelia, o de India a Pakistán y me siento bien haciendo amigos en todos lados. Pero te digo, tomarme una buena taza de café puede proporcionarme la placidez necesaria para aguantar un día con obstáculos.

Sígueme. Ahora te contaré de todos esos lugares que me han impresionado en estos cincuenta años de trasegar por el mundo.

Tarde en el Trastévere

En la acera de un bar de Viale Aventino, de Roma, un africano sobrevive vendiendo caballos de madera traídos de Senegal.

—Salí de Dakar hace dos años- relató Mamadou. A sus cuarenta años ya cruzó medio continente africano con su carga al hombro desde Senegal.

La tarde que lo vi compartía ilusiones comerciales al igual que una mujer indígena de Otavalo, un pueblo de Ecuador. Ella vende a pocos metros de él. —Yo me vine de Ecuador hace ocho años y entré a Colombia por Pasto —respondió la mujer—.

—Viví en Cali, primero y de ahí seguí a Bogotá.

—Cómo llegaste a Roma? —le pregunté.

—De Francia —contestó.

—Tengo familia en París. Un primo estudió en La Sorbona, —dijo.

Explicó que atravesó montañas y mares de Colombia, Venezuela y España. Ahora la veo moviéndose debajo del semáforo. Carga un bulto de textiles en la cabeza, y un bebé terciado en la espalda. La criatura, su guagua, es un nuevo pasajero de la barca en que vivimos.

El africano y la latinoamericana buscan soluciones de vida en Madrid, Lisboa, Miami o el Trastévere. Desarraigados andan por el mundo. Buscan otros cielos, contra su querer. Forman parte del setenta por ciento del planeta. Gritan y nadie los oye. Esas voces no cuentan, son solo números para sus gobiernos. Mucho menos en Washington, Nueva York o Bruselas. Como ellos hay millones y millones, sin embargo los indicativos muestran un mundo mejor. Yo, acumulo experiencia, me cruzo con ellos y los llevo en el recuerdo como algo desolador de lo que encontré en este permanente caminar desde cuando a los catorce años abandoné el cielo de Lorica para seguir mi destino de un errante que todo lo pregunta.

La globalización, acaba con todo

Mientras tomamos café con José T. Esquinas, amigo y genetista de la FAO él habla de cómo el Internet y los medios de comunicación, tanto escritos como digitales, hacen que realmente vivamos en una aldea global muy pequeña y cómo la mayor tragedia que podría causar esa globalización, sería perder la diversidad cultural.

—Este es el oxígeno necesario para que ese mundo global sea rico y sea poco vulnerable —dice. Saboreo mi café en esta zona romana que es un hervidero, por donde circula gente de todo el mundo.

No se puede caminar por esta ciudad, comento, sin evocar los tiempos del imperio.

—Hoy no lo es —replica Esquinas—.

Ahora Roma es una capital provincial. Cita un poeta: "Un pueblo que pierde su idioma, pierde su identidad. Eso es una gran verdad".

Esquinas sigue con sus disquisiciones "en Roma nos damos cuenta que nuestras vidas son como arbolitos y aquí el viento sopla muy fuerte". "El arbolito se va con el viento a menos que tenga las raíces profundas agarradas en la tierra. Entre más fuertes son las raíces en tu propia cultura, con tu propio idioma, más universalista puedes y debes ser".

—Y si a esa pequeña astronave se le hace un agujero... puede ser en su capa de ozono, se va a ver sometida a una fragilidad en extremo peligrosa. A cambios climáticos y ambientales. Se hunde la barca y con ella nos hundimos todos, no importa si ese agujero está en África, en América o en Asia.

Ahora Esquinas mueve la taza de café, plantea los desafíos ecológicos y advierte del peligro del planeta.

—La barca se hunde entera —sostiene. Es el problema del hambre y la pobreza en África, o en otros países en vías de desarrollo. No es el problema de esos países, es nuestro problema. Es el problema de todos como ciudadanos del mundo. Es sobre todo el problema, que van a tener que sufrir nuestros hijos.

Entonces surge el periodista que disputa mi territorio con Marco Polo, y le pregunto:

—¿Qué te preocupa como científico?

—Que las ciencias humanas caminan a un ritmo más lento que las ciencias biológicas y físicas.

—Me preocupa sobre todo hacia dónde vamos.

El profesor cierra el debate con esta opinión: La tragedia no es el reto bellísimo que tenemos al frente sino al revés, es la esperanza. El reto bellísimo es que hoy más que nunca podemos hacer un mundo de sueños. Propone que lo hagamos trabajando juntos.

Mi siguiente encuentro en Roma fue con la restauradora de arte Alejandra Matiz, hija de Leo, el notable fotógrafo de Aracataca. Me habló deslumbrada de su encuentro en Brescia, con el calificado chef Gualtiero Marchese y de cómo la enloqueció con una receta de risotto con Azafrán que sirvió en un plato grande negro. "El azafrán es más caro que el oro" aseguró, y pasó a describir la preparación: con arroz, cebolla blanca picada, aceite de oliva, crema de leche, caldo fresco, azafrán en agua caliente (poca) y una copa de vino blanco.

Un gelato entre el caos de Nápoles

Sé del caos de Nápoles y la inseguridad que le atribuye la prensa, pero siempre corro el riesgo de ir. Me agrada pasearla, meterme en sus barrios, sus calles y plazas a pesar de que digan que hay una mafia inclemente y una delincuencia que influye hasta en los negocios de las basuras que asfixian a la ciudad. Conozco la gelatería Ciro, en una esquina del malecón de la vía Francesco Caracciolo, donde acostumbro ir y deleitarme con los deliciosos gelatos.

Nápoles es la capital del sur de Italia y la tercera ciudad italiana después de Roma y Milán. Su población contando el casco metropolitano alcanza los 4 millones de habitantes. Si hay algo que me seduce es su historia ligada a griegos, romanos, normandos y españoles junto con la amplia riqueza artística y cultural. El Castillo del Huevo está visible en la costa y en su zona urbana se encuentran los palacios, catacumbas pinacotecas, teatros y casas donde nacieron o han estado figuras como Boccaccio y Petrarca.

Ni que decir de la buena pizza, la mozzarela de búfala y el vino.

He llegado a la conclusión de que son los foráneos quienes más sufren la ciudad. Los napolitanos que conocen su ciudad, la aman y la gozan. Mónica Aonso es una de ellas. "Yo amo Napoles", me expresó la tarde que conversamos en su hotel Poseidón, de Positano.

Todo lo que existe pasa por Nápoles, según el periodista Roberto Saviano con quien comparto un momento. No hay producto manufacturado, tela, artículo de plástico, juguete, martillo, zapato, destornillador, perno, videojuego, chaqueta, pantalón, taladro o reloj que no pase por el puerto. Saviano, nacido aquí en Nápoles, se vio obligado a cambiar de vida y mantenerse oculto bajo protección policial permanente por publicar reportajes sobre la mafia y la ilegalidad en "Il Manifiesto" e "Il Corriere del Mezzogiorno".

Autor del libro "Camorra" sostiene que el puerto de Nápoles es una herida y el punto final de viajes interminables de mercancías que desaparecen al minuto como si fueran un paquete sin papeleo, como si no hubiera existido. "El puerto de Nápoles es el agujero del mapamundi por donde sale lo que se produce en China." Saviano cuenta que un día se fue al muelle Bausan para chismear y al preguntar por un alojamiento le informaron a la salida de un restaurante que cada día hay menos porque las propiedades las están comprando los chinos. En otro aparte de su inspección por el puerto, encontró que el descargue de los barcos no lo realizan solo los nativos de Nápoles, sino personas procedentes de todos los rincones del mundo: "Ghana, Costa de Marfil, China, Albania, Calabria o Lucania", también llamó su atención, un chino que cambió su nombre Xian Zhu, por Nino. Descubrió entonces que en Nápoles, casi todos los chinos que se relacionan con los nativos se ponen un nombre italiano, es una práctica tan extendida que ya no sorprende oir a un chino presentarse como Tonino, Nino, Pino o Pasquale".

El autor de "Camorra" describe cómo en el sur de Italia han germinado super poderes a base del temor y la violencia ejercida entre unos y otros. "El camorrista se hace, el casalés nace", escribe refiriéndose a la patología criminal producto del lugar de origen, dice Saviani, que según un vendedor de periódicos en un quiosco, los sicilianos tienen que arrodillarse delante de los Casalesi.

Oportuno mencionar el caso de Antonio Bardellino, fundador de las familias casalesas, el primero en Italia que comprendió que a la larga, la cocaína llegaría a sustituir en gran medida a la heroína, entonces, como miembro de la Cosa Nostra hace alianza con John Gotti en los Estados Unidos para emprender una de sus aventuras mafiosas.

Al margen de estos sucesos, tras los muros derruidos por el paso de los años de algunos de sus castillos y museos napolitanos, se guarda una leyenda. En Nápoles todo es histórico, los residentes poco lo aprecian, lo ven a diario, les parece algo común.

—¿Dónde se come bien aquí? —pregunté a un hombre de corbata y maletín que iba a mi lado, de pie en el tranvía.

—Sígueme —respondió— me bajo en esta esquina.

—Allí —señaló un restaurante en una callecita y siguió su camino—. Le di las gracias y lo recordé un buen rato mientras brindé con una copa de vino y celebré la alegría de probar un delicioso pescado.

—Para un buen café en Nápoles ve a Gambrinus en la via Chiala, 1-2, —me habían aconsejado. Efectivamente, es un lujoso café con siglo y medio de historia en el centro de la ciudad. Un capuchino con todas las de la ley por 3 euros pagó la caminata y la espera.

Me quedé dos horas para la salida del tren, así que caminé por la avenida del mar, me acomodé en una banca de mármol y eché una siesta. Me llamó la atención que en pleno medio día y a todo sol, en el malecón, una pareja de novios posaba para una sesión de fotografías. Al fondo en las colinas; barrios, jardines, mansiones con paredes pintadas de color ocre y el hermoso paisaje, preludio de la salida hacia la costa amalfitana.

Paris invita al amor

París siempre es un desafío para el espíritu, especialmente durante esos días de luz en que regresé a pisar su suelo. Tras una larga caminata, sentí que merecía reposo en una de sus terrazas. Elegí el café de Flore, ubicado en el 172 del Boulevard Saint-Germain-des-Pres.

El inconfundible aroma del café, me sedujo. Me senté en una de sus mesitas y acompañado de una deliciosa torta me dediqué a saborear el preciado líquido que irremediablemente me remitía a mi tierra.

No sé si ocurra en algún otro lugar, pero en Lorica, en mi infancia, mis hermanos y yo teníamos la costumbre de correr a la cocina, al levantarnos y le echábamos el arroz que quedaba en el caldero de la cena de la noche anterior a la taza de café, y nos sabía a gloria.

Fue mi primer contacto con el café. Después el aroma del café inundaba mi casa a toda hora, debido a que al lado de nuestra casa funcionaban las instalaciones de la tostadora de Café León. Sus propietarios eran los herederos de Don Juan León, amigos entrañables de mi familia. Era tostadora de café y fábrica de helados. En la mañana hacían helados de cola y piña, que se vendían por toda la ciudad, pero los más esperados eran los especiales de tamarindo, corozo, coco y cola con leche. Esos helados se saboreaban en Lorica al impulso de un bochorno de un sol inclemente de cuarenta grados centígrados bajo la sombra a las dos de la tarde, pero ahora en París el ambiente que me rodea es de gente chic y turistas internacionales hablando en francés, inglés, portugués, chino, ruso, español y otras lenguas.

Por las plazas y terrazas corre una brisa que atrae viajeros en pos de sus sueños. Mientras que el París de los amantes se rige por sus propios códigos: no hay edad ni espacios vedados para el amor.

No obstante en esta ciudad de los enamorados también se cuecen habas. Una muchacha en la mesa vecina habla en voz alta de la escasez de trabajo y de los altos precios en los alquileres. Por la calle desfilan como un río los caminantes. La gente se inclina ante París.

No sé si sea el asunto prioritario, pero la alta presencia musulmana en Francia no se puede desconocer, esta ahí. Es una bomba étnica de tiempo. Los millones de magrebíes y sus costumbres son un serio conflicto por resolver. Es una situación que tiene un final desconocido. El problema puede salirse de las manos y sorprender o sacudir a esta sociedad.

—Los franceses están muy contentos con la decisión de que se prohíba el velo, la chilaba. Lo ven como un beneficio para la población, —declara Carmenza Jaramillo-Maincourt, francófila, muy empapada en el día a día de los franceses, con quien me reúno para compartir el café—.

Llega puntual a la cita, está casada con Christophe, oriundo de Tours en el valle de Loira, ella considera que el problema radica en las organizaciones no gubernamentales. Francia está llena de ONG, observa, éstas consideran que se violan los Derechos humanos a los inmigrantes árabes en Francia.

—¿La seguridad social es otro problema? —pregunté.

—Sí. Esa gente se aprovecha de los beneficios que ofrece el Estado. Esos inmigrantes tienen acceso a las medicinas y a los hospitales, y no pagan impuestos.

—¿Qué opinan los franceses?

—Se han vuelto terriblemente racistas. Los muchachos de 13 y 15 años son muy racistas. Hace 20 años eso no se oía. No se percibía, no se sentía. Ahora sí. En menos de 25 años tenemos una generación muy racista. Carmenza reafirma sus argumentos moviendo las manos.

—¿A todos los niveles?

—Mira—, dice. Los franceses no están de acuerdo en mantener a familias de diez hijos. Eso, van a tener que reformarlo, porque el Estado subsidia a quienes tienen hijos. Y los que se llenan de hijos son los árabes.

—Es una situación compleja —comenté.

—Este país se va a reventar —responde Carmenza. Como le va a pasar a Inglaterra a causa de los inmigrantes que no pagan impuestos ni sus servicios médicos. Si esto sigue como va, no hay vuelta de hoja. Esa gente depende de lo que el Estado les da.

—Si, pero la culpa no es de los inmigrantes —repliqué—. Europa dejó de producir y gasta más de lo que produce, así quiebra cualquiera.

Pedimos más café y seguimos la tertulia:

—A los franceses les encanta la buena vida y la plata —dice— pero tienen la mano derecha en el bolsillo y en el corazón la izquierda. Para juzgar son maravillosos.

—¿Crees que en Francia ha bajado la calidad de vida? —indagué.

—Si. Hay más junk food. Eso no existía. Además: la gente joven no quiere trabajar. ¿Por qué vamos a pagar impuestos, si se los dan a otros?

Eso es lo que pregonan.

—¿O sea que la crisis es real?

—Este es un país que vive en vacaciones todo el año —responde. Entran al colegio en enero y en febrero se están yendo para las vacaciones de invierno. Vuelven y llegan las de Semana Santa. Vuelven y ya son las de verano. Vuelven y ya son las de los muertos, vuelven y ya son las de diciembre. Un país así no es capaz de sobrevivir.

—A qué horas trabajan?

—Son buena vida —responde Carmenza. La población ha crecido, ya no son 50 millones sino 70 —dice.

—¿Y la familia? —pregunté.

—Respecto a la familia, no ha cambiado mucho —explica. Esta es una sociedad muy abierta. Ellos miran las relaciones sexuales de forma distinta. Carmenza se entusiasma, dice:

—Las muchachas desde los 17 años se van a vivir con el novio, las familias son muy liberales. No se caerá un político por el hecho de haber tenido una amante, como sucede en Estados Unidos. Los franceses en esto son diferentes —dice.

Carmenza se entusiasma.

—Mira lo que le ocurrió a Mitterrand —anotó. Tenia una amiga con la que compartía. A ningún periódico le interesó la historia.

—¿Cómo está el ambiente del arte?

—Con relación al arte este país es una maravilla: muy vanguardista. No solo el alto nivel por las exposiciones, sino el nivel de artistas nuevos. Montmartre es una plataforma para ellos. Un artista en América Latina tiene que sobrevivir, aquí es muy fácil, porque es un mundo muy cultural. —Agrega, —los franceses son los número uno en lo que es moda, comida, cultura, producción de shows. Digamos lo que digamos: París es París— afirmó. Carmenza metió la mano en el fondo de la cartera buscando algo que no encontraba, levantó la cabeza y argumentó:

—Bueno eso lo siguen pensando todos, o casi todos.

La hija de Mayra Santos

Nuevo día en París. Tomé un periódico y caminé a desayunar fuera del hotel en un restaurante de la esquina. Me trajeron un rico café y revisé en la cámara buenas fotos que tomé de la casa de Victor Hugo, en la Plaza de los Vosgos, y al monumento a Chopin en el parque Monceau.

Me encanta la historia de París. Soy un gran admirador de Haussmann, el gestor de las grandes obras. Fue él quien hizo construir elegantes bulevares y avenidas. Y saber que lo destituyeron por pensar en grande.

Había muchas pestes y poca higiene en esos días. Propuso muchas obras para modernizar a París. Le hicieron un debate acusándolo de que su proyecto era fantasioso. El presupuesto fue astronómico: trescientos millones de hace casi dos siglos. ¡Imagínense! Le hacían sátira a sus diseños y se burlaban de "Los cuentos de Haussmann". Para saber que hoy y gracias a su contribución París es una de las ciudades más bellas del mundo.

La camarera me trae huevos y croissants.

—Tu debes ser hija de Mayra Santos Febres —le digo a la muchacha. Mayra es una gran amiga, escritora de Puerto Rico —expliqué luego. Te pareces a ella: tienen una delicada belleza en sus rasgos africanos.

Al sentirse más tarde con confianza, confesó:

—Soy de Sierra Leona y vivo aquí hace varios años.

Su nombre: Aminata. Me comentó que abandonó Makeni, su pueblo, acosada por la guerra civil. "Sierra Leona es un país muy pobre", aseguró.

París de los escritores

Después de almorzar hice una pausa en el trabajo para una caminata literaria que se inició en la Plaza de la Bolsa, con el escritor Eduardo García Aguilar, oriundo de Manizales, Colombia. Eduardo es periodista de la France Presse en París. Se precia de tener su oficina a pocos metros del lugar donde vivió Simón Bolívar en 1804, de la casa de Stendhal y de otros escritores.

—Uno puede caminar por los mismos lugares por los que ellos caminaron y la diferencia es poca —afirma García Aguilar. En la orilla derecha del Sena, están los famosos pasajes de los que escribió el crítico literario berlinés Walter Benjamin.

Paul Johnson escribió "Benjamin prefirió el suicidio en Portbou, frontera franco-española, en lugar de caer en manos de los nazis. Tomaba morfina, se cree que murió por exceso".

—Los grandes supermercados franceses del XIX eran pasajes que cruzaban de una calle a otra —dice Eduardo. En el interior había cafés, almacenes, sitios de encuentro, de cortesanas. Eso está en la obra de Balzac, de todos los escritores del XIX.

"Esta fue la primera ciudad que iluminó con luz eléctrica las calles y edificios. Víctor Hugo y Zola están vivos; aquí el tiempo no existe". Eduardo menciona a Moliere, quien vivió y murió por aquí cerca de donde estamos.

—En París, la obra literaria de todos los autores ha estado marcada por el invierno —dice.

—Gerardo de Nerval, por ejemplo el autor de "Aurelia" y otros —añade. Fueron prácticamente aniquilados por el invierno, el frío y la tuberculosis, y la depresión a fines del siglo XIX y comienzos del XX.

—En los cafés de hoy instalan aparatos de calefacción que hacen posible estar afuera en sillas tomando vino o cerveza sin tener frío. Los autores del siglo XIX y los anteriores, sí sufrían de una forma terrible el invierno, ahora no —dice el escritor colombiano.

—¿Y cuál es el París que más te gusta, para frecuentar? —pregunté.

—Me agrada andar por las calles de Saint Germain des Prés —responde Eduardo. Explica que la rue de Sena y Odeon fueron epicentro de la vida literaria, donde estuvieron presentes Hemingway, Sartre y Simone de Beauvoir.

—¿Tuvo imán para los latinoamericanos?

—Si —contestó— en los 1920 y 30 París era el centro de la literatura latinoamericana con autores tan importantes como César Vallejo, Miguel Ángel Asturias, Alfonso Reyes. Peruanos como los hermanos García Calderón. No olvidemos —agrega— a ese gran nicaragüense Rubén Darío, el colombiano Vargas Vila, el guatemalteco, Enrique Gómez Carrillo, que vivieron en París en la primera década del siglo anterior.

—Aquí debe llegar gente de todo el mundo, ¿cierto?

—París es muy cosmopolita —indica Eduardo—. Hay barrios paquistaníes, indios, chinos, están los rusos, los árabes, los africanos. Eduardo termina una llamada en su teléfono celular y continúa:

—Hacia el norte: la Gard du Nort, la gard del est, en Belle Ville, donde vive todo el pueblo, gente de Singapur, los tailandeses, los sirlankeses, japoneses, los judíos. Es una ciudad absolutamente llena de gente del pueblo.

—¿Y de Colombia?

—Tiene mucha gente que viene de Asia, de África, y también de America Latina, —acota—. De manera que es una ciudad muy viva. Como manizaleño me siento muy feliz de desandar pasos, en esta ciudad que soñaron muchos escritores colombianos y pensadores caldenses —mi región— como Silvio Villegas, Fernando Londoño Londoño, Gilberto Alzate Avendaño, y Otto Morales Benítez.

—¿Cuándo llegaron los primeros latinoamericanos?

—Hay tres épocas fundamentales de la literatura latinoamericana —explica—. Modernismo con Darío, Gómez, Vargas Vila, y otros latinoamericanos que vivieron intensamente cuando estaba vivo Verlaine y Mallarme. Eduardo se arregla la camisa y explica:

—Luego viene la generación de los años 20 y 30, que fue tal vez la generación más viva. Muchos escritores latinoamericanos vinieron a estudiar acá: Miguel Ángel Asturias, Alfonso Reyes, que fueron diplomáticos. Atravesamos una calle y nos dice:

—Luego viene el "Boom" latinoamericano en el que estuvieron presentes Gabo, Julio Ramón Ribeiro, Vargas Llosa, Alejo Carpentier y Miguel A. Asturias.

—¿Es cierto que pasaron hambre? ¿O es un mito?

—Yo no creo que hubieran vivido tan mal —sostiene Eduardo García. Creo que en el fondo, ellos como nosotros tuvieron momentos de dificultad económica como todo el mundo tiene. Pero no vivieron tan aburridos como dice la leyenda.

Eduardo hace un alto en la explicación, tomé unas fotos, y seguimos:

—De hecho César Vallejo tampoco vivió tan triste y pobre como se cuenta. Tuvieron momentos muy felices porque hay una gran vida de vinos. Eso lo vivieron tanto la generación de Rubén Darío, como la de Asturias y la de García Márquez. A esta altura de la caminata y la explicación García Aguilar enfatiza:

—Gabo (Gabriel García Márquez) aquí fue muy feliz. En París acaban de publicar un libro de Gabo y develaron una placa en el hotel de la Rue Cujas, donde él vivió y fue feliz. Según García Aguilar la leyenda exagera. "En el fondo han sido más felices en París que en América Latina", afirma. Despedí a Eduardo y me fui a la Plaza Clichy.

Al pasar por un restaurante vi un surtido de panes en la vitrina. "Pains" le llaman los franceses a los grandes, "baguettes" que son los que conocemos en nuestros países de América Latina. En París hay una inmensa variedad de panes. Dicen que hay 350.000 panaderías, parece exagerado pero es así. En la noche fui al 54, Rue du Mont Denis y entré a "La Sorire de Saigón", un restaurante vietnamita, con típica decoración asiática. Me lo recomendó Cecilia Lawinski, una amiga peruano polaca de Miami. Acompañé la exquisita comida con una botella de vino tinto.

Con el paisaje de flores y un violinista callejero abordé en desorden recuerdos y lecturas sobre la vida de autores que han tenido relación con París.

La novelista y guionista de cine francesa, Marguerita Duras, nacida en Saigón, Vietnam, con el nombre de Marguerita Donnadieu —y quien participó en la Resistencia francesa y militó en el partido comunista—, pensaba otra cosa de la ciudad: "Cuando estoy en Trouville no me puedo imaginar que pueda volver a París. Ya no sé lo que haría allí. Ya no veo sino muy poca gente. Ya no sé vivir en París".

Emil Michel Ciorán, pasó su infancia "paradisíaca" en Transilvania, también tuvo aquí su apartamento con vista sobre los tejados del Barrio Latino. —Llevaba ya mucho tiempo harto de mi habitación de hotel —dijo Ciorán al periodista Francois Bondy. Le envié un libro con una dedicatoria a una agente inmobiliaria y dos días después me consiguió el apartamento.

Ciorán fue apocalíptico hasta su muerte. El exponente del nihilismo decía: "No somos de una nacionalidad, somos de una lengua". "Escribir es un alivio extraordinario".

Paul Bowles escribió en cierta ocasión que había comprado una casa en África del Norte para estar cerca del desierto. Al poco tiempo notó que echaba de menos la selva. Debido a que los bosques lluviosos más cercanos a Marruecos quedan del otro lado del Sahara y el Sudán, decidió mirar hacia el Este y probó suerte en Ceilán.

Bowles fue asiduo a los cafés y también dejó testimonios de su amor por los de la capital francesa.

"París no se acaba nunca", es un libro donde Enrique Vila Matas, escritor español, narra sus inicios literarios en los años setenta.

Motivadoras fueron las vivencias del escritor americano Ernest Hemingway, que frecuentó la ciudad en los años 1920. "París siempre valía la pena, y uno recibía siempre algo a trueque de lo que allí dejaba", dejó consignado en "París era una fiesta", uno de los libros de fácil lectura escrito por el novelista estadounidense.

—Que tal una hamaca bajo la Torre Eiffel —pensé, molido del cansancio, al medio día de la tercera jornada. Sería una buena solución para reposar el trajín de un singular recorrido. Después de seis horas de caminata uno sueña con sus zapatos viejos y no quiere más París, sino una buena cama para el reposo.

El cuarto de mi hotel en París es pequeño pero acogedor. Tiene buena luz y el agua de la ducha sale con fuerza, así que estoy a gusto durmiendo a dos cuadras de la orilla derecha del Sena.

El cuarto día fui a visitar cementerios donde los gatos viven felices y gordos alimentados por los pobladores del vecindario. Todos los camposantos en París se prestan para visitar las tumbas de escritores, músicos y figuras famosas.

En Montmartre están: Berlioz, Stendhal, Heine, el cineasta Truffaut, Zolá, Foucault, el inventor del saxo: Sax y muchos más. El cementerio Pere— Lachaise es el más renombrado del mundo por sus obras de arte, allí se encuentran los restos del poeta irlandés Oscar Wilde, del pianista polaco Federico Chopin y del escritor francés Marcel Proust, entre otros.

Londres es de película

La ciudad no es tan fría ni gris como la pintan y mucho menos su gente. Viví una temporada, donde Leonard y Ángela Louis con su hijo Mathew, en una casa ubicada en el 18 de Silver Cresent. Mi cuarto era estrecho, con una ventana a la calle y un pequeño espacio para la cama, la mesita de noche y el armario. Llegué allí gracias a las gestiones de los directivos de Davies's School, fueron ellos los encargados de conseguirme la familia donde dormir y pasar el tiempo fuera de clases.

"Enrico, ¿Do you want to come with me?", me dijo Akiko, una japonecita vecina a mi cuarto. Era un sábado y yo asentí: "Yes, ok", Luego de lo cual, subimos a un taxi, hasta el expendio de tiquetes y entramos a la presentación de un grupo de rock, bordeando las tres de la tarde. Recuerdo que había mucha gente, expectativa, alboroto y humo, aparentemente corría droga de todas las denominaciones, la banda tocaba y el público aplaudía y tomaba cerveza, estaban enloquecidos al fragor de la música y el delirio en ese gran salón cerrado y cubierto. Yo la pasé muy bien, me tomé unos tragos y bailé rock, por no decir que dí brincos, con Akiko, y hasta ahí. El show terminó en la noche y regresamos con Akiko a la casa de la familia Louis, donde también residía un joven de Kuwait con quien camínabamos por Oxford Street en las tardes.

Ese sábado descubrí dos cosas: que había sido uno de los privilegiados asistentes a la presentación de "Los Rolling Stones", la famosa banda británica de Mick Jagger y que el árabe era un príncipe de la multimillonaria familia Al-Sabah.

Ahí en Londres, un día después de ver una película en la BBC, obedeciendo mi espíritu exploratorio, quise visitar el sur de Inglaterra. Viajé una hora en tren y me quedé a vivir en Brihgton, un pueblito pesquero del Condado de Sussex del Este, con un castillo delirante. Alquilé un cuarto en la casa de Albert y Marcela Simegoga, una pareja de italianos setentones que se manifestaban radiantes ante la llegada de un joven que les llevaba novedades de la vida en América Latina. Me dieron un buen cuarto y me servían unos desayunos opíparos. Yo era el hijo que nunca tuvieron, en esa casa del 104 Craven Road, en Brighton BN2-2FG.

Al mes volví a la capital y, mapa en mano recorrí la ciudad, sus museos, las calles, las tiendas, el London School y disfruté los videos en los sex shops por 0.25 libras esterlinas, pero la sangre tira, dicen por ahí y entonces decidí cambiar Londres por Lorica, aquel medio día que presencié una competencia de regata entre las Universidades de Cambridge y Oxford. Si los ingleses organizan este torneo en el Támesis, por qué razón no podemos hacer algo parecido en el río Sinú, pensé y creyéndome ese cuento dejé Londres, me fui a Lorica y la encontré inundada de mosquitos, pescados bocachicos, huevos de iguana, corrupción, desidia, mediocridad y muchas lluvias en ese invierno de 1984.

Cuando yo llegué a Miami

Unas veces duermo y en otras leo, pero lo que ocurrió mucho tiempo después de mi paso por Londres y por Brighton, en un vuelo París-Miami, fue de película. Durante el trayecto vi la divertida película “Antes de partir” con Jack Nicholson y Morgan Freeman, a quienes en la película los une el cáncer terminal y encontrarse por un error, en la misma habitación de un hospital. Nicholson protagoniza a un millonario arrogante y Freeman al hombre en la penuria. En la habitación, los dos acuerdan realizar las locuras de sus vidas ante de morir y se van en un avión a viajar por el mundo confirmando lo bella que es la vida y sus cosas.

¡Predestinado!, —pensé—.

La azafata trajo dos tragos que le pedí.

—¡Salud! ¡Salud! —brindamos.

—¿Cuándo llegaste a Miami? —me preguntó la mujer que venía en el asiento a mi lado y con quien llevaba un buen rato charlando.

—Siempre lo he dicho de esta manera —le expliqué: llegué a Miami en febrero de 1987, con el narcotraficante Carlos Lehder Rivas.

—Al mismo tiempo, pero en distintos aviones —aclaré. El viajó extraditado en un avión de la DEA. Yo vine al buró, de corresponsal en Miami, del diario El Espectador de Bogotá, el periódico más antiguo de Colombia, fundado en 1887.

La mujer abrió sus ojos, sorprendida con mi afirmación.

Expliqué:

—A los pocos días de firmar mi nombramiento en Estados Unidos, el año anterior, Don Guillermo Cano, director del diario, cayó víctima de las balas asesinas del capo Pablo Escobar. Lo eliminó en venganza por denunciar sus fechorías. En su columna "Libreta de Apuntes" había escrito que Escobar era un criminal y una amenaza para la sociedad colombiana.

Mi interlocutora no sale de su asombro mientras sigo mi narración:

—La periodista a quien reemplacé, Amparo Paz, fue asesinada junto a su marido y su hija, por su propio hijo, unas semanas antes de mi llegada, en su casa de North Miami. El muchacho, de nombre Carlos Paz, estaba bajo tratamiento médico y al parecer tenía una relación conflictiva con su padre, aseguran los allegados al caso. El joven que entonces tenía 17 años tuvo esa reacción, al parecer, debido a que le suspendieron los medicamentos para controlar la esquizofrenia.

La mujer se lleva las manos a la cabeza.

—Por esos días estaba de moda Miami Vice, la serie de televisión que describía escenas crudas de drogas, sexo y violencia en South Beach.

—Si, claro, yo vi varios capítulos —recuerda la dama.

—Las masacres eran el pan de cada día —expliqué—, campeaba la cocaína en el sur de la Florida. Circulaba el dólar proveniente de negocios turbios, en bancos y comercios, y se sospechaba de todo el mundo.

—¡Qué experiencias! —exclama—.

—No se sabía si el conocido con quien uno almorzaba, o la dama que seducía, eran parte de una red de narcos o informantes del gobierno —dije—.

—Eran frecuentes estos elementos que buscaban la reducción de condenas a cambio de enredar incautos y llevar más gente a la cárcel. Todo estaba podrido: los negocios, los bancos, las autoridades.

—Brindemos por esas experiencias —propone la mujer y volvemos a chocar nuestras copas de licor. Retomé la palabra y recordé la llamada telefónica desde Bogotá.

—Váyase a Jacksonville a cubrir el juicio de Lehder —me dijo José Salgar, jefe de redacción de "El Espectador"—. José, veterano del periodismo colombiano llegó a ser co-director de este matutino. Años antes había tenido por subalterno a un joven reportero recién llegado a Bogotá —a fines de los 40s, de nombre Gabriel García Márquez.

—Aquella fría mañana a la entrada de la Corte Federal de Jacksonville me encontraría con un enjambre de periodistas, fotógrafos y camarógrafos de la televisión, enviados desde muchos lugares.

—¿Todos gringos? —preguntó—.

—De todas partes —respondí—.

—Se trataba de un suceso de alcance internacional. Colombia era protagonista de la guerra entre los carteles de la droga y Pablo Escobar, Rodríguez Gacha y los Rodríguez Orejuela estaban en la mira del mundo. Los medios necesitaban informar sobre el caso de Lehder, el reconocido narcotraficante colombiano que desafió al gobierno del presidente Belisario Betancourt. Este capo llegó incluso a comprar un cayo en las Bahamas para tener un punto estratégico en el Caribe e introducir los cargamentos de cocaína a territorio norteamericano en sus aeronaves privadas.

—Eres un héroe, un sobreviviente...

—Trabajar como corresponsal de Radio Caracol fue mi otro frente de batalla en aquellos tiempos —dije.

—Para ello solo necesitaba descolgar un teléfono público, marcar los números de la radio, decir a la operadora: llamada por cobrar y, acto seguido, salir al aire en vivo describiéndole a los oyentes de Colombia lo que ocurría en el juicio.

—Te acuerdas perfectamente...

—Recuerdo a algunos de los colegas que vi en las bancas reservadas a la prensa en esa ocasión —repliqué—.

—Algunos de ellos eran: Eucario Bermúdez, Gerardo Reyes, Oscar Haza, María Elvira Salazar y Eduardo Arriaza, entre otros.

—Tienes buena memoria.

—Vente para el Marriot, tengo una suite con dos cuartos grandes en mi hotel —me dijo Manuel de Dios Unánue ese primer día de trabajo en Jacksonville—. Lo acababa de conocer y estábamos almorzando con otros colegas. Era un conocido periodista cubano, editor del diario Ultimas Noticias de Nueva York. Manuel escribía una serie de historias periodísticas sobre el narcotráfico y fue a Jacksonville para documentarse sobre el narco Carlos Lehder, una pieza clave dentro del mundo del tráfico de drogas en Colombia.

—Se interesó por ti —anotó—.

—Imagínate —le dije—.

Quería conocer mis impresiones sobre la película de guerra que se estaba viviendo en Colombia por cuenta del narcotráfico. Así se inició nuestra amistad. Su esposa, colombiana, años después lloraría su muerte al caer asesinado el periodista Unánue, en Queens, víctima de un sicario contratado por los narcos para silenciarlo.

—Creo que es suficiente —le digo—. Te estoy cansando con mis historias. ¿Cierto?

—Al contrario, estoy hechizada con tus aventuras —responde la compañera de viaje. ¡Sigue, sigue!

—Bien, yo encantado, en contarte mis vivencias —le dije y seguí:

—Años, pero años después me la jugué de coyote en la frontera con México. Amanecí un diciembre ocultándome de la policía, a orillas del río Bravo. Seguí el rastro a la banda de un tipo apodado "Pancho Villa", por Laredo y Nuevo Laredo. Me uní a ellos para traer a un familiar desde México a Estados Unidos y pasé las "verdes y las maduras", pero este es tema de una novela que tengo en la gaveta.

El avión se movió y se estabiliza en pocos segundos. Bebí un poco más de la copa y seguí mi relato:

Luego y yéndonos a la frontera de Irak y Jordania, donde peligró mi vida, unos soldados iraquíes me detuvieron. Fui acusado de meter las narices donde no debía y me recluyeron en un calabozo. Me quitaron la grabadora y la cámara fotográfica y me hicieron pasar un día de angustia. Fui sometido a un interrogatorio en el campamento fronterizo "Al Andaluz". Pasé un gran susto y grandes dificultades para que pudiéramos entendernos. Esto ocurrió en pleno comienzo de la primera guerra del Golfo Pérsico en 1991. En el mismo punto de la frontera, donde antes habían ejecutado a dos periodistas británicos capturados como yo, bajo sospecha de espionaje.

Pausa para un nuevo brindis y continué:

—En medio del pánico que yo vivía, no podía permitir que los guardias del ejército descubrieran la verdad: que yo residía en Estados Unidos. Por lo que oculté mi pasaporte colombiano con la visa americana en el zapato —aún yo no era ciudadano estadounidense—, y me identifiqué con un pasaporte nuevo conseguido unas semanas antes en la Embajada de Colombia, en Egipto. Ese pasaporte nuevo fue expedido en El Cairo. El embajador colombiano era Jairo Montes, mi amigo, condiscípulo de la universidad en Bogotá y colega de cancillería unos años antes. Con este pasaporte y las visas conseguidas en El Cairo, logré ingresar a los otros países árabes.

El vuelo se me hizo más corto que en otras ocasiones. Miami nos recibió con su olor habitual de palmeras secas, el sol ardiente de siempre y los reflejos verdeazulados de su mar. Después de tan grata compañía y tan amena conversación, intercambiamos coordenadas para quedar en contacto y nos despedimos:

—Chao.

—Adíos, buena suerte, y cada uno abordó su taxi rumbo a casa.

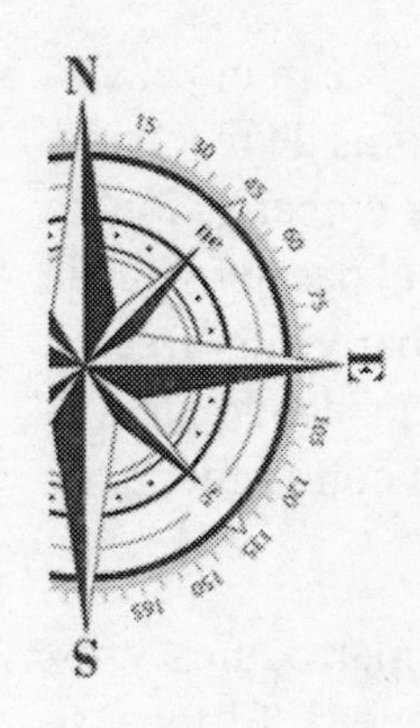

III. EL TAYINE DE MARRUECOS

Un rey sin harem

Ahora estoy en un puerto del sur de España y voy camino a Tánger. Veo un marroquí acompañado de su hijo y su mujer, a tres metros de la taquilla de venta de tiquetes del ferry en Algeciras. Come pistachos de una bolsa de papel y posee —en mi opinión— el récord mundial del olor más penetrante que un hombre pueda alcanzar por suciedad.

Su olor es insoportable. Lo sentí y lo seguí con la vista, mientras comprábamos nuestros boletos en el abarrotado muelle marítimo. Este era un hombre de unos 40 años, barbado y trajeado normalmente con camisa y pantalón. Parado junto a sus maletas se le veía aguardar a su mujer que había entrado a comprar comida rápida en una tienda.

A las 11:00 AM, se escuchó la corneta del ferry y se inició el viaje. De Algeciras a Tánger en Marruecos, son dos horas de recorrido. Es una travesía sobre el mar Mediterráneo en una embarcación de dos pisos, espaciosa, sin lujos pero cómoda, donde el pasajero puede caminar a sus anchas. Hay servicio de restaurante, bar y duty free. Si uno desea puede subir al techo para ver como va quedando atrás la silueta del Peñon de Gibraltar, jugar unos minutos con la fuerza de la brisa y seguir las montañas de Africa.

Viajan muchos pasajeros españoles, familias marroquíes y turistas de otros países cuyos vehículos van en la bodega. El ferry se estaciona y bajamos a las instalaciones del muelle en Tánger.

Los taxistas son árabes, hablan español y el que contraté me resultó simpático y de buen trato. En quince minutos me llevó del puerto al hotel por un laberinto de calles con un surtido de olores para todas las narices. Dejé las maletas en el hotel y salí a caminar animado para encontrarme con la ciudad y su gente.

Tarde de agosto en la terraza del Gran Café de París de Tánger y caminatas por la Avenida Mohamed VI. Hay luz y muchedumbre en las calles. Llegué a un café visitado por artistas, escritores y bohemios europeos. Favorito de autores de la generación beat.

—Hacen buen café —comentó mirándome el vecino de la mesa contigua, turista también quien lo saboreaba en taza de cerámica blanca.

Tomé fotografías de mujeres con velos de mil colores y algunas con chador. En primera fila viejos tomando café con sus amigos en las terrazas de la Plaza Francia. Al frente, el Consulado de Francia y una valla con la imagen del Rey Mohammed VI. Esa foto del rey, su nombre y sus foto-murales están en todas partes y empiezan a fastidiarme.

A mi lado grupos de dos, tres y cuatro hombres con sus chilabas, unas prendas de gala y uso diario que usan los hombres, como túnicas con capucha que les cubren del cuello a los tobillos. La mayoría de los hombres usan chilabas blancas o negras y debajo llevan sus pantalones. Es notable la presencia masculina, aun cuando en una que otra mesa les acompaña una mujer. Leen periódicos, toman café, conversan y ven pasar el tiempo; aun cuando aquí se tiene la impresión de que el tiempo se mantiene estático. En las calles, ríos de familias caminan con sus hijos en un ambiente sano y festivo.

—Se acuestan a la madrugada. Estamos en verano, —me dijo el camarero. El hotel donde me alojé no es cinco estrellas, pero el lobby es muy adornado y tiene decorados de palacio árabe.

En el noticiero de la televisión anunciaron el acercamiento de las delegaciones entre el gobierno de Rabat y el Frente Polisario, para seguir conversando sobre el Sahara Occidental.

Actualmente el turismo es el principal aliado de Tánger como motor de la economía.

—Vemos cambios —dice el taxista. Hay nuevas obras, urbanizaciones y torres de apartamentos.

Me informa que las autopistas e inversiones en Tánger y el norte de Marruecos, llegaron en la primera década del reinado de Mohammed VI. El Rey subió al poder en julio de 1999, a la muerte de su padre Hassan II. "Salió de su palacio en Meknes, dispuesto a doblar la página de largos años de oscurantismo y con planes de democratización", —opinan periodistas tangerinos con quienes compartí una mañana. Según ellos "el Rey viene a Tánger de vacaciones", y parece que ese es una gran deferencia para la gente de allí. Subimos al edificio del Instituto Cervantes y en el tercer piso me atendió Mokhtar Gharbi, redactor del periódico digital diariocalledeagua. Se produjo un clima amable y de cooperación en la sala de redacción. De mutua curiosidad, esencia del periodismo. Fue un cruce de experiencias: me entrevistaron y luego hablamos de la vida en Marruecos.

Tánger y su sociedad intentan modernizarse. La juventud no se apega al pasado.

Tánger fue el Dorado tras la II Guerra Mundial. Atrajo inmigrantes, millonarios y artistas de Europa. Construyeron sus mansiones con lujos y ostentación a orillas del Mediterráneo. Sus estilos de vida fueron leyendas. Residencias, como la del escritor y compositor neoyorquino Paul Bowles, fallecido en Tánger en 1999, están ahora en el circuito de los lugares turísticos para visitar.

—No veo muchas mujeres en los cafés, está prohibido? —pregunté.

—Las mujeres sí podemos ir a los cafés —asegura la periodista Ferdaous Emorotene—. Ve y lo podrás comprobar en el Café Kandinsky —recomendó.

En la tarde, un taxi me llevó y efectivamente, confirmé que es un sector muy chic similar a Marbella. Entré y me sentí en un bar o un bistró de Miami Beach, con gente agradable y de todas las edades. A pesar del estatuto que impulsa los derechos de la mujer —como me insistieron, mi impresión es que la democracia marroquí está en pañales, falta avanzar —reflexioné. —En esta vía no tomes fotos —me exigió Abdul, el taxista.

Viajábamos rumbo a las Columnas de Hércules —a 14 kms de Tánger— y transitábamos por Monte Viejo, un sector de colinas, exclusivo, de palacetes de monarcas y magnates, a ambos lados de la carretera. "Esta es la casa de verano del rey de Arabia Saudita —señaló el chofer—. "Esta otra es de un príncipe de Kuwait, aquella del dueño de una compañía automovilística italiana". Al final desembocamos en "Le Mirage", un hotel de ensueño, con vista al Mediterráneo y al Atlántico. — El ex presidente de Francia Nicolás Sarcozy, estuvo el mes pasado — me dijo un empleado. Abajo Cabo Espartel, las playas repletas de veraneantes, turistas y marroquíes locales. También los emigrantes. Caravanas de marroquíes residentes en el exterior vienen en sus autos de vacaciones veraniegas y hacen el recorrido hasta aquí atravesando Alemania, Francia y España.

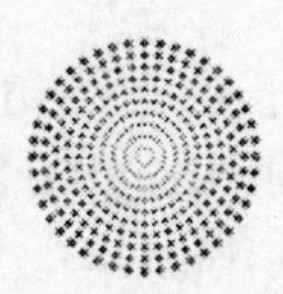

El mejor cuscús de Tánger

Antes de ir a la medina —el casco viejo de la ciudad—, entré a comer en un restaurante de la Rue La Liberté. Abundan las lámparas, alfombras y platos de cobre, en la decoración del restaurante. Pedimos lo que nos recomendó el camarero.

—Coma tahini y cuscús, es el plato nacional —me aconsejó—.

Explicó: es sémola hidratada al vapor de verduras y carnes. Al final se sazona con salsa dulce. El camarero es un señor hablador; menudo y simpático.

—Yo atendí en dos ocasiones al abuelo del rey actual —aseguró— en perfecto castellano. Al ver su disposición no tardé en prender mi grabadora. —El rey Hassan II nunca visitó Tánger —dijo. Le tenía pánico, creía que lo querían asesinar —agregó. Por esa razón no ayudó al desarrollo de esta región. Al final dijo desenvuelto y fuerte: Viva el Rey, nuestro Rey, y guiñó el ojo. No supe si todo esto lo hizo cuando observó que el dueño del negocio estaba cerca.

—Este es el cuscús más rico que he probado —dije. El tahini de carne estaba hirviendo, pero exquisito. Los postres en Marruecos son inevitables: alfajores de almendra, dátiles, frutas frescas. Continué rumbo a la medina por un laberinto de calles congestionadas. Mohamed VI sigue apareciendo en todas partes. Su fotografía enorme se encuentra en las calles, los parques, los edificios, y a la entrada de los pueblos. Aún en las carreteras y en gasolineras se ve la foto del jefe del estado.

—Este Rey no tiene harén —me aseguró un taxista. Según él, lo cerró.

—Hay una revolución de las ciudades marroquíes —sostienen los periodistas de diariocalledeagua. Según ellos en Tánger, Rabat y Casablanca se construyen tranvías, puentes, túneles, complejos residenciales, etc.

—¿Quiénes son los inversionistas? —pregunté.

—Empresas españolas —dice la periodista Emorotene. Este país emerge porque es económicamente estable. Somos la puerta de África y el puente con Europa.

Viajé en taxi por la carretera de Tánger a Tetuán. Tetuán es una ciudad de edificaciones blancas. Fue construida por musulmanes y judíos que emigraron de España tras la caída de Granada en 1492, poniendo fin a ocho siglos de dominación musulmana.

Aún se conservan algunos edificios que se levantaron en los tiempos cuando Tetúan fue capital del protectorado español de Marruecos entre 1913 y 1956. La explanada del palacio real está bordeado por construcciones oficiales. Al frente hay comercios, tiendas y restaurantes y vendedores de aceitunas y pan árabe.

—Delicioso el kibbe, le digo al camarero. Lo comí con tahini de garbanzo y de berenjena y pan pita en un restaurante del mercado de Tetúan.

Este es uno de los platos exquisitos de la comida árabe y me es familiar desde mi infancia.

La cocina libanesa se mezcló con la cocina de Lorica y hoy es un plato popular en la gastronomía de la Costa Atlántica colombiana. La gran emigración del Líbano encontró su nuevo hogar en el Sinú. A ese valle de tierra fértil y gente alegre, pacífica y receptiva, llegaron los libaneses con dos mil años de experiencia mercantil. Trajeron su cultura y la vocación milenaria para hacer negocios. Se encontraron con una sociedad anclada en tradiciones feudales sin más ambiciones que cebar ganado y tener buenas fincas. Con la llegada de la cocina libanesa nos acostumbramos a comer kibbe frito, horneado o crudo. El crudo es el delicioso kibbe naye, un pastel de carne.

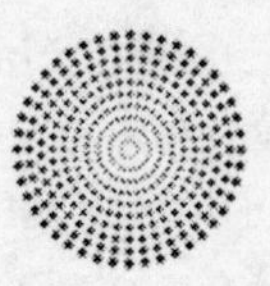

Los turcos de Lorica

Tengo vivos mis recuerdos de los turcos de Lorica. Decimos turcos a sabiendas del equívoco. Libaneses y sirios, entre otros, emigraron identificados con el pasaporte expedido por el gobierno turco. Así nació el equívoco. Imagínense esta escena de comienzos del siglo XX: una noche en el Servicio de Inmigración y Aduanas hacían el informe de los pasajeros que entraron a Colombia.

Los barcos salían de Marsella, cargados de viajeros con destino al Nuevo Mundo. Huían de los conflictos políticos en el Medio Oriente y bajaban de puerto en puerto, a la suerte, donde menos pensaban.

Los barcos hacían escala en La Habana y Puerto Colombia, de ahí los pasajeros seguían a Barranquilla. Esa fue la principal puerta de entrada a Colombia. Un muelle construido por un ingeniero oriundo de Cuba y radicado en Estados Unidos. Francisco J. Cisneros también construyó ferrocarriles y la plaza de Medellín, que lleva su nombre.

¿Cuántos extranjeros llegaron hoy? —preguntó el jefe—. Seguimos imaginando lo que pudo ocurrir.

—Diez españoles, dos franceses, un inglés y varios turcos, —respondió el subalterno—.

—¿Díctame los nombres?.

—Félix Manzur, Alfredo Saleme, Assad Behaine, Chequere Fayad, Juan Gossaín, Rosa de Chaljub Abdala, Rachid Haydar y Abraham Jattin —escribió el anotador—.

Barranquilla, Cartagena y Lorica, Córdoba, entre otros lugares fueron sus destinos. Por ese motivo el colombiano del siglo XXI es producto de: indios, españoles, africanos y árabes, aculturación tetra étnica. Esa es la escena que yo reproduciría en una obra teatral pensando en la entrada de los árabes a Colombia.

La llegada de Musa Jattin, a Lorica, un turco que todo el mundo conoce la conservo intacta.

Yo tenía doce años y ayudaba a mi tío Leovigildo. Tenía la misión de elaborar las planillas de pasajeros de los buses de Transportes Córdoba, en la Plaza de la Concordia. Los buses recorrían Lorica-Sincelejo-Cartagena. Fue una responsabilidad que me dejó tío Leovigildo Córdoba. Tenía su oficina de transportes de buses que atravesaban los pueblos de la sabana. En ocasiones él se iba a jugar dominó con sus amigos y me dejaba al comando de la oficina.

Recuerdo la mañana sofocante del año 1960, época de vacaciones. Vi entrar al almacén de Elías Jattin, a un joven libanés acabado de desempacar, que luchaba contra el bochorno de la temperatura hirviente del trópico caribeño. Venía de Zahle, sin saber una palabra de castellano. Elías, su hermano, le prestó artículos y productos de su tienda y Moisés se fue a pie a venderlos hasta el barrio San Pedro, más allá del cementerio. Así empezó a rebuscarse dando a plazos telas, ollas y calderos para cocinar, ofreciendo la mercancía de casa en casa. Lo recuerdo como si fuera ayer. Hoy este hombre es dueño de una gran fortuna y vive en una casa de arquitectura árabe. Frente a la antigua alcaldía, sus amigos la denominan la mezquita de Lorica. Musa, como se le conoce, se sienta en una mecedora en la puerta de su casa, en las tardes y escucha las noticias de Beirut en un radio antiguo de botones, mientras discute de política con su primo Jorge Manzur. Sus empleados llegan de sus fincas y le van informando de las novedades y los litros de leche que produce el ganado día por día.

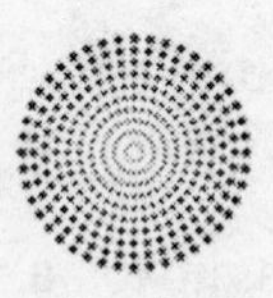

Los callejones de Rabat

De Tánger a Rabat son dos horas por carretera.

En la mañana salí a pasear por el mercado de Rabat. Se me acercó un guía.

—¿De dónde eres amigo? —dice al saludar—. ¿Español?, ¿mexicano? —intenta adivinar.

Si uno les contesta, ellos continúan una conversación interminable. Ofrecen mostrar sitios que solo ellos conocen. Al final se produce un corte brusco. Venga y conozca mi casa, se ofreció con una sonrisa y cordialidad un hombre delgado y cerrado de barba, de unos treinta años. Acepté su invitación por mi curiosidad de ingresar y ver cómo era el interior de una casa en un laberinto tan intrincado y antiguo como el que tenía a la mano en Rabat. No niego que lo hice por mi espíritu aventurero, pero con temor y desconfianza ante lo desconocido. Si resulta ser una treta, nadie sabe que ando en estas, pensé.

—Soy Zuhayr —dijo. Mi nombre quiere decir luminoso —añadió.

Además del árabe, hablaba francés. Casi todos los que han ido a la escuela hablan además un poco de español.

Zuhayr me guió a su casa. Pasamos por un callejón angosto que desembocaba en otro. Este se comunicaba con el siguiente. Así atravesamos una docena de calles y callejones. Era como un enorme rompecabezas de puertas, callecitas y pasillos intercomunicados. Los aromas desagradables estaban en todos lados. Cada residente entraba a su aposento con precisión. Es un condominio de pequeñas construcciones yuxtapuestas. Se conectan por una vía principal conocida por ellos. Para el foráneo todas las callejuelas y las puertas son iguales.

—¿Quiere café, del que tomamos nosotros?, —insinuó el hombre. Me invitó a sentarme en un sofá de dos puestos que era lo único que había en el estrecho apartamento. Un cuarto y una salita recién barridos. Hizo el café en un pequeño perol en una estufa de un fogón. Entretanto yo con curiosidad, caminé y procuré ver lo máximo y comprobar lo extremadamente simple que vivía.

—¿Y tu mujer? —pregunté.

—Está trabajando —respondió. Continué averiguando, echando ojo por los rincones de la minúscula vivienda.

—¿Tienes hijos?

—Si, una niña, está en la escuela —me respondió. Probé el café, de buen sabor. Noté que transmitían una telenovela árabe en el televisor ajustado a la pared. Yo tenía un poco de miedo, desconociendo lo que vendría mas adelante.

El hombre ofreció llevarme a una tienda para hacer compras. Le dije que no me interesaba, y luego insistió una y otra vez.

—Hay mercancía a buen precio, barato para amigo como usted —dijo. Me sentí presionado y me levanté.

—Me voy —dije—, y busqué la puerta y salí al callejón central del laberinto. Insistía en llevarme al sitio de compras, mientras caminábamos, yo aceleraba los pasos.

Salimos a la calle y para quitármelo de encima le ofrecí 50 dirham. Reclamó más, y finalmente aceptó descontento los billetes que le di. Se quedó rezongando de mala gana.

La tasa de cambio era en ese momento de diez dirham marroquíes por un dólar.

La medina, o casco histórico de Rabat es todo un laberinto. Es un lugar donde sucumbe cualquier fotógrafo, por la oferta de espacios y objetivos para el lente. Callejones, tiendas, panaderías y farmacias. Zapaterías, joyerías, talleres, ventanas, puertas y cafés. Tomé fotos en librerías, esquinas y a los comerciantes reunidos con amigos fumando la narguila. Igualmente se congregan en los momentos de ocio para jugar bacará.

—Esta medina tiene herencia andaluza —explicó el guía. Se trata de vericuetos con olor a comino, azafrán, canela y orines. Los callejones son estrechos, las paredes blancas y la mayoría de las puertas están pintadas de azul, rojo o verde. Las puertas se abren y del interior salen niños para la escuela. Luego aparece la madre rumbo al trabajo. Más tarde aparece el hombre que va a la mezquita o al comercio. Sorprende ver cómo va fluyendo más y más gente. Para ingresar y echarle una mirada a la vivienda interiormente. Para un extranjero ingresar y echarle una mirada a una vivienda en su interior es una experiencia fenomenal. Las melodías salen de una casa, un taller o un restaurante. Hay sectores donde se escucha una voz masculina leyendo fragmentos del Corán. Jamás una mujer, porque ellas no cuentan y porque el protagonismo de esta creencia —y casi en todas— está en manos del hombre. Un hombre puede caminar en la calle agarrado de la mano con un amigo. Y no está mal visto, significa que son buenos amigos. Nunca con una mujer. La mujer debe ir atrás de él.

Casablanca, Marrakech, Fez; son ciudades diferentes, pero cada una tiene su encanto. La plaza de Marrakech parece un bazar monumental con funciones todos los días. Es un extraordinario espectáculo que empieza en la tarde y termina en la madrugada. Llegan todos los días miles de personas y saltimbanquis con sus toldos, juegos de magia, música, monos y cobras a rebuscarse con sus actuaciones. La gente dice que no regresa, pero siempre se vuelve a Marruecos.

Siempre recordaré el delicioso jugo de naranja, frío y de rico sabor de la plaza de Marrakech, bajo el sol ardiente de tres de la tarde. Proverbio marroquí. Si la luna te ama, ¿qué te importa que las estrellas se eclipsen? Me voy de Marruecos y me llevo un sabor a menta y naranjos.

Me ha cautivado su gente sencilla y amable. Me gustó caminar por las medinas, los callejones y sus ciudades medievales. Esto es como una regresión en sepia de lo que fue el esplendor islámico. La vestimenta femenina es de gran colorido. Un consejo: si te invitan a comer hay que quitarse los zapatos antes de entrar en la vivienda. Además, llevar un regalo: pasteles dulces, o un pollo vivo si es en el campo.

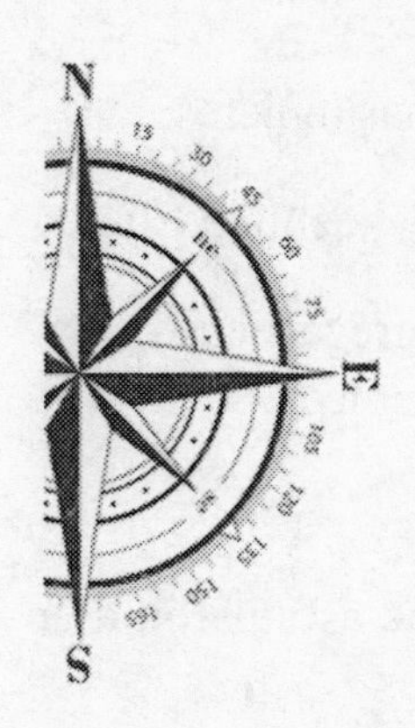

IV. INDIA ES UNA GALERIA

Mumbai es un carnaval

Voy a las ocho de la mañana en un taxi conducido por un indio que tiene turbante y un lunar rojo pintado en el centro de la frente. En el aeropuerto de Mumbai me recibió Ingrid y Elisa, dos latinoamericanas que contacté por la internet. El avión voló anoche desde Helsinki, Finlandia.

El taxi avanza en medio de una ciudad frenética: ruidos con una inmensa muchedumbre. El colorido del sari, una manta que visten las mujeres llama la atención a primera vista. A un lado mucha gente y comercios, al otro lado igual. Las calles, los andenes, todo atestado. Parece una procesión, una fiesta.

—Mumbai siempre es así —respondió Elisa. Todos los días viene más gente de los campos a buscar trabajo. La inmigración a Mumbai es un gran problema.

—Pregunté por el lunar rojo del chofer y algunas mujeres.

—Son los sij, pertenecen a una secta religiosa —explicó Elisa.

—La mayoría de los sij viven en Punjab —agrega Ingrid. Lucharon contra los príncipes indios y contra los británicos.

Elisa nos recuerda:

—Unos guardias extremistas sij fueron los que asesinaron a la primera ministra Indira Ghandi.

Diez minutos, veinte minutos, el taxi avanza abriéndose paso por el carnaval de vagos y caminantes. Nuestras amigas me ilustran sobre la pobreza en India:

—Aquí verás gente que nunca en su vida ha tenido el equivalente de cien dólares en su poder. Lo máximo que han ganado son dos dólares al día. Se han acostumbrado a sobrevivir a la intemperie. Leer sobre la insólita vida en India es una cosa, ver esto acabando de llegar es para gente de mente abierta. —La gente no tiene dinero y duerme donde sea —explica Ingrid. Se apilonan debajo de un puente, en un andén, junto a un árbol. Fabrican una casa con cartones y piedra en cualquier lugar.

De su visita al país de sus padres el Nobel de Literatura V.S. Naipul escribió: "El sol abrasaba; había poco aire; la carbonilla de los escapes de los autobuses empezó a pegárseme a la piel. Debía ser peor para quienes iban por la calzada y las aceras; pero muchos parecían recién bañados, con marcas de puja recién hechas en la frente; también parecía que muchos de ellos llevaban mejores ropas: como si las gentes de Bombay estuvieran celebrando algo importante". Una de mis primeras curiosidades fue ver la cantidad de rickshaws, en las calles. Son bici o moto-taxis de tres ruedas con cabina. Un sistema de transporte rápido y de bajo costo; se cuelan por espacios muy reducidos.

Ingrid Campos, oriunda de Venezuela, casada con un banquero holandés, y Elisa Aranguiz de Sadarangani, de Chile, esposa de un paquistaní, radicadas en Mumbai, me ayudan a entender este otro mundo. El clima se portó bien a pesar de que me habían creado pánico anunciándome que me moriría de calor. Se ve que no han ido a Magangué, Codazzi o Barrancabermeja, pensé. Luego supe que efectivamente cada año mueren centenares de personas por las altas temperaturas. La mejor época para visitar India es después de octubre.

—¿Es Bombay o Mumbai? —pregunté.

—Hoy es Mumbai —respondió la chilena que no pierde su acento. Bombay viene del portugués Bom Bahía

—Buena Bahía. La ciudad fue fundada por portugueses en el siglo XVI. Pero las siete islas que forman su geografía pasaron al dominio de los ingleses.

West Bandra, rey de los suburbios

Una hora tardamos en llegar del aeropuerto a West Bandra, la zona donde me alojé. Ingrid me invitó a quedarme en su apartamento en un amplio penthouse. Desde la terraza del piso doce se nota la gran arborización de Mumbai. Vegetación entre torres de edificios, algunos inconclusos, observé largas avenidas, y dos equipos jugando en un campo de cricket.

—Este es el deporte más popular de India —dijo Elisa. Por el número de espectadores es el segundo mas visto del mundo, después del fútbol. El cricket lo juegan todos los países miembros de la Commonwealth, desde Australia hasta Bahamas. El día que chocan los seleccionados de India y Pakistán se paralizan los dos países. La fiebre del fanatismo puede ser similar al que soportan Brasil y Argentina cuando juegan sus dos escuadras futboleras.

—Bandra es la reina de los suburbios —dijo Ingrid.

Tenemos restaurantes cerca. Estamos a un paso de Pali Hill, Carter Road y Coreto.

India tiene tal cantidad de habitantes y desempleados que una mayoría trabaja y otros observan. Trabajan tres y seis miran. Unos discuten y otros ven. Siempre hay aglomeraciones. Las aceras viven congestionadas de mercaderes, rebuscadores de vida, hombres y mujeres sentados en plena vía. Unos duermen, más allá un grupo juega cartas. O ajedrez, o simplemente dejan que el tiempo pase. En India existe el concepto del tiempo circular, de ahí la creencia en la reencarnación. "Se vive simultáneamente hacia atrás y hacia delante".

Caminamos por Linking Road a las dos de la mañana. La ciudad no duerme. Decenas de personas acostadas en los corredores. Mumbai es un caos, con más de veinte millones de habitantes. Calles congestionadas, comercio febril y tráfico enloquecido. Todos los conductores pitan.

—Tocar el claxon es una cortesía –me dicen. Al comienzo creí que el chofer del vehículo que nos transportaba era un fanático. El claxon es parte de la vida de India. Las vacas se pasean por la mitad de las vías. Son reinas y caminan entre los vehículos que las esquivan. Nadie se molesta en apartarlas. Una tarde quedé bloqueado en un cruce de calles, en medio de unas vacas y una hilera de automóviles, al tratar de hacer una foto. No pasa nada. A pesar de su ritmo vertiginoso Mumbai incita a descubrirla y admirar su arquitectura. El estilo gótico inglés se conserva en obras imponentes de la época colonial: la Puerta de India o la terminal de trenes Victoria. Los rascacielos brotan de las esquinas, y los andamios los levantan con guaduas, unas cañas largas que se usan en lugar de madera o acero y sirven para hacer las estructuras.

El amor llega después

Mi primer almuerzo en India lo degusté en casa de Lal Sudarangani. Un hombre estigmatizado en su grupo y por su familia musulmana, por haberse salido de las reglas para casarse con una latinoamericana.

—Viví en Chile y allí me enamoré de Elisa, con quien me casé —me dijo cuando lo visité un medio día—.

Acabado de bañarse estaba sentado entre cojines en el sillón de la esquina y parecía un niño juicioso, bien peinado luciendo una barriga esférica como un buda.

Yo me casé por amor —agregó—.

—Esto no es usual en este país. Estábamos en su apartamento de Mumbai. Al llegar al edificio el portero, que hablaba con tres amigos, nos abrió la puerta del ascensor. Subimos al tercer piso y allí encontramos en el pasillo a otro señor en plan de cuidandero, sentado en un taburete mirando hacía la calle. Nos saludó con cortesía, en una lengua confusa, se levantó y nos llevó hasta la puerta de entrada del apartamento de la familia Sudarangani. Como India es un país muy poblado, mil dos cientos millones de habitantes, hay mucha gente sin oficio y por esa razón es normal ver a una o dos personas haciéndole compañía a un trabajador. Es usual observar en la calle a un hombre poniéndole gasolina a un auto varado mientras tres o cuatro le rodean para mirar.

Respecto al amor, por tradición en esta cultura es función de la madre buscar la pareja a los hijos. La madre juega un papel fundamental para mantener las castas y los intereses económicos. Los novios se casan y el amor nace de la convivencia. Cuando Elisa, la chilena, llegó a Mumbai, la familia del novio consideró que ese matrimonio quebrantaba las costumbres y le dieron mal augurio.

—Tendrán un pésimo futuro —le vaticinaron–.

—“Se casó por amor” —decían como si hubiera cometido un delito.

El caso es que Lal y Elisa llevan 33 años de casados y siguen felices.

—Las mujeres no son bienvenidas al hogar —fue otra historia que me reveló Ingrid Campos.

—Ellas serán una carga familiar —dijo—. Generan gastos a la hora de casarse —agregó—. Algunas autoridades han prohibido anunciar el sexo de la criatura antes de nacer, para proteger la vida a las mujeres. Si el marido sabe que viene una niña, es muy posible que le provoque un aborto empujándola. India es hoy el país donde la población masculina es del sesenta y cinco por ciento, superando ampliamente al número de mujeres.

—¿Qué papel juega la mujer en la política?

—Aun cuando Indira Gandhi fue una gran líder —me responde Elisa— aquí no siguen a las mujeres. Después de lo que he visto en otras culturas, nacer mujer en la India, como en los países árabes, no es buena suerte para ellas.

—Pasen al almuerzo —invitó Elisa—. Muchos platos en la

mesa: una sopa de lentejas, pescado, pollo, arroz y diversas porciones de verduras. Además granos con sabores fuertes y olores de especies aromatizadas.

—La comida la preparamos con poco picante —aseguró Elisa—. India es un complejo de culturas que se desentrañan con curiosidad. Es un país fascinante y enigmático, se mueve gracias a una energía humana interior y un poder espiritual que nutre inclusive a Occidente. Hay viandas con picante, pero exquisitas. El ají es tan fuerte que vi en un restaurante llorar a un mejicano mordiendo un pedazo de chile. Sin embargo, uno puede insinuar en los restaurantes que le bajen al picante y se puede disfrutar la rica cocina india.

—El café es algo in para los jóvenes en India —asegura Lal—. Se ha convertido en moda, en símbolo de status socioeconómico. Hay rivalidad entre empresas —Baristas, Cafe Coffe Day y Costa Coffee— por dominar el mercado. Se calculan más de 1400 establecimientos de venta de café en India y según las proyecciones llegarán a 5.000 en el 2017.

Na mas té: hola

En India las cifras adquieren proporciones faraónicas: más de mil dos cientos millones de habitantes. Sobrepasarán a China en unos años. ¿Cómo subsiste una nación donde se hablan 1650 lenguas? El 75% de la población habla los 22 principales idiomas que acepta la Constitución. Sin embargo, a pesar de que las dos lenguas que más escuché durante mi viaje —el hindi y el ingles—, son lenguas extrañas para dos tercios de la población.

—Menos de la mitad de India habla el hindi —me informó en Delhi, Harijasiva Kumar, de paso por la embajada de Colombia, casada con indio. El hindi —agregó— es el idioma oficial del país, al igual que el inglés. El urdú es el medio de comunicación de los musulmanes. El punjabí para los sijs y el inglés para los angloindios. Llama la atención el colorido y la simbología de la religión hinduista en el arte popular. En el estado de Maharashtra vimos muchos camellos transportando carga. Arrastran carretas con pasajeros, materiales de construcción y bultos con alimentos. En la parte trasera los buses y camiones tienen pinturas de gran tamaño. Reflejan los rituales, tigres, leones, ciervos, serpientes, y elefantes bellamente ataviados con su ojo frontal. “Abundan los cuerpos apasionados y dispuestos, en incontables posiciones amatorias, para copular o recorrer los vericuetos del amante en los brazos. Esos desnudos, que en Occidente llamarían obscenos o procaces, en India son, sin embargo, netas manifestaciones de felicidad": Verdú.

Me detuve en una población para buscar algo de comida y tuve en mente una palabra útil: no mysore significa: sin picante. La cocina es rica y diversa.

Na mas té: hola. Las mujeres caminan con sus saris de vistosos colores y los hombres llevan sus turbantes a pesar del calor.

Los indios tienen una sonrisa y una actitud artística para las fotografías. Les agrada que les tomen fotos.

Brama Kumaris en Mt. Abu

Viajo una hora en avión. Un hombre y una mujer con gestos bondadosos me recogen y me llevan en una camioneta al lugar del almuerzo, en la casa de retiros en un barrio de Amedabad, en India, con los Brama Kumari. Es una pausa para seguir el recorrido, me explican. Siento el sol inclemente del verano de Rajasthan. Ya en el lugar, me sirven ensalada, sopas de granos, verduras y arroz blanco. Veo a los comensales de las mesas vecinas, comer con la mano, y hago lo mismo. Se respira paz y espiritualidad en este lugar. Termina el descanso y abordo otra camioneta. Transité 200 kilómetros por una carretera escarpada en una provincia noroccidental de India, limítrofe con Pakistán. La frontera está en la cordillera y veo pueblos pastoriles muy primarios en el camino. Al caer la tarde llego a una montaña y al traspasar un arco elevado ingreso a la Universidad de la Espiritualidad.

En el paisaje una concentración de hombres y mujeres de todo el mundo. Visten de blanco, reina la armonía y hay camaradería. Acuden para meditar y recargar baterías entre una naturaleza que propicia la serenidad. La presión por las cosas materiales no pertenece a este mundo de contemplación y reino de valores espirituales.

Nos avisan que en breve llegará la directora mundial de los Brama Kumari. Es Dadi Janki, viene desde su oficina principal en Londres y la acompañan varias asistentes. Presidirá encuentros ecuménicos con miembros de la organización que han viajado de todos los continentes. Agradezco a la sicóloga colombiana Marjorie Zurbarán, quien me motivó en Miami a participar en este encuentro.

—Nuestra organización es maravillosa —me anuncia. En efecto, aquí percibo un trato fraternal. —No es una religión —me explica el brasileño Marcelo Bulk, coordinador institucional para Colombia.

—Brahma Kumaris es una universidad para la vida, para enseñarnos a vivir en paz internamente en tiempos caóticos como los que pasamos —explica—. —En su sede de Madhuban podemos experimentar en la práctica el ejercicio de paz que sus miembros hablan —dice; ¡Es el paraíso en la tierra! María Sus Pastrana, ex embajadora colombiana, cambió sus compromisos sociales por este rincón maravilloso de la naturaleza. Desde su apartamento en lo alto de la colina de Mt. Abu, lleva una vida ermitaña y de meditación. Abandonó su rutina burocrática y los lujos materiales de su casa en Bogotá. Ahora goza de una vista privilegiada de la montaña y agua pura. Escribe, lee, traduce y sale al balcón a contemplar los verdes del Asia.

Ramón Ribalta es miembro Brama Kumaris en Palma de Mallorca. Del encuentro con Ribalta guardo estas notas: "Debemos personificar los valores que queremos ver en el mundo. Valores humanos, espirituales, éticos, en el trabajo, la familia. Cuando yo cambio, el mundo cambia. Está en mi mano cambiar y el poder del pensamiento positivo. El tiempo es un recurso muy escaso, es valioso, hay que gestionarlo y administrarlo de la mejor manera, tener claro el norte. Rígete en la vida por lo más importante, la gente está atrapada en lo urgente. Tienes 1440 minutos al día, un cheque que no puedes guardar y se consume inexorablemente".

—Cada persona debe cambiar si de verdad quiere cambiar el mundo —dijo Janki—.

Gitanos de Rajastan

Unas gitanas y sus niños bajan por un sendero de montañas fronterizas donde no se sabe qué es India y dónde comienza Pakistán. Pueblos abandonados, que no niegan una sonrisa a nadie. Por sus enaguas y colorines me hacen evocar mujeres de polleras largas con mal olor, parte del inventario de mis recuerdos infantiles.

Ocurrió en la población de Turbaco, cerca de Cartagena de Indias.

Los gitanos compraban vehículos viejos y los reparaban. Luego los vendían a mejor precio. Lo mismo hacían con los caballos que compraban luego de revisarles los dientes. Les cuidaban, les cepillaban y les ponían las herraduras nuevas. Sus mujeres de trenzas y verbo fácil pregonaban el conocimiento del futuro con solo ver la palma de la mano.

—Niña Rosa, yo no me atrevo a averiguar mi porvenir —decía Celina, una empleada de mi casa— qué tal que me digan que mañana moriré.

Los gitanos llegaron al pueblo y se organizaron en una esquina de la plaza. Montaron carpas, colgaron toldos y fundaron sus lugares para vivir.

Ese fue mi primer contacto con los gitanos. Y como traían acento español yo creí que España era la cuna de los gitanos.

Una tarde en Roma grabábamos una nota periodística con Alvaro Galindo en la fuente de los cuatro ríos de Bernini, en la Plaza Navona. Se nos acercaron unos músicos con violines desgastados que producían bellas melodías a cambio de un billete.

—Son gitanos de Bulgaria —dijo Alvaro, aquella tarde, cuando caminábamos por Roma—.

Llegamos al desierto de Than, en Rajastán por una carretera en construcción. Para esto atravesamos el noroeste de India, la verdadera cuna de los gitanos. De aquí salieron a Irán, antigua Persia y al Mediterráneo hasta Andalucía. Cuentan que un rey persa pidió a un rajá de India en el siglo IX, que le mandaran unos trovadores. Así fue como llegaron diez mil músicos gitanos de la zona de Punjab y Pakistán. Después esos gitanos se vieron obligados a emigrar a Occidente. Fueron expulsaron de Persia, al no aceptar realizar trabajos agrícolas.

Unos tomaron la ruta de Palestina, Egipto, Libia, Túnez y Marruecos. Cruzaron el estrecho de Gibraltar y entraron al sur de España.

Sostiene el historiador Miguel Czachowski que a su paso por los diferentes países, las caravanas de nómadas indios absorbieron elementos de las culturas de dichos lugares. Las primeras tribus eran peregrinos de Egipto.

El segundo grupo viajó a lo largo de la ruta norte que atravesaba Afganistán, Bizancio, Armenia, Grecia, Serbia, Alemania y Francia. Llegaron a España en 1425. Hoy sabemos, afirma Czachowski: el flamenco se originó entre los gitanos de Andalucía.

El tren de Jaipur

Tramo de Jaipur, la Ciudad Rosa, a Agra, en ferrocarril. Frente a mi asiento del tren viaja una mujer de cara redonda, como gemela de Yoly Cuello, —mi colega de Radio Caracol Miami— pero pasada de kilos. De unos cincuenta años, ojos negros, pestañas largas y finos modales. Viste sari y joyas de alta casta. Llegó al vagón acompañada de un criado con dos maletas. Se las acomodó debajo de la silla y las aseguró poniéndoles cadena y candado. Un pasajero de lentes y sandalias está sentado junto a la ventana. Lee el "India Times" y carraspea horrible, sacudiendo la mucosidad, cada cinco minutos. Una señora delgada y huesuda —como era la Madre Teresa de Calcuta—, de unos setenta años de edad, acompañada de dos hijas treintañeras, de ojos hermosos. El otro es un pasajero de abundante cabellera. Se encaramó en su camastro del tercer nivel. Colocó el maletín en un costado y se echó a dormir a pierna suelta. Roncó sin piedad.

Son mis compañeros de viaje. El tren es de veinte vagones y va rumbo al noroccidente de India.

La máquina partió a las seis de la mañana. Vamos transitando a media velocidad por terreno llano. Sigo viendo pueblos, gentío y caseríos deprimentes: hombres en fila, por las orillas del camino, acabados de levantarse. Avanzan sin prisa en busca de agua para bañarse. Llevan una manta amarrada en la cintura.

Vacas en el camino, es una escena que se repite.

Las vacas con su paso lento cruzan calles y caminos como reinas de pueblo. Los camellos halan pesadas carretas cargadas de bloques de mármol. Las mujeres caminan llevando palanganas de ropa en la cabeza. Los niños juegan cricket en los potreros. A lo lejos las pagodas budistas y brahmánicas. Están construidas en piedra y adornadas en el entorno de las cúpulas.

Media hora después que el tren partió, los viajeros veteranos arreglaron las camas para dormir. Hice lo mismo. Luego de unas dos horas de sueño arreglé el asiento. Un camarero pasó vendiendo alimentos, agua y té. Sigo con mi política de abstenerme de comer en la calle. Me alimento solamente en restaurantes cuya higiene en las comidas me inspiren confianza, para evitar daños de estómago. Mientras los vecinos comían hice cuentas:

—Llevo diez días en la India y el viaje ha sido una gran sorpresa— pienso. Efectivamente, no tengo malestar estomacal y cero problemas. Simplemente sigo el consejo de Elisa la amiga que me recibió en Mumbai.

—No tomes agua ni comas en la calle. Vete a los hoteles o restaurantes. Nada de frutas, nada sin hervir, y poco picante…

Revalué la equivocada idea que no existe vida en India por fuera de los hoteles cinco estrellas, ya que conseguí hoteles de cuatro estrellas, cómodos, limpios, y tan suntuosos como el palacete de un rajá, con intuición, buen olfato y la malicia marcopólica de viajero con experiencia, no fue difícil encontrarlos.

A veces me angustia ver tanta miseria. En la estación de trenes de Agra, al llegar en la mañana, sentí desesperación, me asfixiaba la congestión. Al descender del vagón caminé entre la multitud. “Camina ligero, pero ¡cuidado pisas a alguien!", me repetí, ya que en la India siempre se está rodeado de gente. Debía moverme y avanzar entre gente que dormía en el suelo, están tendidos donde les da sueño. Caen voluntarios en gavilla, para cargar las maletas, intimidan y uno cree que se llevan las cosas, pero solo quieren ayudar. Preferí echármelas al hombro y andar. Luego, esquivando la nube de taxistas, salí por fin a un área más despejada.

"Creo que pasé por encima de gente que dormía y no se volvería a despertar jamás" —le dije en Nueva Delhi al taxista.

Conseguí un fantástico hotel por 120 dólares, cincuenta menos de la tarifa normal y descansé plácidamente unas horas. Por la ventana vi el movimiento de la ciudad y tomé fotos. India es un lugar donde siempre se toman fotos exóticas. Luego visité almacenes de ropa y de artesanías a precios tentadores.

A las cinco de la tarde, ingresé con miles de visitantes y quedé rendido ante la belleza del Taj Mahal. Es una obra majestuosa, que comprueba de lo que es capaz un hombre enamorado. Es el templo del amor. El mausoleo, una fantástica perfección arquitectónica y los jardines impecables, todo impresiona. Inclusive que exista un templo al amor tan monumental entre tanta miseria humana. Los visitantes toman fotografías desde que llegan y no paran. Buscan ángulos novedosos, luces, perfiles, más belleza.

Voy de Agra rumbo a Dehli, en la mañana del lunes. El tren recoge pasajeros en muchos poblados: Pall Wau, Ballabhgarah, Faridabad, Tuglakabad, Tilak Brigde y Shiva. Yo sigo observando todo con una curiosidad inacabable. Los gestos, las mercancías, las miradas, todo me interesa, a todos les preguntaría de sus vidas, sus sueños, las frustraciones. Llegamos a la estación del tren de Delhi y de nuevo el carnaval de la pobreza y el acoso de los taxistas. Más allá un mar de gente impasible y tolerante, con ganas como yo, de vivir.

Así cerré un periplo por el noroccidente desde Mumbai; Udaipur y Jaipur en Rajastán; Agra y Delhi.

India país de contradicciones. Dicen que un occidental no lo entenderá jamás, pero sin visitarlo y oler su promiscuidad, no podrá decir que conoce el mundo. Tiene leyendas, fenómenos sociales y los casos más insólitos que un ser humano pueda imaginarse. Es cierto: un viaje a la India no lo deja a uno neutral, produce sentimientos contradictorios desde el agrado hasta el fastidio, se puede llegar a detestar la situación, pero son experiencias extremas y únicas dignas de vivirse. Espero volver. Será interesante conocer Kerala, el sur, y pasar a Goa, la India de las tradiciones portuguesas y las embrujadoras caídas de sol.

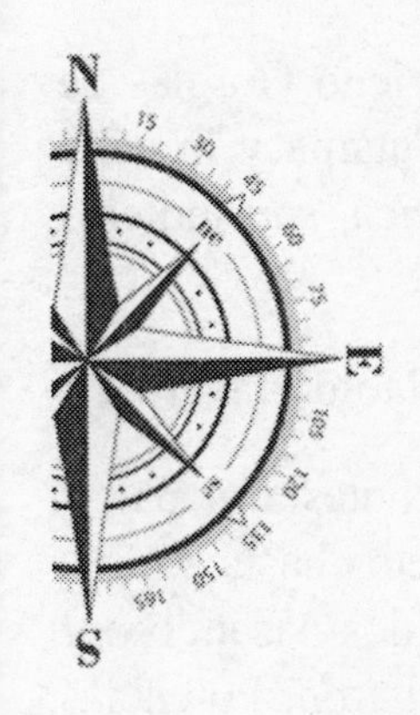

V. LA COSA NOSTRA SICILIANA

Un amaro en Corleone, cuna de la mafia

Bajé del avión que me trajo de Roma, y Sicilia me dio la bienvenida con la brisa fresca, el azul del mar y el bullicio alegre de los isleños que despiden y reciben turistas en el aeropuerto de Palermo.

Un primer impacto: belleza de un arte escondido entre signos de decadencia, y la grandiosidad del pasado. Autos que van y vienen, sirenas de ambulancias que aturden y locura en la capital siciliana; pero es una isla donde no pasa nada, todos la pasan de película y la isla tiene algo que atrae. La isla es un museo vivo de antigüedades y gente que grita, ríe y da importancia a la estética y la buena comida. Como en el resto del país los sicilianos se creen dioses que dependen de la mamá, no importa la edad. Los hijos viven de los padres y estos lo asumen como un mandado de patria. En cualquier lado hay palacios, ruinas de templos griegos, edificios romanos y cúpulas envejecidas por el tiempo y las guerras de conquista.

La placa de la casa donde vivió el filósofo griego Gorgias de Leontino, las ruinas de Segesta, los tesoros de Catania y la calle donde estuvo Garibaldi antes de viajar a Suramérica, son indicios ante los que se rinde la curiosidad del viajero.

—¿Qué población tiene Sicilia? —pregunté a Paolo Traverso.

—Hoy son 5 millones de habitantes —me contesta el palermitano—. Hace decenas de siglos, desde los fenicios hasta Aníbal y desde los griegos hasta los mercenarios normandos pasando por bizantinos, musulmanes y Borbones, todos la asediaron. Potencias mundiales del siglo XIX y XX, también le metieron mano.

—De allá son los Avena —respondió mi padre desde Lorica. Lo llamé por teléfono unos minutos después de arribar a este terruño mediterráneo. "Por eso Carlos le puso Palermo a su finca", explicó. Palermo es el nombre de una finca que los Avena adquirieron en San Antero, cerca de la Bahía de Cispatá, donde el río Sinú forma un estuario de manglares salinizados.

Carlos Avena Jr., de Lorica, fue portero de "Millonarios", el popular equipo de fútbol de Bogotá. Me impresionó la cantidad de mansiones y palacios de la Via Calatafami. Conseguir hotel en la zona central, aquel verano, fue una odisea. Después de dar vueltas y vueltas llegué hasta Monreale donde respiré de alivio por la comodidad y ubicación del hotel. El problema fue al entrar la noche. Faltaba de aire acondicionado y se realizaba el congreso mundial de mosquitos en mi habitación. Se pusieron de acuerdo en sacarme la sangre al mismo tiempo. Luché para disfrutar de un espacioso balcón, buen vino y deliciosos quesos. Además, una vista hermosa de los extramuros de Palermo. A mano tenía lindas callecitas, tiendas y la Catedral de Monreale, el edificio más importante de toda la arquitectura normanda.

Palermo, como las otras ciudades en la isla, hay que caminarlas para sacarles provecho. Salí por la vía de Trapani, Marsala y Agrigento. Me aparté de la carretera para entrar y conocer los pueblitos. En el pico de una montaña vi desde la carretera, un caserío perdido. Subí por caminos empinados y encontré para mi sorpresa bellos lugares con palacetes y siglos de historia. En los parques y en las calles, vi a la gente, especialmente a los viejos conversando sin afanes. En las tratorías comí la más deliciosa y auténtica comida italiana. Confirmé que para comer bien en Italia hay que ir a las tratorías donde comen los italianos.

—Corleone! —exclamé admirado al ver el nombre en el mapa, al otro día del viaje. Me picó la curiosidad y seguí la ruta: no es tan cerca, como yo creía. Subí por una carretera que se angostaba en algunos trayectos y en los que tuve que ser cuidadoso. Dos horas después estaba sentado frente al Ayuntamiento, en una gelatería en la plaza central. La población de Corleone llega a 12.000 habitantes y es famosa mundialmente por ser la cuna que ha dado los capos mas feroces de la mafia italiana empezando por Totó Riina hasta los que todavía dominan las bandas del crimen organizado de Nueva York.

—Corleone hoy es un lugar seguro y en paz — me dijo Marisa Di Stéfano, una socióloga con quien conversé. En otros tiempos no se podía salir de noche, pero usted puede ver como llegan de turistas. Comí un emboltino que me supo a gloria, y el camarero me sugirió un licor de hierbas.

—Un Amaro —dijo— es un buen digestivo.

—Es marca "El Padrino", como para estar a tono —comenté al camarero al ver la botella. Di un vistazo a las calles adyacentes a la plaza, tomé fotos a unos viejitos que conversaban en su dialecto con su gorra clásica siciliana conocida como Coppola. Este es un accesorio que en una época estuvo asociado con la cultura de la magia, pero posteriormente acompañó en las fotos, a figuras como Picasso, John Wayne y el Duque de Edimburgo.

En la noche un restaurante del paseo marítimo de la Ortigia, en Siracusa.

—Orata, orata —me recomendó el metre, y con un buen vino empecé a recibir la noche—.

Siracusa es un lugar donde se agotan los adjetivos para ensalzar lo bien que uno se siente al caminar por las plazoletas y callejones de Ortigia. Todo aquí está enraizado en la historia. El puente de entrada a la península de Ortigia está flanqueado por el imponente Castillo Maniace, una fortaleza construida en el año 1239 por Federico II.

Caminar sin afanes por estos barrios de Siracusa abre un diálogo con esa arquitectura grandiosa del pasado.

—De aquí también era Arquímedes —me explica el capitán de los camareros—. "Arquímedes estudió en esta ciudad con los discípulos de Euclides, lo que representó una ayuda en su forma de entender las matemáticas".

Taormina es una hermosura, Cefalú un pueblito

La carretera de Siracusa a Taormina bordea el mar. Al llegar a la cima se percata el viajero de que sobre la cumbre del Monte Tauro se desgaja una bella ciudad de atmósfera cultural y turismo imparable.

—Cuando me jubile compro una panadería y me vengo a vivir a Sicilia —dijo la dama que estaba a mi lado. Cien metros más arriba está el hotel "Villa Ducase" y un inmenso teatro griego con capacidad para 10.000 personas, el segundo más grande de Sicilia.

La terraza del Hotel Isola Bella, tiene una vista suntuosa. Ya me había contado el escultor colombiano Pedro Pablo Posada, residente en Tokio, que este punto era favorito de famosos y millonarios. Desde Alejandro Dumas, Anatole France y John Steinbech, hasta Truman Capote, Maupassant y Oscar Wilde. Este lugar es bello. El hotel Villa Ducale, uno de los mejores de Taormina es otro espectáculo. Los finos restaurantes del "Corso Umberto", son una tentación. Es la calle más transitada. Taormina se eleva 200 metros, sobre el nivel del mar y es un balcón natural frente al volcán Etna.

Entré a un almacén de Taormina, sobre la acera de la calle principal. El empleado descubre que soy colombiano y me dice que su hermano vive en Cartagena. Según Fabio Raneri, su hermano Sergio le habla bellezas de Cartagena. Abelardo de la Espriella, siendo notario tercero de Cartagena, antes de la notaría 32 de Bogotá, me lo había advertido una noche de brisa fresca. Sentados en el balcón en Castillo Grande, frente a la bahía dijo:

—A mi oficina viene semanalmente un italiano a legalizar su matrimonio con una colombiana. Se dio el caso de un romano que después de formalizar su matrimonio con una cartagenera estuvo en Medellín y se enloqueció viendo tanta mujer bonita.

Se devolvió y fue a su despacho para solicitar la anulación de su compromiso con el objeto de volverse a casar con otra dama que le gustó más. Obviamente eso no se pudo hacer. Al día siguiente volví a la carretera bordeando el mar y cuando entré a Cefalú recordé a Lawrence Durrel, el novelista inglés. El vivió en esta región mediterránea toda su vida, entre Corfú, Creta, Egipto, Chipre y el sur de Francia. En "Clea", uno de los volúmenes del Cuarteto de Alejandría, escribió: "Recuerda, si a una chica no le gusta bailar y nadar, jamás sabrá hacer el amor".

No olvido a Michel Josame, un amigo de Manizales que me habló de Durrel cuando llegó al Ecuador en 1980, procedente de una experiencia con la Cruz Roja, en el Medio Oriente. Cefalú es un pintoresco balneario a 70 kilómetros de Palermo, que recibe muchos turistas. Desde la playa se divisa en la colina una inmensa catedral. Inolvidable la experiencia por Sicilia. Cada piedra y cada esquina, guardan una historia. La isla cuenta con tres mil kilómetros de autopistas construidas con fondos de la Unión Europea para desarrollar por igual a toda Europa. Fue agradable viajar en un Fiat 1600 por túneles kilométricos, cruzar montañas y recorrer los lugares remotos de la isla donde yo también me sentiría mejor con un pedacito de tierra.

Caruso y Capote, pasaron por Ischia

—La vista de Positano y el mar, desde el comedor, en lo alto de la roca, te garantizan el mejor día de tu vida —me dijo Stefano Agostino, manager del Hotel Poseidon la noche que llegué desde Nápoles.

No exageró en asegurar que es el pueblo más romántico de Italia. La población cuyos orígenes lindan con los griegos y se convirtió en lugar de vacaciones en la antigua Roma, es de absoluta belleza.

El ferry dejó atrás la costa amalfitana, nos acercamos a Capri y Procida y navegamos suavemente al puerto de Ischia por aguas del Tirreno. Entramos a la media luna de la bahía de Ischia y se divisó una colina al fondo con casas y un carretera. Tiendas, flores y la pared de un castillo. Abajo en el muelle el movimiento de botes y el murmullo alegre de gentes en espera de turistas.

—Vincenzo —dije emocionado de verlo junto a una lancha, en el malecón. Es un viejo amigo que conocí en el Caffé Abracci de

Nino Pernetti, en Coral Gables. Subimos a su camioneta y nos llevó a conocer la isla.

—En la casa de la esquina vivió Caruso, el tenor napolitano más famoso de la historia de la ópera —me indica Vincenso di Constanzo. En Miami le prometí que le visitaría y aquí estoy para conocer su familia. Su esposa una cubana que trabajó en el Miami Herald, vino de vacaciones. El fue su guía, apareció cupido y la historia se resume hoy en tres muchachos preciosos. Los niños hablan italiano con su papá y en la escuela, y castellano con su mamá. Viven cerca de la playa. Ese mismo día fui al mar con ellos. Gozamos bañándonos y disfrutamos de un atardecer de colores.

En 1948 Truman Capote estuvo aquí y escribió un relato de su visita. Ischia es una isla bella que guarda testimonios dejados por autores y nobles.

El barco que me trajo, salió del puerto de Amalfi a las ocho y media de la mañana y recogió pasajeros en Positano y Capri. En dos horas ya habíamos llegado a Ischia. Con 60.000 habitantes y 46 kilómetros cuadrados la isla tiene miles de atractivos: los baños termales, las playas, caminos angostos y empinados desde donde se ve el horizonte marino. "Antiguamente la gente subía en burros", —dice Vincenso. Del muelle se asciende por vías empedradas que hicieron hace siglos los Pitecusos, antiguos pobladores del área. Luego subimos al monte Epomeo, cuya máxima altura es de 789 metros. El Restaurante "Neptuno" es punto privilegiado para tomar vino y comer bien, se disfruta una vista del Mar Tirreno y la simpatía de un chef y los camareros rumanos. A pesar de estas realidades, Italia encarna la idea de un pueblo que trabaja para vivir. En Estados Unidos se vive para trabajar. Di Costanzo se pone feliz que lleguen botes de la costa amalfitana, Positano, Salerno, Ravelo, Sorrento, Capri y Nápoles, para que desembarquen y traigan más turistas al puerto de Forio. Nos detuvimos en la vía y en una tienda conseguí bolsas de 250 gramos de "Pomodori Secchi". —A 3.50 euros —dice. Se preparan con ajo y orégano en aceite de oliva, anota Vincenzo. Canciones del "Gato" Barbieri sonaron esa noche en el bar y unas copas de vino local Casa D´Ambra cayeron bien. El cuarto daba a la terraza y el rumor del movimiento del mar se podía escuchar.

Una isla más para mi lista de lugares donde me gustaría regresar —fue la primera colonia griega en Italia—. Los ischitanos son muy orgullosos de su isla. Conocen la historia de sus antepasados. Virgilio se refirió a Ischia con el nombre de Inarime. Los romanos la llamaron Aenaria, los griegos, Pitecusas, monos. Plinio el Viejo afirma que el nombre latino está conectado con la cabecera de playa de Eneas. El nombre aparece por primera vez en una carta del Papa León III a Carlomagno en el 813.

Una cerveza en Florencia con Botero

—¿Cómo quedó el partido anoche? —fue lo primero que me preguntó el pintor Fernando Botero. Nos encontramos a orillas del río Arno para hablar de su exposición en la Piazza de la Signoria. La selección Colombia Sub-20 nos había ilusionado con un buen juego en una reciente presentación. Teníamos esperanzas de clasificar pero fueron ilusiones.

El verano es fuerte en Florencia y pedimos cerveza fría al camarero. La prensa italiana estaba dividida refiriéndose a Fernando Botero, el gran artista colombiano, que había roto los cánones. Exponía sus esculturas al aire libre en un lugar donde ningún otro artista latinoamericano lo había conseguido. La muchedumbre hacía cola para ver, tocar y tomarse fotos con las esculturas.

—Llegamos a un acuerdo con el alcalde de Florencia y ahí está mi obra —dijo.

—Otra cerveza —pidió el maestro, el calor era intenso. Siguió:

—Quiero que la gente esté cerca de mis esculturas, que el pueblo las disfrute, manifestó con su acento paisa.

Desde la ventana la vista del río Arno, Ponte Vecchio y el ejército de turistas en las calles.

—Aquí estudié con disciplina y seriedad —recordó Botero refiriéndose a su época de estudiante. Según las indicaciones que le capté al maestro, ubiqué su escuela en el edificio frente al palacio donde se estrenó la primera ópera. Al final sacó un marcador de su bolsillo y me firmó pacientemente varias litografías que le llevé. Saboreó un poco de cerveza fría y nos despedimos. En una habitación del hotel le aguardaba su esposa.

Si hay un artista genial que guarda su sencillez y no se le subieron los humos del éxito a la cabeza, es este genio, el colombiano más generoso. Donó valiosas colecciones personales de arte y obra suya a museos de Bogotá y Medellín donde se exhiben gratuitamente. Amantes del arte del exterior y de Colombia entran a verla y estudiarla con interés.

Venecia una vez a la semana

—Debes ir donde Elisabetta Valentino —me recomendó Alejandra Matiz, cuando supo de mi viaje a Florencia. Toqué la puerta gigantesca de su apartamento en el edificio de la calle Borgo Santa Crocce, con un pesado llamador. Me hizo pasar y me recibió en el segundo piso entre muebles y pinturas antiguas. Con su voz delicada, después que le comenté mi sorpresa por la histórica construcción, me dijo:

—Este edificio fue construido en el 1489.

—Es más antiguo que el descubrimiento de América —anoté. Elisabetta había regresado de viaje, andaba en Vietnam. Me preguntó por mis correrías junto a Leo Matiz, con quien tuve la suerte de trabajar en Colombia, en épocas de la Reforma Agraria.

—Leo es un fotógrafo que yo respeté mucho —declaró. Tomamos vino y comimos pasta que preparó. Al final me obsequió una foto de Vietnam, en blanco y negro, que aún conservo con aprecio.

Otra puerta que toqué en esa visita a Florencia fue en la Via Dei Servi, donde reside Martha Canfield. Poeta y escritora nacida en Uruguay, quien estuvo vinculada a la Universidad Javeriana de Bogotá. Leyó algunos poemas mientras por la ventana de su pent house, se veía tan cerca que casi podía tocar con la mano, la cúpula de la extraordinaria Catedral de Florencia.

—Viajo a Venecia una vez a la semana para dar clases —me dijo. Martha es profesora de literatura latinoamericana, escribe ensayos para publicaciones literarias y participa en foros internacionales. Comámos Lasagne al Forno, dijo la poeta Canfield. La lasaña florentina se hace con capas de pastas, salsa de carne y béchamel frescos con queso parmigiano, calentado y servido con más parmigiano rallado. La lasaña de aquí debe llevar verduras frescas, el vino, el jamón y la carne de vaca.

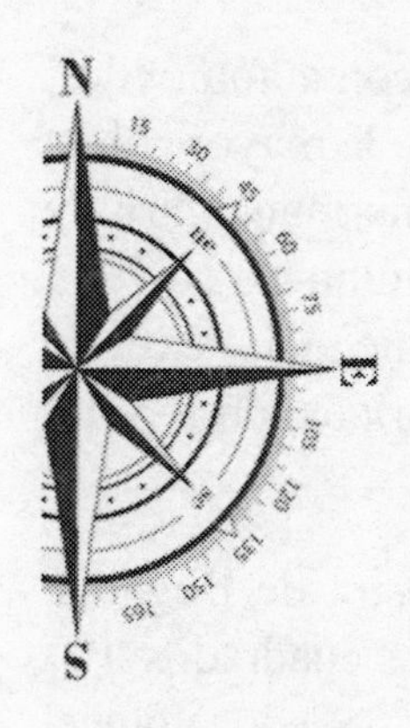

VI. ERRANTE POR EUROASIA Y AFRICA

Busco marido, aporto tractor

En Basilea desayuné en el restaurante del hotel junto al Rhin. Luego tomé un poco de café y me llamó la atención el anuncio del diario: "Busco marido, aporto tractor". Esto es el colmo, dije. Salí a caminar y pasé por una casa con esta leyenda: "Aquí vivió Erasmo de Rótterdam en 1529".

He sentido una profunda solidaridad por este sabio y valiente holandés que estudió en las principales universidades europeas de su tiempo: Paris, Londres, Basilea. Fue un ciudadano del mundo, partidario de que la Iglesia abriera el campo de acción para la libertad de pensamiento. Gozaba de respeto y era bien acogido por los círculos de humanistas. Tolerante, viajero, investigador. Muchos reyes quisieron tenerlo en su corte.

En treinta minutos pasé la frontera y visité a Mulhouse, una ciudad francesa de Alsacia, conocida como la "Capital europea de los museos técnicos". Junto a la maravillosa arquitectura medieval del centro de la ciudad imperial, su historia se asocia con automóviles, ferrocarriles y energía eléctrica. No podía perderme la mayor colección mundial de autos históricos formada por los hermanos Fritz y Hans Schlumpf. Unos suizos que se mudaron a Mulhouse en 1935 con el sueño de sobresalir en la "aristocracia" del negocio textil de Francia y hacerse con todos los automóviles históricos, preferiblemente europeos.

Los visitantes encuentran hoy la mayor muestra de Bugattis, Rolls Royce y Mercedes Benz, sobre 20.000 metros cuadrados. Posee más de 400 piezas del siglo XX, cada auto más novedoso que el anterior, incluidos 100 Bugattis.

Una de las cosas que más me llamó la atención en este museo fue poder curiosear el vagón del Orient Express el mismo en el que solía viajar Napoleón III. Asientos, cojines, vajillas y adornos se conservan impecables. El museo de los textiles guarda el rastro de las telas y tinturas importadas de India.

En la tarde fui a Friburgo, hermoso pueblo del medioevo alemán puerta de entrada a la Selva Negra. Para admirar la torre de la catedral de estilo gótico, —una de las más bellas de Europa—. "Se conserva intacta desde que la terminaron, a pesar de los bombardeos en noviembre de 1.944", me explicó una guía de la ciudad. "Los vitrales, son originales del siglo trece", agregó. No olvido el delicioso espárrago de Tuniberg que comí en el Zum Roten Baren, el restaurante más antiguo de Alemania. Guten Abend.

Noches pornos en Amsterdam

Después de la calma de Basilea, llegué a los tranvías, los bares y las noches desbocadas de Ámsterdam. Otro mood para mi viaje. Es media noche de viernes. La música sale de las discotecas y bares y por la cantidad de gente parece que estuviéramos en un carnaval. Delante de mí una mujer desnuda sonríe. Me hace caritas lindas y se me insinúa. Me muestra el camino a la cama. Yo me quedo mirándola con cara de ingenuo. Está sentada en una butaca sobre una alfombra como Dios la trajo al mundo, sin nada.

—¡Pobrecita! —comenté— esa mujer no tiene con que vestirse. Un hombre que acaba de llegar ha sido más decidido que yo: la saludó, le hizo señas y entró a su cuartito rojo. Hay que caminar por la Warmoestraat, para ver mujeres en las vitrinas por docenas. Atienden a los clientes en un cubículo de dos por dos. En el barrio se cruza gente de todo el planeta. Se escuchan idiomas como debió ser en la Torre de Babel. Los maridos de países lejanos, que vienen de turismo traen a sus esposas curiosas de ver algo que las intriga y no pueden creer. Las prostitutas son de todas las razas, países y tarifas.

John Jairo, Luz Marina y Darío, son mis guías. Residen en Holanda desde niños, cuando llegaron de Colombia. Salimos a tomar cerveza en una discoteca y la noche invita a caminar.

—Estas mujeres alquilan un cuarto y deben tener un permiso de la ciudad —me dice John Jairo.

—Ese es su trabajo, es su forma de vivir —dice Mauricio Córdoba, mi hijo menor, que está de vacaciones en Holanda.

—¿Es necesidad o costumbre? —pregunté. Es el barrio del sexo y el libertinaje desde el año 1200. Cerca la Estación Central de los trenes. Pertenece a la parte más vieja de la ciudad. Caminamos por un tejido de callecitas donde la gente ve y todo se acepta. Junto a los cuarticos de las mujeres hay salas de cines XXX y espectáculos de alta tensión. De moda: Chickita's Sex Paradise.

Una mesa y tomamos cerveza. Lectura en el folleto del bar: "Al inicio de la calle Zeedijk se conserva una de las casas más antiguas construida en madera. La prostitución siempre estuvo presente, por ejemplo en la Edad Media los burdeles se hallaban en distintos lugares, los ubicados entonces en la actual calle Damstraat eran administrados por el Sheriff de Ámsterdam y sus hombres de confianza. El puerto de Ámsterdam siempre tuvo entre sus visitantes a gente de negocios y hombres de mar que frecuentaban la ciudad. En el siglo XVI la prostitución estaba prohibida pero en ese período se desarrolló aún más. En el siglo XVII es cuando aparecen las vitrinas en esta zona, o sea que el fenómeno actual se originó en la costumbre de las prostitutas que se ofrecían como mercancía desde la puerta o la ventana de su casa".

—La gente ve a los holandeses como un pueblo permisivo por lo complacientes que son ante las preferencias sexuales de pareja y el consumo de drogas, pero no es así —dice John Jairo.

—Para ellos es algo normal —añade. No le dan trascendencia a esto. Es tan normal como saber que Van Gogh, Rembrandt o Vermeer, grandes pintores de la historia son holandeses.

Al día siguiente visita a la casa de Anna Frank en Prinsengracht 263. Dos largas colas de 20 minutos, cada una: para comprar el boleto y para entrar. Se ingresa por el edificio sobre un canal, en el frente y se asciende a los cuartos. Se pasa por los escritorios, fotografías de los protectores de la familia Frank, escaleras estrechas, y el librero que escondía la puerta secreta. Los visitantes atónitos recorrimos con la mirada todos los rincones de los cuartos. Fue como un sueño asociar la lectura de lo narrado en el diario y la experiencia de estar ahí. Ana Frank lo describió todo: el baño, la cocina, la habitación de sus padres, el cuarto de Peter, el almendro que le devolvía la existencia de la naturaleza. Del Diario de Ana Frank, 11 de julio de 1942: "Como refugio, la casa de atrás es ideal; aunque hay humedad y está toda inclinada, estoy segura de que en todo Ámsterdam, y quizá hasta en toda Holanda, no hay otro escondite tan confortable como el que hemos instalado aquí" La casa es uno de los tres museos más visitados de la ciudad. Es una historia conmovedora.

Comemos un shawarma de los que venden un turco y un árabe en un pequeño negocio frente a la Torre del Reloj. Al lado, la plazoleta y el mercado de las flores.

—Es el "Wall Street" del comercio de la floricultura —expresó John Jairo.

El rijsttafel es el plato nacional holandés, según dicen los amigos. Es originario de las antiguas colonias de Indonesia y se ha modificado tanto que actualmente son dos versiones muy diferentes la una de la otra. El Rijsttafel se prepara con arroz que se sirve en decenas de platos diferentes y se acompaña de alimentos tan variados como legumbres estofadas, hortalizas con leche de coco, trozos de carne (cordero, ternera y pollo) y ave, pescado, plátano y diferentes salsas. La cerveza es la bebida más común para acompañar las comidas.

Espetada en Lisboa

Un grupo de inmigrantes de Mozambique, Cabo Verde y Angola esperan que alguien los contrate para trabajar. Suelen reunirse en una esquina del parque de Lisboa. Distraen las horas con risas, chanzas y la música de sus MP3. Es medio día y algunos no han visto siquiera un pan con café. Hablan de Cristiano Ronaldo, mientras esperé al modisto Antonio Augusto Ferreiro en su taller.

"Aquí le confeccioné los últimos vestidos a Amalia Rodríguez," me dijo. Era "La Reina del Fado". Antonio me consiguió entrada para ir al teatro, así pude ver en escena la vida de Amalia. Me conmovió el espectáculo. Si el fado es un lamento, la vida de Amalia fue una tragedia.

—El fado es considerada la canción típica de Lisboa, aunque también existe en Coimbra, —me explicó Clara Currea, esposa de Antonio.

—Pero es esencialmente de Lisboa —agrega—. Fado significa literalmente destino, y destino siempre fatal. Sostiene que el fado es cantado generalmente por mujeres.

—Claro que también lo cantan los hombres —indica—, pero lo hacen las mujeres cuando sus hombres salen a pescar y van al mar. Según Clara es una música que habla de amores imposibles, de amores dramáticos.

—Es una canción triste —afirma—.

Hay que hablar de cocina. Bacalao al estilo la miñota, es mi favorito, digo. Algunos le dicen bacalao a la brass. Lo cocinan con el bacalao deshilachado y revuelto con huevos, cebolla, ajo y papa en trozos delgados. El mejor bacalao me lo sirvieron en una fonda frente a la estación del tren que sale para Coimbra.

—Yo no cambio mi bacalao con natas —dice Clara. La comida de los lusitanos es mediterránea y mezcla del Atlántico. Magallanes, Vasco de Gama, Álvarez Cabral, Camirra, los portugueses son incansables aventureros. Navegantes dispuestos a integrarse con culturas de Asia, África y América. La primera vez entré por el sur de Portugal desde Huelva, La Rábida, Palos, Moguer vía Sevilla. Una publicación con bellas fotos de El Algarve, en sur de Portugal creó mi curiosidad de conocer los pueblos y las playas de este país.

Atravesé la frontera por un gigantesco puente y entré a Portugal por Vila Nova de San Antonio. Pasé por Quarteira, Albufeira, Faro y llegué a El Algarve. Abandoné los trenes y autobuses y alquilé un automóvil en Faro, capital del Algarve. Autopistas, —auto estradas, dicen los portugueses— seguras y recién construidas me llevaron a Setúbal, Lisboa y Oporto a lo largo de 550 kilómetros. El mundo turístico ha descubierto la tierra de Camoens. Llegué a Oporto por coincidencia el día de San Juan, cuando sale a la calle toda la familia. Llevan un martillo de plástico que emplean para tocar suavemente la cabeza de la gente. Es una fiesta colectiva en honor al patrono de la ciudad. De no perder en Portugal: las espetadas (brochetas de carne, hechas usando un pincho natural de laurel) y, el cocido madeirense (hecho con carne de varios animales, verduras, arroz y otros ingredientes).

—Muy buena la comida de este país —dije. La influencia musulmana en Lisboa está viva en el laberinto de Alfama. Un barrio de la parte vieja de la ciudad, cuna del fado. Es la música de Portugal. A través del fado los portugueses expresamos los malos momentos de la vida, me dijo José Paulino. Lo canta una sola persona, acompañado por la viola. En la noche Alfama es un laberinto de restaurantes buscado por turistas para escuchar fado, tomar vino y comer.

El bacalao gusta mucho a los portugueses. Me dijeron que en Portugal se han inventariado más de 1000 recetas para preparar el bacalao. Bacalao a la brass o dourado, es también una preparación muy famosa en Macao, isla de China, cerca de Hong Kong, colonizada por portugueses.

Me dieron la receta e ingredientes: una libra de bacalao, 4 huevos, 1 cebolla grande, 8 cucharadas de aceite, 4 cucharadas de nata líquida, sal, pimienta una libra de patatas, aceite y perejil. Una vez listo el bacalao desalado, lo escurrimos y le quitamos la piel y las espinas, para hacerlo con facilidad, lo colocamos en una cazuela con agua fría y cuando rompa a hervir lo sacamos y quitamos la piel y las espinas, lo desmenuzamos y ponemos a secar en un paño. Picamos las cebollas finamente y las ponemos a pochar en una sartén, muy despacio con aceite, hasta que empiece a tomar color.

Quitamos la piel a las patatas y las cortamos; las ponemos a remojar en agua con sal, las escurrimos, secamos y las freímos con aceite muy caliente hasta que se doren. Cuando la cebolla esté en su punto, añadimos el bacalao lo rehogamos y lo dejamos hacerse durante unos diez minutos, luego añadimos las patatas.

Batimos los huevos con la nata líquida y sazonamos con la sal y la pimienta, mezclamos con el bacalao y las patatas, ponemos todo bien colocado en una fuente de horno y espolvoreamos con un poco de perejil. Lo introducimos en el horno ya caliente y dejamos que termine de hacerse, no tiene que quedar seco.

¡Qué vinos los de Madeira!

Un café pingado con sol y mar en la Avenida do Mar de Funchal, la capital de Madeira. Llegamos en un vuelo de Lisboa y aterrizamos en una estrecha faja de tierra sobre el mar. Solo los pilotos experimentados llegan a ese aeropuerto. Me acompañaban: Maripaz Pereira, mi esposa, su hermano Elio, con su esposa Valeska, y mis suegros, nacidos en Punta do Pargo, un pueblecito en el otro extremo de la isla de Madeira.

La mañana estaba fresca, los turistas caminan por el malecón sembrado de jardines, al frente de la Casa del Gobernador.

—Esto es meia bola —comenta el tío Juan. Es un shot de whisky, un trago para iniciar el día y empezar la tertulia. Tiene 85 años y se le ve rozagante y contento.

Alberto Joao Jardín, el gobernador, está en el poder desde hace 30 años. Todos elogian su labor administrativa y lo destacan como el artífice de la modernización y organización de la isla. Madeira se levantó de la pobreza y la ruina de mediados del siglo XX, y ahora está convertida en un emporio turístico. Es un pedazo del primer mundo.

La ruina de la II Guerra Mundial llegó hasta Madeira. Es parte de Europa, nadie se escapó de la tragedia.

—No había ni kerosene para las lámparas —recuerda Antonio Sardinha quien regresó de Venezuela—. Teníamos que alumbrar con aceite de ballena de Porto Moniz.

Cuando los hombres cumplían 18 años de edad eran reclutados para el servicio militar y enviados a las guerras. El dictador de Portugal, Oliveira Salazar, se empeñaba en mantener sometidas a las colonias de Angola y Mozambique.

—No eran guerras. Nosotros teníamos que ir a buscar gente para dispararle — nos aseguró en Punta do Pargo, Manuel Gouveia, excombatiente de Angola a quien hirieron en una pierna. El 70 por ciento de los 300,000 portugueses que emigramos hacia Venezuela entre 1950 y 1960 salimos de Madeira —afirma Sardinha. Era muy triste, no había vida, había más gente viviendo afuera que dentro de la isla.

Antonio Sardinha recuerda que el barco Serpa Pinto, que lo llevó el 18 de agosto de 1953 de Funchal a La Guaira, tardó diez días cruzando el océano. Hoy es tal la cantidad de viajeros que la aerolínea TAP tiene un vuelo diario de Caracas a Portugal; tres van directo a Madeira. Madeira es una isla a la salida del Mediterráneo, junto a la costa africana. Sobresale el orden, la limpieza en las calles, hay flores silvestres por doquier: en las casas, avenidas y autopistas. Además de su belleza natural, salta a la vista su impresionante infraestructura de vías y túneles. Cuenta con excelente desarrollo turístico, exquisita cocina, buenos vinos y una tradicional industria de bordados. Un consorcio británico planeaba construir el campo de golf más grande de Europa en la franja costera de Punta do Pargo. Es una isla de naturaleza volcánica, de montañas y acantilados.

La gran influencia cultural y los estrechos vínculos familiares con Venezuela están vivos y se palpan en la calle o en cualquier negocio donde la gente pasa de hablar portugués al castellano con absoluta normalidad.

De cada hogar de Madeira emigró un familiar a Venezuela, o se encuentra a alguien que nació allá de padres portugueses y regresó hace unos años huyéndole a la situación política.

Madeira y los ingleses han tenido estrechos vínculos desde hace siglos. Siempre ha sido un destino turístico como lugar de veraneo, por sus afamados vinos y por el florecimiento de los negocios. En 1662 Carlos II de Inglaterra contrajo matrimonio con Catarina de Braganza, de Portugal. Esta unión le dio derecho a Carlos II de tomar posesión de un área. Así fue como se desarrolló en Madeira, la gran industria del vino con cepas traídas de Creta.

Fue con vino de Madeira que Jefferson brindó por la independencia de Estados Unidos el 4 de julio de 1776. En 1800 ya se habían enviado nueve millones de botellas de vino de Madeira a Estados Unidos, según datos del Museo del Vino de Funchal.

Se come muy bien. La espetada de mariscos es para chuparse los dedos. Lo mismo los mariscos espada preta, gudión, castañetas o el arroz con lapas.

—Porto Moniz es una postal por su belleza. Al lado de Madeira, a dos horas en ferry está Porto Santo, otra isla con nueve kilómetros de playas, donde vivió Colón. Allí planeó — según dicen— el viaje a América, después de hablar con otros navegantes que le dieron noticias de la existencia de otras tierras.

La isla recibe un millón de turistas anualmente. Churchill se alojó en el emblemático Hotel Reid's en 1925 y 1950, y el autor teatral George Bernard Shaw, vino aquí a escribir sus memorias. Los juegos de medianoche del 31 de diciembre del 2006 de Madeira figuran en el libro de Guinness como el mayor espectáculo pirotécnico del mundo.

—Yo amo a Venezuela, pero allí no se puede vivir —dijo Sardinha. Aquí hay paz, aquí nací, esta es una isla muy hermosa, tendré que regresar aquí, concluyó.

Madeira me sorprendió por su geografía, sus autopistas y el buen nivel de vida de su gente. ¡Qué vinos los de Madeira!, Para recomendar: las rodillas de cerdo en Beerhouse, en la Avenida do Mar, tengo esta receta del bacalao a la Portuguesa que me pasó Doña Inés Pereira. Se deben conseguir 600 gr. de filetes de bacalao fresco, 50 gr. de harina, 1/2 vaso (de los de vino) de aceite, 25 gr. de mantequilla, sal y pimienta, 500 gr. de cebolla muy picada, 4 tomates medianos troceados, 1/2 pimiento verde picado, 3 dientes de ajo pelados, 4 cucharadas soperas de aceite, 1 vasito de Madeira y 10 aceitunas negras deshuesadas. Se prepara la salsa primero, se calienta el aceite y rehogan las cebollas hasta que estén casi deshechas, se añade el ajo, se sube el fuego y se deja hasta que la mezcla esté dorada. Luego se añade el pimiento y los tomates se cuecen lentamente durante 20 minutos; luego se agregan las aceitunas, vino, sal y pimienta, y se deja cocer destapado durante10 minutos más.

Mientras tanto, se corta el bacalao en trozos, se le agrega sal y pimienta y se pasa por harina. Luego se calienta el aceite y la mantequilla y se fríen hasta que estén dorados. Se sirven en la mesa sin olvidar rociarlos con salsa y saben mejor con buen apetito.

Joe Arroyo en Galilea

Era la segunda noche en Israel. Nos alojamos en el hotel The Scots de Tiberias, con una vista espectacular sobre el Mar de Galilea. Íbamos con Maripaz y el guía. Pasamos la calle y entramos a cenar en un restaurante al pie del agua. Mi sorpresa fue ver al guía, nacido en Jerusalén quien hacía poco tiempo había salido del ejército, de prestar el servicio militar, tocar la mesa con los dedos de la mano y cantar: "En los años mil seiscientos, ta, ta, ta/ Cuando el tirano mandó/Las calles de Cartagena, ta, ta, ta/ aquella historia vivió, ta,ta,ta." El mesero dejó hummus y un plato con trocitos de cordero asado, y le dije:

—Alón y tú donde aprendiste "La Rebelión"...

Respondió con este verso: "...Acordate moralito de aquel día/ que estuviste en Urumita / y no quisiste hacer parranda/ te fuiste de mañanita..."

Alon Levy me dejó sorprendido. Se sabía canciones de Willy Colón, Héctor Lavoe, Rubén Blades y Fruko y sus tesos.

—Tuve una novia de Medellín —confesó. Conocía con propiedad la música colombiana y del Caribe. Habíamos salido de Tel

Aviv el día anterior con escalas para visitar ciudades de la costa mediterránea.

Haifa es uno de los lugares de Israel donde me gustaría pasar una temporada. Desde la cima de colina veo hacia abajo el templo Bahai's en medio de maravillosos jardines.

—Para ingresar a esta fe se exige edad mínima de 18 años —afirma el guía—. Al hablar de los bahai' recobró actualidad la historia que "Desde el corazón de Irán", reveló su autor, mi buen amigo, el escritor español, Rafael Cerrato.

Al norte de la bahía de Haifa visitamos la que nos dijeron, era la ciudad más antigua del Mediterráneo, fundada hace 3.500 años. Acre, Akko o San Juan de Acre, una ciudad fascinante. Famosa en tiempos de los caballeros templarios, tiene una muralla romana, túneles, mezquitas, baños turcos y galerías bajo tierra.

En el Monte Carmelo entrevisté a un monje mexicano y otro de Manizales que administra la tienda de la iglesia.

Lo bueno de que exista una enorme comunidad hebrea procedente de países latinoamericanos, especialmente argentinos, es que se puede hablar español en cualquier rincón de Tierra Santa.

Estos 21.000 kilómetros cuadrados son unos Estados Unidos en miniatura, aquí convive gente nacida en todo el mundo.

—Creí encontrar un país con mayor estado de tensión, —dice un colega. La vida es tan normal como en Miami o cualquier otro lugar.

—Ofer Bavly, el ex Cónsul de Israel en Miami pregona que en la Florida es mayor el número de víctimas por accidentes de tránsito, que el número de homicidios en Israel —comenté.

—Algún día vuelvo al restaurante de Tel Aviv donde comí un delicioso humos—, dice Maripaz.

—Somos un Estado judío y nos sentimos muy orgullosos de lo que hemos logrado—, declaró un ex embajador israelí en América Latina. Escribe un libro de los apellidos judíos en países del Caribe como Venezuela, Colombia y Panamá en donde fue diplomático.

—Somos el oasis de la democracia en el Medio Oriente, —opina. Se ufana del bienestar social, el desarrollo agrícola, la educación, tecnología y el turismo.

—Convertimos el desierto en un jardín, aquí cultivamos de todo —dice— hemos conseguido la productividad récord de esta tierra.

Una nación como ésta con un proyecto claro de país y afianzada en una conciencia de objetivos claros tiene que prosperar.

Era una noche fresca en la zona moderna de Jerusalén. Calles atestadas de jóvenes le imprimen la alegría necesaria. Unos conversan en la acera y otros se acercan a los bares y discotecas.

Muchachos y muchachas de veinte años, se pasean con sus fusiles terciados. Son universitarios, cumplen su servicio militar obligatorio, y esta noche son responsables de la seguridad en la zona. Los almacenes siguen abiertos hasta la media noche y los turistas merodean vitrinas o entran de compras. Es un ambiente festivo que se repite semanalmente.

Mientras en el restaurante saboreamos una variedad de ricos platillos de comida típica del Medio Oriente, un colega nos habla del "síndrome de Jerusalén". Dice que es un delirio que se apodera de algunos turistas que visitan los lugares santos de Jerusalén. Se empeñan en creer que Dios les ha encomendado una misión.

Israel es un país con un paisaje que llena los ojos y una historia de epopeyas, es una tierra energética. El aire me toca y me produce sensaciones delicadas. Epicentro de batallas imperiales mezcla de religión y expansionismo, clima de refinada espiritualidad.

La receta del Falafel que me regaló Juan Dircie, dirigente de la comunidad judía en Miami, consiste en lo siguiente: 250 gramos de garbanzos secos o un bote/lata de garbanzos cocidos, 1 cebolla mediana, 2 dientes de ajo, 1 cucharada de perejil fresco, 1 cucharada de cilantro (opcional), ¼ cucharadita de comino molido, ¼ cucharadita de pimienta negra recién molida, ½ cucharadita de canela en polvo,

1 cucharadita de páprika (pimiento), 1 cucharadita de polvo de hornear (levadura), Harina de garbanzos para rebozar (o harina de trigo integral o harina de maíz), Aceite para freír y Sal al gusto.

Se prepara dejando remojar los garbanzos secos desde la noche anterior a la preparación.

Cuando estén tiernos, se escurren y se retira la piel, se colocan (sin cocer) en una batidora o en la Thermomix. Se trituran primero los garbanzos solos, luego se agrega la cebolla y los ajos troceados, se vuelven a triturar y finalmente se añade el resto de los ingredientes. Se deja reposar la masa en la nevera por un par de horas, luego se toma una pequeña porción de la masa y se da forma de croqueta ovalada o redonda.

También se pueden hacer pequeñas hamburguesas, pasando por la harina y friéndolas en abundante aceite hasta que estén doradas y crujientes. Se escurre sobre papel absorbente para desechar el exceso de aceite. Se puede servir acompañado de una ensalada de lechuga y tomate; y con una salsa de yogur. También se pueden introducir en un pan pita precalentado, al que se pueden agregar vegetales al gusto, hummus y salsa tahini.

Atardecer egipcio en Zamalek

De Egipto me cautiva su pasado y me desespera la suciedad que se palpa por doquier.

Pagaría una y mil veces por ver el atardecer sobre el Río Nilo desde una terraza de Zamalek, pero no puedo entender dos cosas. La galabeya sucia de los bawas y los hombres agarrados de la mano en la calle, mientras la mujer camina atrás. Galabeyas son las túnicas y los bawas son los porteros de los edificios.

El Cairo no es una ciudad. Simula ser el montaje de una película que se rueda allí todos los días desde hace miles de años. Todo gigantesco y antiguo en la capital egipcia. Las pirámides, el tamaño de los faraones, el olor del orín de algunos rincones, el calor, la arena del desierto en los techos y la cantidad de oro que lucen las mujeres en las fiestas. Lo primero es ir al café Fishawi, que debe su nombre a esa familia, fundado en 1773. Abre las veinticuatro horas y está localizado en un callejón del popular bazar Khan el-Khalili. Ofrecen café turco y té de muchas variedades. Uno de sus habituales visitantes era el escritor Naguib Mahfuz, ganador del Nobel de Literatura en 1988. Acostumbraba llegar allí temprano a leer el periódico, reunirse con sus amigos y escribir sus novelas. Entre otras "La taberna del gato negro" y "Charlas de mañana y tarde".

"Que el que muera de amor, muera de tristeza. De nada sirve amar sin morir", escribió Mahfuz en "El callejón de los milagros", considerada la gran novela de El Cairo.

Los egipcios no consumen café tradicional. Prefieren el sabor aromático y bastante intenso del café Kahua. Lo han tomado por siglos, es difícil de encontrarlo en el resto del mundo, solo lo tienen las tiendas especializadas en productos egipcios en París, Nueva York o Sao Paulo.

La preparación no cambia: se pone agua a hervir en una cafetera, se le añade café, azúcar al gusto para quienes acostumbran endulzarlo y se agregan semillas de cardamomo. Luego se remueve y se pone al fuego, tan pronto rompe a hervir se retira del fogón, se le añade un chorrito de agua fría y se deja reposar unos minutos, luego se sirve retirándole la espuma.

—El secreto está en el cardamomo —me enfatizó Jairo Montes, mi amigo Eduardo Abu Eid, periodista árabe. Ese es el motivo por el cual el café de Egipto es diferente, aseguró.

Parado en esta esquina de África puse un pie en el Mercado Público de Lorica, y reconstruí un día de mi infancia.

El día sábado de cada semana se producía una gran movilización que convertía a Lorica en la sede de un gran bazar agropecuario. El carnaval mercantil comenzaba desde el amanecer. Invasión de un ejército de hombres, mujeres y niños que llegaban a pie, en camiones, tractores y jeeps.

Vendían animales de sus parcelas: gallinas, cerdos, pavos, pájaros y babillas. Las cosechas de cada temporada: arroz, maíz, ajonjolí, plátano, yuca, ñame y frutas. Además productos artesanales de la región. Con el dinero de la venta compraban los artículos indispensables para vivir en los pueblos de la ciénaga, la orilla de mar o el río Sinú: San Sebastían, San Nicolás de Bari, La Palma, El Bongo, La

Peinada, Los Corrales, Mata de Caña, El Carito, San Bernardo del Viento, Momíl, Purísima, Cotocá, Nariño, San Antero y Coveñas.

—¿Cómo sacar a esta gente del subdesarrollo?

—Quien se cría en piso de tierra, no le pone cemento a la calle —respondió Jorge Manzur, ex gobernador de Córdoba. Es cuestión de costumbres, culturalmente hablando —arguyó—.

—Pero hay que hacer algo —pienso. Es un deber de todos, el futuro pasará su factura. El mercado egipcio de Birqash, huele a una mezcla de orines rancios de camello, caballo y gato.

Es el más grande de Egipto y el más antiguo del norte de África. Entramos al corral y unos hombres de piel oscura, vestidos de galabeyas empolvadas y turbantes de colores nos miran con curiosidad.

Fantástico para tomarles fotos. Camellos, burros, ovejas, cabras y a los guías de las caravanas de animales que viajan por el desierto.

—Tenemos abierto los lunes y viernes —me responde Yamil— uno de los mayores comerciantes del mercado. Luce como si fuera gemelo de Salim Jattín, el Frank Sinatra de Lorica, jacarandoso y jovial.

Barato: tres mujeres por un camello

Pregunté por la procedencia de los beduinos negros. Los veo en el corral sentados en bultos de paja junto a los animales. Me explican que llegaron de Sudán viajando durante cuarenta días.

—Desde Somalia son sesenta días —asegura un hombre que responde cordialmente a mis inquietudes.

—Los camellos —añade el hombre— pueden atravesar el desierto y aguantar semanas sin beber agua. Luego me cuentan que por aquí trafican con hachís incrustado entre el cuero de los camellos.

—¿Cuanto vale uno? —pregunté.

—Tres mujeres por un camello —dijo y soltó risas. En la aldea de Haranía entré a una escuela de telares. Enseñan a los niños a tejer tapices y alfombras.

—Para tejer un metro cuadrado, a razón de treinta y seis nudos por centímetro cuadrado, pueden tardar un mes, —explica la directora del telar—. La zona está circundada por canales de agua. Se conectan con el Nilo y allí lavan ropa y bañan caballos.

Es el lado visible de la pobreza y la suciedad egipcia, que desagrada al turista. En los campos se ven arbustos de dátiles y cultivos de maíz. El calor es de 40 grados centígrados; aprovechamos para comprar una botella de agua. Subí al automóvil y continué viajando por una carretera de dos calzadas que se abre en medio del desierto. El sol quema más fuerte. Bajo el cielo no se ven nubes.

—¿Es usted musulmán? —Interrogué al taxista—.

—Cincuenta, cincuenta —responde, y ríe— . Confiesa que tiene dos mujeres. Una es profesora de árabe en la Universidad de El Cairo.

La crisis que vive Egipto no respeta amores.

—Ya no las puedo mantener —confiesa— por eso la otra también tuvo que salir a buscar trabajo.

El Corán permite tener cuatro esposas —dice. Si el hombre las puede tener bien a todas.

—¿ Bien a todas? —repliqué. De vainas se puede tener bien a una.

—Los bawas tienen a sus mujeres en la misma casa —anota—. Porque sus ingresos son bajos. Esos son los que visten galabeyas, unas prendas que piden a gritos ir a la lavandería.

Una de las situaciones inaceptables que me llamaron la atención al llegar a El Cairo, en aquella Guerra del Golfo, era el ambiente de poder absoluto de Hosni Mubarak y los gobernantes de los países vecinos. Numerosas familias como los Al Sabah, el emir de Kuwait, convirtieron en residencias privadas las torres de un lujoso hotel que acababan de inaugurar en el exclusivo sector de Giza, en la capital egipcia.

Me hospedé en un hotel de Zamalek y podía notar la presencia de grupos de niños con las criadas que los cuidaban y los paseaban.

Miles de kuwaitíes se vieron obligados a abandonar su país debido a la invasión de Sadam Hussein.

Cuando viví esa experiencia como enviado especial del diario “El Espectador” de Bogotá y Radio Caracol de Miami, durante la I Guerra del Golfo Pérsico, en 1990, el emir de Kuwait era Jaber Al-Ahmad Al-Jaber Al-Sabah. Heredó el cargo de su progenitor Sheikh Abdullah al-Salem Al-Sabah, padre de la independencia y de la constitución kuwaití. Jaber fallecido en mayo del 2.008 —había dejado el gobierno dos años antes por enfermedad—, le sucedió el actual gobernante Sabah Al-Ahmad Al-Jaber Al-Sabah.

Quién lo creyera, el régimen poderoso de Hosni Mubarak, que parecía tan infranqueable e inamovible como las pirámides, cayó en la primavera árabe del 2011, después de 23 años del régimen opresor de Zine El Abidine Ben Alí, en Túnez y antes del derrumbe de Gadaffi en Libia.

Para bien o para mal, el Egipto del futuro, como el resto del Magreb, ya no es el mismo.

El bazar de Varsovia no termina

La primera noche que llegué a Varsovia conocí damas y nobles de la aristocracia polaca a punto de perder sus castillos y otras propiedades. "No tienen para pagar los impuestos ni el mantenimiento", me explicó Rosita Dussán, Cónsul de Colombia, —en la capital polaca— quien me invitó a una recepción donde me informé de esa triste realidad. Otro día fuimos al Bazar na Kole en Ulica Obozowa 99. Es un inmenso bazar donde hoy se encuentran muchos de los lujos de los ricos y aristócratas de la Europa Central y del Este, de ayer.

Impresionan varias cosas. Uno: el inventario y diversidad de ese mercado de antigüedades de miles de metros cuadrados. Hay desde un reloj de pulso que perteneció a un príncipe checo hasta una ventana húngara. Anillos, fotografías, condecoraciones y cascos de la II Guerra Mundial. Espejos, camas o sillones Luis XVI. Se consigue lo que uno quiera. Monedas, estampillas, libros que estuvieron en bibliotecas reales, anteojos de escribanos famosos, repisas, vajillas, en fin, de todo. El bazar está organizado por secciones: pipas, adornos, porcelanas, espadas, cantimploras soviéticas, muebles, ropa, joyas y comidas.

—Eres una experta —le digo a Rosa Dussán.

—Hay que regatear. Si no, no se logran buenos precios.

Aquí se compran reliquias que pertenecieron a las familias acomodadas de Europa del Este, antes del comunismo.

—Qué cantidad de quioscos y mercancías, —comenté.

—Si —dijo Rosa— son traídas por mercaderes que viajan con sus cargamentos por Viena, Budapest, Sofía, Praga, Bucarest, Berlín, por todas estas capitales.

Las caras de los vendedores son típicamente de tribus eslavas, del corazón europeo: rudos, de aspecto impenetrable y lenguas imposibles de entender.

—Les puedes encargar lo que quieras, ellos te lo consiguen.

Otra noche de paseo por Nowy Swiat, corazón comercial de Varsovia, volví a ver a la duquesa Potozki. "Qué sorpresa encontrarme con esta señora que conocí el día que llegué" le dije a Adina Gabazzi y Agnieska Mazu. Adine es una arquitecta milanesa vinculada al proyecto Ventarrón en Perú que también asistió a un Congreso de Latinoamericanistas en Polonia. Agniezka estudió letras en la Universidad de Varsovia y ahora vive en Holanda.

"Nuestros padres nos hablan con orgullo de la reconstrucción de la ciudad", dicen los guías al referirse a la destrucción de los dos tercios de Varsovia por los bombardeos nazis en la II Guerra Mundial.

El cubano Reinaldo Ceballos, tocó en un club nocturno y fue ovacionado por la interpretación del piano.

—Tengo una banda en Holanda y otra aquí en Varsovia .

Varsovia es una capital de amplias avenidas y el río Vístula, que la atraviesa. El idioma utiliza con frecuencia las letras w, y, k y z. Nombres de algunas calles: Niepodległosci, Domaniewska, Puławska, Aleje Ujazdowskie, Nowy Świat, Marszałkowska. Hay una muestra de apellidos ricos en consonantes: Sapieha, Czartoryski, Czetwiertynski y Radziwitt.

—Gozamos de libertad, pero los mayores no pueden vivir decorosamente —reclama Cecilya Gajewzca, bailarina retirada del Ballet Nacional, sobre el cambio de régimen. Había quejas de dirigentes del gobierno que disfrutaron del poder como burócratas del comunismo. Pasaron de jefes del totalitarismo a militantes de grupos políticos. Según el periodista George Volsky "no hay quien responda por las pensiones de los trabajadores del régimen pasado". El nuevo orden democrático no asume pensiones de la era comunista. El caso es que los viejos no tienen para comer, ni con qué pagar la vivienda.

—Ha significado una tragedia para los mayores, afirma Gajewzca. Anochecieron siendo leninistas y amanecieron en el libre mercado. Algunos son dueños de empresas que ayer pertenecieron al estado.

El ingreso a la Unión Europea trajo mejoras en la calidad de vida para muchos. Los cambios les afectan por varias razones, los grandes capitales internacionales entraron con todo: supermercados surtidos con productos de Europa y China.

—Esto ha traído una subida de los precios —es el comentario general.

—El caso es que un sector de la población no tiene recursos para adquirirlos. Las empresas contratan jóvenes. Los viejos quedan marginados por las nuevas tecnologías y la falta de inglés. Los nuevos vientos fragmentan a la sociedad.

—Ese señor de barba rojiza que pide limosna en la Plaza Chopin, era catedrático de historia de la Universidad —dijo Agnieska Mazus—.

Como él, perdido en el alcohol, muchos polacos han optado por la vida de la calle.

La Stare Miasto o Ciudad Vieja congrega a turistas y gente local alrededor de mesas al aire libre. Ordenen pierogis — aconseja Agnieszka Mazus al momento de pedir en el restaurante. Son los famosos "raviolis" polacos.

Un salsero en Polonia

—Yo nací porque a mi mamá la enamoraron con canciones de Alberto Beltrán, Daniel Santos y la Sonora Matancera—.

La confesión fue de Luis Gildardo Rivera, antropólogo y profesor de la Universidad Tecnológica de Pereira, Colombia. A su lado Andrés Rojas sociólogo y director del Instituto de Geografía de los Andes, en Mérida, Venezuela.

El diálogo entre estos dos profesores se realizó en los jardines de la Universidad de Varsovia, en Polonia, al caer una tarde de verano. Como ellos, centenares de académicos concurrieron a un encuentro de latinoamericanistas de la CIESPAL —Centro Internacional de Estudios para América Latina—. Después del saludo el profesor colombiano, continuó explicando:

—Soy producto histórico de Latinoamérica, especialmente de la música afro caribeña. La gente no cree que lo que se baila no es más que el ritual de la religión yoruba lucumí en la voz de Celia Cruz, Celina y Reutilio y otros cantantes cubanos. Caía la tarde.

El tema tropical tan lejos, sobre todo en el corazón de Europa, nos sonaba extraño, pero lo seguíamos con interés:

—Para los afro colombianos Cali es la "Capital de la Salsa" —dice Rivera—. La religión yoruba lucumí y su impacto en la música afro caribeña de Colombia es el título de mi trabajo —añade—.

—Vengo recopilando música afro caribeña desde 1966, fecha en la que ingresé a la Universidad de Antioquia. Tuve contactos con estudiantes cubanos, sanandresanos y puertorriqueños. El negro de Colombia —dice— ha perdido sus raíces debido a la rápida aceleración del mestizaje. Rivera recita una copla colombiana: "Yo no sé dónde nací, ni tampoco sé quién yo soy, no sé de dónde he venido ni sé para dónde voy. No sé cuáles serán mis raíces ni de qué árbol rama soy". Al evento asistieron historiadores, etnólogos, sociólogos, literatos e investigadores de diversas disciplinas procedentes de todo el mundo. Presentaron ponencias e intercambiaron estudios referidos al desarrollo socioeconómico, político, indigenismo, folclor, asuntos urbanos, aspectos de la mujer, la novela, etc., sobre la América Latina. La mayor parte de los participantes fueron profesores de las universidades europeas, de Japón, Corea y Latinoamérica. México fue el país de América con el mayor número de representantes. En Moscú y Amsterdam, sedes de los encuentros anteriores logré valiosas entrevistas. La noche está cada vez más cerca, pero Rivera continúa: "Esto indica claramente que el negro en América del Sur se encuentra incivilizado frente a la historia. Es la recuperación de la identidad cultural latinoamericana y la integración de sus razas lo que tiene que existir —dice—. No solamente a través de la economía y la política, sino también a través de la cultura espiritual de sus pueblos". "El negro en Cuba —acota— por su mismo proceso de desarrollo histórico es diferente. Realiza su independencia en el siglo XX, cuando en Colombia en 1810 empezamos a finiquitar ese período. Ello permite ver profundas diferencias en América. Eso permite, por ejemplo, que en el Caribe se mantengan formas religiosas ancestrales que no sobreviven en Colombia. Y esa es una paradoja histórica, sostiene. El negro colombiano está integrado a la nacionalidad y mirado como minoría. Ha perdido sus raíces. Lo mismo ha ocurrido con el negro boliviano, peruano, ecuatoriano, uruguayo. Hoy, dice, me encontré con la sorpresa de saber que hubo esclavitud gaucha, en Argentina". El profesor colombiano enfatiza el compromiso latinoamericano de conocer la realidad integral. Se muestra nostálgico y comenta que en su barrio pobre de Medellín se escuchaban los sones de la Sonora Matancera, los acordes de Celina y Reutilio, de Beny Moré y de Miguel Matamoros. —Eso permitió que nos enamoráramos de esa música que antes había enamorado a nuestros padres. —De Cuba a Colombia, ¿cómo llegó esa música? —pregunté—.

—A través de los puertos de Cartagena, Barranquilla, Santa Marta y Buenaventura —contesta—. Además, las emisoras de Cuba se escuchaban como locales en todo el país. En Medellín hay santuarios del tango, como la Casa Gardeliana de Manrique, —dice—. Esa música llegó y se afianzó más en los sectores obreros. Hemos tratado de superar el tango en la medida en que el tango es claudicante, violento, machista —sostiene—. La música afro caribeña es alegre, da vida al espíritu, lo mantiene contento y es un paliativo para los problemas.

En casa de Chopin

Marysienka, la casa donde nació Frederick Chopin, está localizada en el pueblo de Zelazowa Wola, a sesenta kilómetros de Varsovia. La casa es blanca, techada con tejas de dos aguas y es uno de los sitios más visitados de Polonia. El mediodía de un martes que fui, había sol y varios buses con turistas estacionados al lado. Sus composiciones para piano se escuchaban en los jardines donde estuve observando cada rincón de la casa. Miles de peregrinos llegan atraídos por la obra y la leyenda de este genio del piano. Al entrar, en una habitación se lee en la pared, la placa donde certifica que en ese recinto nació el niño Chopin el 1 de marzo de 1810. Otra nota dice: en 1829 el célebre pianista Nicolo Paganini llegó a Varsovia a ofrecer conciertos. Chopin acudió a verlo y el italiano deslumbró a Chopin. De este lugar salió en 1830 para no volver jamás.

Camino a los Carpatos

Tres horas tardó el viejo tren que cubrió los 300 kilómetros de Varsovia a Cracovia. Viajé en un vagón, sentado al frente de tres generaciones de mujeres. Una abuelita, su hija y la nieta. La única que habló inglés fue la mamá de la niña.

—Vamos rumbo a Zakopane —dijo la señora, de cuerpo bien formado —. Es un lugar de vacaciones, con montañas donde está el cerro Tatra. También me contó que ella formó parte del equipo de baloncesto de Polonia. Por la ventana se ven imágenes de pueblos y praderas verdes. Al fondo la frontera montañosa, y detrás, dos países: La República Checa y Eslovaquia.

Cracovia es una ciudad majestuosa, donde vivieron los reyes polacos. Predomina el color terracota, centenares de iglesias y la universidad más antigua de Polonia.

La escalera de la mina de sal de Wielicza tiene 500 escalones. Los bajé y escuché la orquesta que toca a 200 metros bajo tierra. "De aquí salió sal para lejanos confines, desde Ukrania hasta Hungría" dijo el guía.

Kapuscinki no está

—Ryszard no está aquí —me respondió Alicia, la esposa del periodista a quien yo intentaba entrevistar por teléfono.

—Él se encuentra muy cerca de aquí, de Varsovia. Está aislado, escribiendo —añadió.

—¿Qué está escribiendo?

—Viajes con Heródoto.

—Usted ¿qué hace?

—Soy médica.

Esa fue toda la información que me proporcionó mi interlocutora. No aceptó darme más información. "Él es quien habla en esta casa", respondió y le puso punto final a mi llamada desde esta frontera tripartita.

Pocos meses después estreché la mano en Bogotá a este gran maestro del periodismo, Ryszard Kapuscinski. A mi lado estaban Arturo Alápe y José Salgar, leyenda viva del diario "El Espectador". Lo saludamos brevemente y luego nos sentamos para escucharlo en el marco de la Feria Internacional del Libro de Bogotá. La presentación corrió por cuenta de Jaime Abello, Director de la Fundación Nuevo Periodismo Gabriel García Márquez, de Cartagena.

La misión del periodista es "tratar de suavizar la atmósfera de odio y enemistad y ayudar a construir la paz", dijo. Kapuscinski nació en 1932 en Polesia — hoy Bielorrusia— . "Pertenezco, por tanto, a la estirpe de los desarraigados". "Mi Pinsk natal fue el punto de partida para el largo peregrinaje de mi vida".

Su niñez y adolescencia transcurrieron durante la Segunda Guerra Mundial.

"Empecé a deambular por el mundo a los siete años, y aún sigo, hasta hoy". Recordó que el fin de la guerra fue su sorpresa porque no podía imaginar que fuera posible el mundo sin guerra. "Para mí el mundo fue la guerra. Fue una experiencia amarga y dura, porque yo estuve refugiado, desplazado, con hambre, pasando situaciones de peligro. Me acostumbré a estas circunstancias".

Tener un par de zapatos fue su sueño durante esos años. "Un par de botas sólidas era símbolo de prestigio, de poder absoluto; el zapato endeble y roto era señal de humillación". Al final de la guerra su padre le fabricó unos zapatos de fieltro. Kapuscinski dice que debe a la poesía su entrada al periodismo.

En aquel tiempo en Europa no había muchos periodistas formados y llevaban a quien sabía leer y escribir. En su caso escribía versos y encontraron su nombre en una revista literaria. Así fue como lo contrataron en un diario en el que se especializó en asuntos del Tercer Mundo.

Escribía de guerras, golpes de Estado, revoluciones y conflictos en África, Asia y América Latina. No era que le gustaran las guerras, el fútbol era lo que le agradaba. "La guerra es una tragedia humana, es difícil olvidarla, es una pesadilla". "El mundo rico exportó esos conflictos al Tercer Mundo". Su experiencia lo autoriza para afirmar que en la guerra no hay vencedores. "Todos perdemos. Es la gran debilidad del ser humano no poder encontrar una manera de entendimiento". "No es verdad que hay triunfadores. De la guerra todos salimos víctimas y perdedores". Uno de sus amigos cayó en la guerra de El Salvador porque se metió en la frontera donde no había chance de salir con vida. "Lo mató un soldado. Su carné de prensa no le sirvió. Un soldado es irracional en la guerra. Discutir con él es absurdo. La intuición ordena no ir a la frontera".

"Es un error para el periodista escribir sobre alguien con quien no ha compartido al menos un tramo de su vida". "¿Cómo puedo escribir del cubano de aquí o de allá; del colombiano, el venezolano, el americano, el negro? Para escribir del otro debo conocer al otro. Entender al otro", predica.

Sostiene que el buen periodista debe ser un hombre de mucha cultura, de constante estudio. Sobre todo hoy, cuando hay muchos datos acumulados, tantos libros, teorías. "Es ingenuo escribir sobre algo que no se conoce. Hay que estudiar el fondo del conflicto". En 1962 descubre la tragedia de África como corresponsal de la Agencia de Prensa Polaca. Se instala en Dar es Salam, yéndose a vivir en casas de barriales, en medio de la miseria y el peligro en Tanganika.

Cuenta que compró un Land Rover y viajó a la máxima velocidad posible, tres días, a fin de llegar a la ciudad principal de Uganda, Kampala, para asistir a su independencia. En el camino entró a la llanura de Serengeti y quedó deslumbrado ante una experiencia inolvidable: manadas de cebras, antílopes, búfalos, jirafas, bestias que galopaban a su lado. Se impresiona al llegar a la montaña de Kilimanjaro y el lago Victoria. Las sensaciones que producen ese océano de verdes y el encuentro con la gente de África quedarán reflejadas en Ébano, la novela de los mil episodios.

En El Imperio narra su recorrido por Rusia. Más tarde publicó: La guerra del fútbol, El Emperador y Los cínicos no sirven para este oficio.

"El arma de los periodistas —escribió— es muy poderosa y al mismo tiempo de doble filo, porque puede salvar o matar, depende de cómo se utiliza". Ryszard Kapuscinski no se detiene. Viaja, interviene en foros, toma apuntes y sigue con pasión su vida de periodista. A los setenta y cuatro años de edad reconoce su satisfacción por haber conseguido los zapatos que siempre soñó en Pinsk, la aldea donde creyó que no existiría un mundo sin guerra. La muerte sorprendió al gran periodista y escritor polaco en enero del 2007 en Varsovia.

Comí Bigos polacos a base de col fermentada y varios tipos de carne. Cecilia Lewinsky que nació en Perú, estudió en Cracovia y reside en Miami, donde es una de las traductoras más cotizadas, me regaló esta receta: una col agria similar al sauerkraut, varios tipos de carnes frescas, embutidos (como salchicha), setas (hongos o champiñones) y ciruelas secas. Opcional: papas. Se hierve largo tiempo. Varios días con pausas. Puede añadirse vino rosado para aumentar el sabor. Antiguamente se le añadía dulce o miel. Bigos es picante, algo ácido, y huele a carne ahumada y ciruela. Según Cecilia este es un guiso tradicionalmente servido a los cazadores después de la caza. En polaco la palabra Bigos significa tumulto, desorden.

El tren de Varsovia que pasaba por Alemania salió a la media noche con varias horas de retraso. Los anuncios por los altavoces no se entendían muy bien, por ello los viajeros de tantos lugares y diferentes idiomas, terminamos creando un clima de amistad para ayudarnos y saber que ocurría.

Entré a mi camarote y traté de dormir, luego entraron más pasajeros hasta completar el cupo de seis. Tres camas en un lado y tres al frente. Dormir sin saber quién está al lado, arriba ni abajo es inquietante. En la mañana fuimos despertándonos para ir al baño a lavarnos la cara y a cepillarnos los dientes. Pasó el vendedor de café con jugos y sándwiches. A las nueve de la mañana un español ya era mi amigo.

—Vengo de Moscú y voy para Sevilla —relató. La tarde anterior, cerca de Varsovia viajando en su auto desde Moscú, le hicieron creer que se le había pinchado una llanta. Se bajó a revisarla y unos asaltantes le robaron el vehículo. El consulado de España en Varsovia le dio un pasaporte temporal y ayuda para regresar a Sevilla.

—Siempre hago estos viajes por tierra porque le tengo pavor a los aviones, —confesó, es vendedor de productos alimenticios españoles en Rusia. ¡Oh sorpresa! Entre charla y charla terminamos siendo amigos mutuos de Pedro Clavijo, periodista colombiano residenciado en Rusia.

El tren hizo una parada en Hannover y me quedé para asistir a la Feria Internacional. Mi amigo sevillano continuó su viaje a España.

El castillo más grande del mundo

Cuando estuve en Praga, por primera vez, imperaba el comunismo y yo acudí como diplomático. A las dos de la mañana de la primera noche, cuando regresé a dormir al Hotel Ambassador tuve una sorpresa. El bello hotel construido en 1920 de estilo Art Nouveau, y propiedad de una viuda adinerada, está muy bien localizado en el marco de la famosa Plaza Wenceslao, en el centro de la ciudad.

—Lo puedo acompañar en el ascensor —me dijo con señas y algo de inglés, en ese ambiente solitario, y cuidando que no lo viera nadie, el encargado de atender el hotel a esa hora en la que nada se movía. No tuve objeciones para un señor de elegante apariencia. Cuando subíamos solos en el ascensor metió la mano al bolsillo, sacó unos billetes y propuso darme el doble de coronas por dólar respecto al cambio oficial. Me pareció una transacción favorable, y la acepté. Le dí $50 dólares, me dio el cambio y me hizo un gesto como invocando el secreto y regresó a su escritorio al primer piso.

Al día siguiente lo comenté con algunos amigos latinoamericanos y me indicaron que ese era una forma de conseguir dólares para adquirir alimentos y mercancías en los almacenes para extranjeros y diplomáticos.

A las once fui y visité la casa del novelista Frank Kafka, en el número 5 de U Radnice, cerca de la Plaza de la ciudad Vieja. No pude menos que asociar la solemnidad del lugar donde me encontraba con mis recuerdos de las lecturas de "La Metamorfosis", parte de la correspondencia publicada y algunos relatos de uno de los autores que influyó enormemente en García Márquez. En la tarde asistí a una recepción en el Castillo de Praga, construido en el siglo IX, donde residieron los reyes de Bohemia y emperadores del sacro Imperio Romano. Es el lugar que dio origen a la obra "El Castillo" del novelista checo de peculiar estilo literario, nacido en 1883.

En medio del evento, una funcionaria de Protocolo me indicó que había sido escogido para integrar, como representante de América Latina, una delegación internacional que visitó al Presidente checo, Gustav Huzak en su despacho. Acto seguido, pasamos a una recepción en los salones del castillo donde nos unimos al resto de delegaciones de todo el mundo. Había champaña, licores, copas, vasos, y pasabocas cada veinte metros a lo largo de docenas de pasillos y salones donde estaban las vitrinas con las joyas de la corona de Bohemia. Los muebles, las lámparas y las galerías de pinturas renacentistas eran vestigios para admirar en el castillo gótico más grande del mundo, con 570 metros de largo y 130 de ancho.

Teniendo en cuenta que aquí hay unas mil personas, podemos calcular que hay unas cincuenta mil copas y vasos. La suma la hicimos esa noche con mi compañero de viaje por los países comunistas, el profesor de economía Julio Silva Colmenares, autor de "Los verdaderos dueños de Colombia". Con él especulamos e hicimos todo tipo de cuentas sobre la fastuosa fiesta, mientras en la calle merodeaban muchos hambrientos.

Al día siguiente nos llevaron a conocer los baños medicinales de Karlovi Vari, una ciudad bella y señorial y otro día fuimos a la fábrica de autos Tatra.

Eran los vehículos reservados para la élite del gobierno. "Estos son los Mercedes Benz de los comunistas", me dijo un diputado del PRI que formaba parte del grupo de visitantes. Desde ese periplo, Pilsener, la exquisita cerveza checa, se ganó mis preferencias. De Praga me impresionó la belleza del Puente Carlos del siglo XIV que comunicaba la ciudad Vieja con el castillo, sobre el río Moldava.

Una visita a Praga era una oportunidad para ir al teatro "La Linterna Mágica", el espléndido espectáculo creado en 1.958 por los checos Alfred Radok y José Svoboda con técnicas cinematográficas.

Todo esta vendido, pero un amigo diplomático me consiguió una entrada y aprecié una obra que incluyó luces, comedia, música, danza, atracciones de circo y canto. Por esos días Jaime Santos, el popular Clímaco Urrutia, de la televisión y la farándula colombiana, andaba en Praga estudiando con Radok.

L'Oreal es Dios y Putin el nuevo Zar

Siempre asocio a Moscú con el olor a vodka, mujeres con ojos muy lindos y el kefir, que es un yogur caucásico saludable y riquísimo. Llegué a Moscú, por primera vez, de noche. Habíamos tomado en Lima el avión de Aeroflot con el geógrafo Joaquín Molano Campuzano, fundador de la Universidad "Tadeo Lozano" de Bogotá. Aterrizamos veintiséis horas después en el aeropuerto Sheremetyevo de la capital rusa. El Ilyushin 96, un cuatrimotor de largo alcance, era un avión lechero que hacia escalas en La Habana, Marruecos y Frankfurt. En el aeropuerto "José Martí" de La Habana estuvimos de tránsito por tres horas y tardaron dos, en servirnos un jugo de mango.

Esos primeros días me alojé en el Hotel Rossía, el más grande del mundo con 4.800 habitaciones, a orillas del río y al lado de la Plaza Roja.

Mi pasaporte de diplomático colombiano nunca me evitó las largas colas y esperas interminables, en migración. En cada puesto cuatro jóvenes del ejército soviético que solo hablaban ruso eran los encargados de sellar la entrada a la Unión de Repúblicas Socialistas Soviéticas (URSS).

Los soldados eran muy hostiles y veían un enemigo o invasor en cada visitante. En invierno nos esperaban temperaturas de menos 20 grados centígrados. Vivir bajo ese sistema policíaco, de represiones, sin libertad, era una tortura. Algo similar a estar en una cárcel gigantesca; un castigo total. Yo lo sentía y lo rechazaba; en ocasiones me revelaba haciendo comentarios críticos. Producía desasosiego e impotencia ver tanta gente oprimida. Hombres, mujeres, familias enteras tenían que soportar la crueldad de los funcionarios y los policías del régimen.

Estaba prohibido contratar el personal doméstico para las casas, ya fueran empleadas del servicio, cocina, limpieza, o los obreros para plomería o técnicos que arreglaran los teléfonos. Solo podíamos recibir personal del Buró especial de la cancillería rusa. Sabíamos que antes que empleados teníamos espías que conocían muy bien el castellano. Éramos conscientes que nos mantenían vigilados. Existían escuchas con micrófonos escondidos en los apartamentos de los diplomáticos.

Miles de rusos y rusas eran enviados para que aprendieran la lengua española en la isla de Fidel Castro. Por esa razón en el apartamento de Jaime Godín, un compañero de la embajada de Colombia, más de una vez explotábamos con expresiones desafiantes y de protesta contra el espionaje que sentíamos que nos hacia la KGB, la agencia del servicio secreto ruso. Las amigas rusas dejaban de llamarnos o no respondían al teléfono, de un momento a otro. Eran las formas de impedir que entráramos y conociéramos la vida real de la sociedad de ese régimen.

Mientras el pueblo era sometido al más riguroso control y limitaciones económicas, la llamada nomenclatura o jefes del partido comunista se daban vida de reyes. En los veranos al final de la jornada de trabajo, las embajadas organizaban reuniones gastronómicas y asados con vino y cerveza en las dachas, que son unas casas de campo en las afueras de Moscú.

La dacha esta muy inmersa en la cultura rusa desde mediados del siglo XIX y durante el socialismo la mayoría de los líderes del partido eran dueños de una de estas cabañas de madera. El escritor Anton Chéjov trata estas costumbres en "El jardín de los cerezos", una obra de teatro publicada en 1904. Asistí a varias reuniones promovidas por colegas de las embajadas de Francia, Nicaragua o Argentina, recuerdo. Y en algunas ocasiones me señalaron dachas vecinas pertenecientes a poderosos del Politburó, como la de la dacha de la familia de Leonid Brezhnev, el hombre que le dio el golpe a Nikita Kruschev, en 1964, cuando éste disfrutaba sus vacaciones.

Ese Moscú que yo viví entre 1979 y 1984 ha dado un giro total, después que se desplomó la Unión Soviética.

—El dinero y la arrogancia de los poderosos son los que gobiernan ahora —me dijo el periodista colombiano Pedro Clavijo, quien llegó a Rusia en 1970 y ha sido corresponsal de Caracol en Moscú desde entonces.

Modernos almacenes por departamentos con toda clase de mercancías y productos de máxima calidad como en el Macy's de Manhattan, fue la primera impresión que tuve.

Mujeres elegantes, bellezas esculturales y exóticas. Grúas de la construcción y rascacielos como en Nueva York. Abundancia de limusinas y autos de lujo desfilando día y noche.

—¿Cómo anda la economía?, —pregunté a Clavijo.

—La economía es la típica de un país de grandes inversiones y de multimillonarios, —explica Clavijo.

Estábamos en una mesa, en el restaurante "El Toro", en un costado de la Plaza Roja, con una excelente panorámica del lugar.

—¿Y qué me dices de la moda y las mujeres?.

—Aquí se dice que L'Oreal es el nuevo Dios y Putin el nuevo Zar —responde Clavijo. Es fácil corroborarlo, en todas las direcciones se advierten signos del nuevo Moscú. Hay fabulosos hoteles

—los más costosos del mundo—, restaurantes, cabarets y centros comerciales con mercancías de los mejores diseñadores del mundo, a precios más altos que los de Paraíso Roma.

—Los millonarios rusos traen arquitectos, modistos y cantantes a los precios que les exijan con tal que esta ciudad forme parte del mundo que les estuvo prohibido por tantos años, —precisa el veterano periodista.

Los cambios —aclara Clavijo— han golpeado agudamente a un gran sector de la población que no participó de la repartición de la riqueza del estado comunista.

—Ahora —añade— buena parte de la población se ve obligada a vivir con bajos salarios y los ingresos no alcanzan para subsistir en este capitalismo salvaje.

Al día siguiente Manolo González Moscote, periodista de la CNN en Moscú me llevó al restaurante Yolki Palki en el centro de la ciudad. Me agradó por la variedad y el sabor de la comida que él nos sugirió pedir.

—Esta sopa se llama Bosch —dijo Manolo— es deliciosa y a base de remolacha. Tocamos el tema del alto costo de la vida. Manolo en su habitual tono profesoral señaló:

—Con el surgimiento de tanto multimillonario en la nueva Rusia, Moscú se ha convertido en la capital del derroche. Moscú es la capital más costosa del mundo, por encima de Tokio, Londres y Seúl.

Lo escuché, lo miré fijamente y pensé que Manolo podría decir que es el hermano menor de Mohamed Alí. ¡Parecen hermanos!

A la salida observamos por la ventana al otro lado de la calle un centro comercial donde según Manolo los rusos escondieron arte, pinturas y tesoros para evitar saqueos de los ejércitos invasores durante la II Guerra Mundial. Al final dijo: "Esto no es Asia, ni es Europa, esto es Rusia".

Un viaje en el tren transiberiano

Fue una suerte encontrarme con Aliona Andiyeva en la estación Yaroslav de calle Kradnoprudnaya, al norte de Moscú. Resultó ser una maravillosa compañía y guía en el tren transiberiano. Una rusa extrovertida y alegre que ha visitado Colombia y habla perfecto español.

Mientras el enorme convoy del "Golden Eagle Express" se abría camino por la planicie, los coches se movían sin parar, los pasajeros caminaban de un lado a otro y el ruido del metal llegaba insistente a mis oídos. Julio Verne ya me había transportado a Siberia en sus narraciones de Miguel Strogoff. La noche se insinuaba y en la distancia se divisaban las casas con las luces encendidas.

A las ocho la gente se había aglomerado en el vagón-restaurante turnándose para cenar. Una mujer mayor leía un libro gordo con la luz tenue de su litera —luego me dí cuenta que era una novela de Stieg Larson—, el reloj marcaba la media noche y el resto de los viajeros estaban acostados metidos en sus cobijas.

Aliona escuchaba música en su Iphone.

—Espero poderme dormir, este tren se mueve mucho —dijo. El tren paró en la estación de Nizhny Novgorod. Sobre el tren, un folleto:

"El zar Alejandro III fue el gran impulsor de este ferrocarril en 1890 y Perry McDonough Collins, banquero americano y agente de bolsa, fue el primero en proponer un itinerario transiberiano en 1857. El Zar Nicolás cavó el primer hoyo en Vladivostok el 31 de mayo de 1891 y los tigres de Manchuria que acechaban el último tramo de la línea entre Jabarovsk y Vlavivostok, pusieron la guinda".

—¿Por donde vamos? —pregunté en la mañana a uno de los oficiales del tren. Había campos, pantanos, casas con parcelas sembradas de legumbres y mucho color verde. Una dama bogotana tomaba té en una carroza de lujo en compañía de su marido. Dijo que reside en Estados Unidos y viajan tres meses del año por todo el mundo.

—Estamos próximos a Perm —precisó. El tren se detuvo en el kilómetro 1437. Bajaron pasajeros y subieron unos nuevos.

—Boris Pasternak terminó de escribir su novela Doctor Zhivago en Perm, —aseguró la dama. Atravesamos el puente sobre el río Kama y al medio día transitábamos por la cordillera de los Urales.

—Aquí empieza Siberia,— dijo. Significa "tierra dormida". Bosques de abetos y abedules.

El tren se detuvo en Ekaterimburgo, ciudad ubicada en el kilómetro 1818. Famoso lugar donde fueron asesinados en 1918 el zar Nicolás II y su familia. Por las ventanas del tren solo se podía ver la espesura de la tundra —que allí exhibe una gran vegetación— y caseríos alejados cada tres o cuatro horas. Bajaban y subían pasajeros con maletas y bolsos. Unos se mostraban amables y otros indescifrables, con nadie se podía entablar diálogo por la barrera del idioma.

La única persona que habló inglés fue una profesora de Ulan Ude que regresaba de la Universidad Lomonosov de Moscú.

—Estudio piscicultura —dijo. En su tesis propone obtener caviar de los esturiones bajo agua, manteniéndolos con vida, para preservar la especie marina. Dijo que había hecho experimentos en el Mar Negro.

El ferrocarril avanzaba. Simulaba cansancio en algunos tramos y recuperaba su velocidad media de inmediato.

Cruzó bosques, lagos, estepas y ríos de los Urales, Liberia y Mongolia. Buena parte del tiempo lo consumí mirando por la ventana y leyendo un libro de Alexei Tolstoi que me obsequió en Moscú Jaime Godín, coterráneo y compañero de estudios.

Tolstoi, hijo de un conde, escribió: "Me crié en un caserío de la estepa, sitio vecino a Samara. Para comprender el secreto del pueblo ruso y su grandeza, hay que conocer bien, profundamente, el pasado, nuestra historia, sus momentos cruciales, las épocas trágicas y creadoras en que se fue forjando el carácter ruso".

No fue necesario que Aliona nos indicara que estábamos próximos a Irkutsk y el Lago Baikal, porque el aumento del frío nos había obligado a buscar más abrigo para soportar el bajón de temperatura. Las heladas se prolongan por nueve meses del año y pueden registrar hasta 60 grados bajo cero, en la zona de Urokam.

—Esta ciudad fue fundada por los cosacos hace trescientos años, —dijo Aliona.

El capitán anunció por el altavoz que el Lago Baikal es el más profundo del mundo y que en sus cercanías viven los buriatos, una congregación budista. En Irkutsk se puede leer un letrero: 5.191 Km.

Una semana de viaje en tren parece que tuviera más de siete días.

—¿Puedes distinguir las caras de esta gente? —pregunté a Aliona.

—Si, claro —respondió. Recuerda que somos un país muy grande y diverso. Hay eslavos, mongoles, tártaros, turcomanos, uzbekos. El convoy avanza bajo la inmensidad del firmamento y el silencio de la naturaleza.

El tren con sus vagones se mueve como una serpiente de acero desplazándose solitaria por extensiones interminables de bosques de taiga. En la segunda parte del recorrido hay dos estaciones donde el Transiberiano se conecta con el tren de Transmongolia, 5.647 km., y el Transmanchurian Railway, 6.204 Km.

—Ultima jornada—, nos dijeron cuando estábamos en Khabarosvsk, era el penúltimo día del viaje. El tren tomó una amplia curva y descendió en línea recta por una llanura similar a los Everglades del sur de la Florida, hasta Vladivostok.

En siete noches y ocho días el tren atravesó 9.289 kilómetros y llegamos a la costa del extremo oriente.

—La vida es como el tren —dije. Suben y bajan los amigos. Pero el tren sigue, no se detiene, mañana sigue un nuevo viaje.

Nos despedimos de la doctora y de los amigos cercanos del vagón y salimos a buscar el hotel. El frío nos quemaba los huesos en Svetlanskaya Street, aquella noche que desafiamos el viento y las bajas temperaturas en el puerto de Vladivostók.

Una enorme fotografía del Lago Baikal y el circuito ferroviario "Oro de los Zares" adornaba la pared de un restaurante al que entramos. Tomamos unos tragos de vodka y luego comimos pescado semicrudo junto al muelle.

En Japón el trabajo es una adicción

—Esto es Nueva York poblado de japoneses —expresó al recibirme en Tokio, mi amigo Pablo Posada Pernikoff, radicado en Japón por casi veinte años.

—Y yo me siento como una hormiga —repliqué. Estábamos impactados por el enjambre de edificios altos y el gran derroche de estilos arquitectónicos y luces de los avisos comerciales.

Miramos platos de comidas en las vitrinas de los restaurantes.

—Es una forma de promocionar y dar a conocer el menú —explicó Pablo.

—La nomenclatura de las calles están marcadas en japonés. Aquí se pierde uno fácilmente —dije. Japón es un museo futurista. Los últimos equipos y aparatos electrónicos salen primero en Japón, antes que en Estados Unidos. Todas las pantallas de televisión en la calle son de alta definición. Digno de admirar: el orden, la educación, la honestidad y la tolerancia de los nipones.

Carlos Holmes Trujillo, en misión diplomática cuando visité Japón, me invitó a cenar en la torre del hotel New Otani, con buena panorámica de la capital. Otro día fui con unos amigos a un restaurante japonés. De acuerdo con la costumbre, dejamos los zapatos a la entrada. Como pudimos nos sentamos en el suelo, sobre los pies cruzados, frente a una mesa bajita. A los diez minutos empecé a cambiar de posición y traté de estirar las piernas. Repetí y adopté otra posición. Me dí cuenta que los amigos japoneses continuaron quietos, inmutables comiendo con palillos.

Deslumbran las tradiciones y costumbres de esta sociedad. El marido lleva el dinero del salario a la casa y se lo entrega intacto a su mujer. Ella es quien lo administra. Cuando el hombre necesita dinero para ir a la calle se lo pide a su mujer. Los apartamentos son extremadamente pequeños y no suelen llevar a los amigos a sus casas. "Mi novia nunca me ha invitado a su casa", me confesó Posada. Pablo es un artista nacido en Sevilla, España, de padre colombiano y madre francesa. Estudió arquitectura en Canadá y lo conocí en Milán, en casa de Adine y Fabio Rodríguez. Su obra es conocida en galerías de Singapur, Tailandia y Corea.

Los japoneses son un pueblo estoico pero pujante, afirmó Antonio Andraus Burgos, colega cartagenero que va a oriente regularmente para visitar a su hijo. Según sus impresiones la policía existe, pero no se siente. El respeto por los demás es absoluto y riguroso.

Viajé en el tren bala de Tokio a Hiroshima a una velocidad de 400 kilómetros por hora. A lo lejos, por el lado izquierdo el Monte Fuji parece posar imponente para la foto. Por el altoparlante un anuncio: llamada telefónica para un pasajero.

En Hiroshima conservan los escombros de lo que fue un edificio bombardeado por la bomba atómica del 6 de agosto de 1945. Es una manera de mostrar el horror humano. En el Museo de la Bomba Atómica de Nagasaki caminé y vi fotografías, reliquias y documentos mientras una voz narraba momento a momento los detalles y desarrollo de aquella tragedia histórica.

Los japoneses constituyen otro mundo si nos basamos en su punto de vista y su forma de pensar. En Japón es muy importante dedicar un mes en la escuela o la universidad para tomar un curso sobre la honestidad, la verdad, la lealtad, el respeto, el amor o la familia. La raza japonesa es la más blanca y homogénea de oriente. Sin embargo descubrieron en el norte del archipiélago, un pueblo indígena con cultura, lengua y costumbres diferentes.

Los taxistas son respetuosos y elegantes, conducen con guantes blancos y ofrecen su tarjeta de presentación, business card al pasajero.

La escritora argentina Anna Kazumi Stahl, nacida cerca de New Orléans es de sangre japonesa. Su padre, hijo de alemanes, también nació en Louisiana. Su madre es una reconocida cuentista, poetisa y traductora japonesa que escribe tanka y publica obras sobre literatura del siglo XI y XII. "Tanka es una forma clásica de la poesía: se piensa que solo lo pueden hacer los que tienen un don, un ángel". "Les llaman tesoros vivientes de la nación. Son personas de corazón más normal, más humano, escriben con suma delicadeza. Es una escritura que trabaja con el ideograma, que tiene mucha metáfora, mucha imagen, cosas metafísicas, cosas trascendentales".

Interesado por los espacios de la construcción oriental, su papá viajó a Tokio en un barco de carga con una carta de presentación de un arquitecto argentino y al llegar en plena posguerra aceptó internarse primero en un templo para aprender filosofía. Allí conoció a una joven que rompió el molde de los matrimonios arreglados.

—Cuál es la razón de esta costumbre —le pregunté.

—En el matrimonio uno se entiende como miembro de una colectividad —responde. Primero es la familia y la clase social. Hay una determinada manera en la que uno se realiza, se promueve. Esa comunidad o conciencia colectiva evoluciona, entonces permitir casarse con quien escoge la familia es una realización del individuo, dice. Es una cultura que no piensa tanto desde lo individual, se piensa desde lo racional, también en el amor.

Según Anna "el matrimonio es otro tipo de unión, de lealtad, de trabajar juntos, de realizar las identidades familiares y colectivas en esa unión". "Nace el amor de esa lealtad mútua". En Japón muchas cosas se viven de manera diferente, y el trabajo es una adicción.

—Soy un hombre Toyota —me expresó el amigo de un conocido en Tokio. Quiso decirme que era un empleado de esa empresa y antepuso a ella su lealtad.

La principal cualidad de Japón creo que es la de un país que trabaja y piensa en equipo. Es el secreto de su superación. El Sushi es un plato típico en Japón y se come en todas las regiones del archipiélago.

Singapur, una tacita de plata

"Ingresar con drogas a Singapur es un delito criminal y se castiga con la pena de muerte", decía en el formulario de inmigración que nos distribuyó la azafata a los pasajeros que viajábamos en el vuelo de Cathay Pacific.

Al descender del avión me asombré de ver uno de los aeropuertos más limpios y modernos del mundo.

—Aquí está prohibido comer chicle —me indicó mas tarde el taxista. Es una medida de higiene para evitar que la gente tire las gomas mascadas al piso y se manchen las calles. El paisaje es de rascacielos y vitrinas modernas. Tiendas de marca, restaurantes de lujo, templos, mezquitas, barrio chino, indios, complejos industriales y grandes avenidas. En 1990 Singapur se convirtió en el país más competitivo del mundo. A pesar de ser solo un pequeño territorio su puerto disputa con Hong Kong, el liderazgo como el de mayor movimiento de carga del mundo. "Lee Kuan Yew es el artífice del desarrollo de Singapur" —me dijo la colombiana Carmen Sofía

Triana, esposa de un inglés banquero en Asia. Su teléfono me lo había dado una de sus amigas de la Asociación de hispanas de Hong Kong. A raíz de una crisis que afrontó Singapur Airlines, —que ha ganado la calificación de número uno entre las empresas del ramo— los directivos pidieron a sus pilotos un sacrificio; que trabajaran sin cobrar salario por un determinado periodo.

—Yo no estoy de acuerdo, dijo uno de los pilotos. Si no me pagan no trabajo.

—Aceptado —dijo el gobierno. Su visa queda cancelada, puede irse del país. Con esa disciplina prusiana, Singapur es un país serio y organizado que marcha en constante progreso. Su población tiene una excelente calidad de vida.

Mi siguiente destino: Tailandia

Los sastres de Tailandia

Bangkok no solo es la capital con los sitios de nombres más largos del mundo, sino también una de las ciudades más extensas del planeta. Es una gigantesca concentración de diez millones de personas que gritan y se desplazan al mismo tiempo. Solo el nombre de la cima de una colina en Nueva Zelanda, con 85 letras, tiene más letras que el nombre real de la capital tailandesa. Esto es un carnaval de emociones, olores y comidas exóticas. Monjes budistas y mercancías a precios de feria.

—Este taxista me va a estrellar —pensé asustado por la forma descontrolada de conducir del chofer que me llevó del aeropuerto al hotel.

—El tráfico aquí es una locura —comentó el gerente del lujoso hotel Sheraton donde me alojé en Bangkok. La recomendación y descuento también fue obra de Álvaro Diago, un amigo colombiano de Miami que gerencia una cadena hotelera internacional.

—Aquí hay una avenida que tiene el récord por el número de accidentes —agregó el gerente.

—Te aconsejo andar con cuidado —dijo.

Tailandia es para aquellos viajeros amantes de descubrir destinos exóticos. En el delta del río Chao Phraya a 30 kilómetros al sur de Bangkok se encuentra "La Venecia de Oriente" llamada así por la cantidad de canales. En este mercado flotante hay que ir con la cámara preparada para tomar fotos. Canoas cargadas de productos agrícolas y frutas para la venta, y campesinas ofreciendo comidas. Sobreviven con las propinas de los turistas luego de tomarse fotos con los micos y anacondas colgadas al cuello. Es un desfile de docenas de canoas con un colorido único. En el portal de cada casa hay una estatua de Buda en una pagoda. Fue algo que observé a lo largo de la carretera.

—Esto nos protege de las malas influencias —me explicó en otra ocasión un señor tailandés. Uno de los sitios de mayor interés es el Gran Palacio amurallado donde hay varios templos, siendo el Buda Esmeralda el más imponente. Una tarde fui en un tuc tuc cerca de Bangkok a Nakhon Pathom para conocer la pagoda más alta del mundo. Su nombre: Phra Pathom; tiene 127 metros de altitud. Por ser día de peregrinación, había una oleada de más de mil monjes budistas con las cabezas rapadas y envueltos en sus mantas color naranja.

Tailandia es un país de régimen monárquico donde impera el desorden. La gente es amable y viven en el rebusque —ingeniándose métodos para ganarse la vida—. También es uno de los países más afectados por el poder de las mafias que trafican con la población infantil.

Una noche en un bar de Bangkok presencié espectáculos de porno crudos e impresionantes. Una vietnamita, —según dijeron— hizo cosas asombrosas con su sexo, una botella de coca-cola litro y un cigarrillo encendido. El comercio del sexo y la pornografía no respeta edades.

Los tailandeses son excelentes artesanos, hábiles para los trabajos manuales. En cada tailandés hay un sastre con notables cualidades para la confección. Uno de los atractivos turísticos que brinda la ciudad es la confección de trajes y vestidos a precios muy bajos. En un local del hotel acondicionado como taller de costura y almacén, ordené que me hicieran varios trajes sobre medida. Una mañana, a las 10, me tomaron las medidas, seleccioné la tela y el color, y ordené la confección de seis trajes. En la tarde estaban listos. Me entregaron pantalones y chaquetas y me dieron una camisa de cortesía por cada traje. Los precios no tienen competencia y el acabado es perfecto. La razón: los sastres salen en bicicleta con los cortes en bolsas para confeccionar los pedidos en sus casas. Es una forma de abaratar los gastos.

Las excursiones a parques de elefantes y tigres amaestrados en las vecindades de Bangkok son entretenidas. En el camino de regreso la guía manifestó en el autobús a unos excursionistas: "En Tailandia comemos de todo, culebras, perros, gatos; echamos en la olla todo lo que tiene cuatro patas y se mueve, excepto las mesas".

Las camisas en el mercado son de tal colorido y tan baratas que por pocos dólares uno puede adquirir docenas.

El ejemplo de Taiwán

En Taiwán me monté en un ascensor que me subió del piso quinto al noventa y uno en solo 37 segundos. Antes de bajar el guía me aseguró que era el ascensor más veloz de la tierra y que estaba en el edificio más alto del mundo. Inaugurado en el año 2004. La panorámica desde la torre Taipei 101, muestra una ciudad vibrante, cruzada por largas avenidas, puentes de diseños futuristas sobre el río Keelung y túneles penetrando montañas por el costado sur de la urbe.

Abajo, en tierra, Taipei —la capital de la isla— parece, guardando las proporciones, una réplica de Hong Kong o Manhattan. Es un enjambre de calles, avisos publicitarios, fábricas, escuelas, almacenes y talleres con un pueblo de vocación laboriosa que nunca para. La gente se mueve como hormigas; a pie, en bicicletas, en autos. Miles lo hacen en motos conducidas por hombres y mujeres, que se abren camino silenciosamente por las vías en su mayoría señalizadas en chino e inglés.

—Hace treinta años, antes que los norteamericanos y que los europeos, nosotros los de Taiwán asesoramos a China. Les asistimos en muchos aspectos: gerencia, capital, ciencia y tecnología, y reglas internacionales. Quien así habló fue Stephen S.F. Chen, un antiguo embajador de Taiwán en Washington, a quien conocí al iniciarse la conferencia de los 30 años del Acta de relaciones comerciales Estados Unidos-Taiwán.

Cuando dio la bienvenida al Presidente de Taiwán, Ma Yinhjeou, el embajador Chen comentó "usted se encontraba estudiando en la Universidad de Harvard cuando se pactó este acuerdo". Se refería a las excelentes relaciones que el gobierno de Taiwán mantiene con Estados Unidos, a pesar de que el gobierno de Pekín tiene la representación oficial de China en Washington y la ONU.

—Los funcionarios de Beijing hablan de "una sola China y dos sistemas" —dije. —Nosotros queremos ser una país independiente y libre, —declaró Chen. Queremos que China también sea como nosotros, insistió. Ganar un espacio internacional y el mayor reconocimiento de la comunidad de naciones es un propósito nacional de los taiwaneses. Este es un asunto muy sensible entre las dos chinas, que cada día se acercan más a través del intercambio de misiones diplomáticas y el turismo.

—¿Cuál es el secreto del éxito de la economía de Taiwan?.

—La democracia y el trabajo, —me respondió el embajador Chen.

—En América Latina también tenemos sistemas democráticos y la gente trabaja, dije.

—Sí, ustedes tienen muchos recursos, —argumentó. Pero nosotros le hemos dado mucha importancia a la educación.

—Llegué desde Cantón a los ocho años con mi padre, —nos dijo el empresario Benjamín Lu, en otro lado del evento.

Trajeado con saco y corbata, de trato sencillo, agregó en perfecto inglés:

—Cruzamos el estrecho de Taiwán huyéndole a la guerra y al comunismo y construimos este país con nuestro propio esfuerzo.

Actualmente, 23 millones de chinos taiwaneses representan una de las economías más poderosas del planeta, gracias a su laboriosidad y avances en ciencia y tecnología.

Hoy Lu es dueño de una empresa que invade los mercados del mundo con tecnologías de último respiro, electrónica y piezas para computadoras. Su hijo es egresado de una universidad de Estados Unidos y es propietario de una compañía que tiene diez mil empleados en China continental.

—Nuestras inversiones —las de Taiwan— dentro de la China superan los diez mil millones de dólares —, afirma Lu. Tenemos cinco mil millones de dólares invertidos en Vietnam, otro tanto en Sur Korea, tres mil en Tailandia y en Filipinas. Son más de 20 billones de dólares en esta parte de Asia, —dice. Los de allá y los acá, todos somos chinos, enfatiza. El gobierno de Taiwán sostiene que la isla de 36.000 kilómetros cuadrados "es una República y un estado soberano que mantiene su propia defensa nacional y conduce sus propias relaciones exteriores". Efectivamente hay más de 40.000 taiwaneses estudiando en universidades de Estados Unidos, Inglaterra y Francia, principalmente.

En los siguientes días pudimos entrevistarnos con el Dr Cheng Tuan-yao, quien fue profesor de Georgetown University. Luego fuimos al palacio presidencial construido por los japoneses en la época del dominio nipón allí y conversamos con el Dr. Ho Szu Yin, Deputy Secretary-General del National Security Council. Más tarde nos vimos con San Gee Vice Chairman, del Council for Economic Planning and Development y en los días subsiguientes conocimos cerca de ochenta taiwaneses en despachos de gobierno, institutos de estudios y agencias consultoras. Los taiwaneses, como la mayoría de los orientales, entregan la tarjeta de presentación con las dos manos y con una actitud ceremoniosa. Nos llamó la atención al ver las "business-card", que todos tenían estudios avanzados. Con el nombre y el cargo pudimos leer el grado académico y el 99% han obtenido maestría y doctorado en las mejores universidades de Estados Unidos, Inglaterra, Alemania y Francia.

—Son funcionarios que llegaron a sus cargos por competencia, no por recomendaciones políticas —me aseguró Álvaro Lozano, industrial colombiano quien fue gerente de un banco de American Express en Taipei.

Recuerdo un caso que me sucedió en la cancillería de Taipei el segundo día de nuestra llegada. Finalizada la reunión con el ministro, pedí entrevista con una diplomática que hablaba español. Aceptó, me invitó hasta su despacho y me encareció que la aguardara unos minutos hasta terminar una tarea. Por fin le grabé la entrevista y al ponerme de pie para despedirme observé que eran las ocho de la noche y casi todos sus compañeros de oficina estaban trabajando.

—Aquí trabajamos hasta terminar la tarea, sin preocuparnos del horario —me explicó.

¿Qué hicieron Taiwán, Corea, Singapur, Hong Kong, los llamados tigres del sureste asiático para salir del atraso y ser competitivos? No hay duda que la educación y la disciplina son las respuestas a las preguntas que siempre nos hacemos.

El ex ministro colombiano Luis Guillermo Plata en una charla de la Cámara de Comercio colombo americana de Miami, presentó el caso de las dos islas, que habla del milagro taiwanés. Hace 40 años una isla en Asia producía té, arroz, azúcar y bananos. Otra isla en el Caribe también producía azúcar, bananos y tabaco. Aplicaron sistemas económicos y políticas diferentes y hoy las realidades de Cuba y Taiwán están a la vista para quien quiera confirmarlo.

Para verificar la comparación del ex ministro colombiano me fui a The World Factbook, donde los números hablan por sí solos: mientras el ingreso por habitante en Cuba ronda los 9.900 dólares, y el PIB registra 114.1 billones de dólares; el ingreso per-cápita del taiwanés es de 35.800 dólares y el PIB asciende a 823.6 billones de dólares. Taiwán se convirtió en el mayor exportador mundial de chips, componentes y computadores, productos electrónicos, pantallas planas, maquinaria, textiles, artículos plásticos, derivados químicos, implementos ópticos, equipos fotográficos e instrumentos médicos.

Entretanto Cuba cuarenta años después no ha pasado de exportar: azúcar, tabaco y café. Cuba es el caso más triste y patético de la historia por haber despilfarrado el futuro de varias generaciones.

Desde otra perspectiva cualquiera de la treintena de países de América Latina posee mayor territorio, recursos y posibilidades que Taiwán. Sin embargo con los niveles de analfabetismo, inestabilidad de sus sistemas de gobierno y la imparable corrupción política, continuarán desaprovechando oportunidades de desarrollo.

El hecho real es que mientras América Latina continúa siendo la región del futuro, el presente es de pueblos como Taiwán que hacen lo que deben hacer: trabajar con seriedad, disciplina y planificación; es la única forma del progreso sostenido.

La cocina taiwanesa es una mezcla de la gastronomía china y la influencia que dejaron los japoneses que dominaron esta isla. Lo que más se come es cerdo, mariscos, arroz y soja. Parte de la población es vegetariana. Los taiwaneses son consumidores de salsa de soja, una de las salsas más antiguas del mundo.

Macao, Las Vegas de Asia

Macao. La llaman "Las Vegas de Asia" y no es más que una islita. Unas calles llenas de edificios históricos y edificios modernos. El de correos es una fortaleza para tomar fotografías espectaculares. Una torre de 338 metros, el mejor punto para tener una panorámica de la ciudad. Un buen número de casinos absorbe el vicio de 1500 millones de personas que viven a menos de cinco horas de vuelo: China. Así es Macao, un territorio de 30 kilómetros cuadrados y medio millón de habitantes donde el chino y el portugués son los idiomas oficiales y la recaudación de los casinos supera a Las Vegas de Estados Unidos. No quise volver a Hong Kong sin visitar esta esquina asiática que colonizaron los portugueses en 1557 y la devolvieron a China en 1999.

Enorme esta estación, pensé. Estaba en Tsim Sha Tsui, la central de Hong Kong donde salen los barcos para Macao. Hice una larga cola, —todas son largas— debido a las cantidades de chinos que viajan para todas partes. Pagué 30 dólares honkoneses por el boleto de ida y regreso y en 45 minutos estaba en el muelle de Macao. No compres patacas, —la moneda de Macao— los dólares de Honk Kong, son los que circulan, me habían sugerido antes. El sol se apagaba, pero el brillo de la tarde se reflejaba en los edificios de la bahía.

—Espérame diez minutos —me dijo Joanna Ramirez Fonseca, cuando la llamé desde la terminal— ya voy en camino. Una amiga me hizo el contacto con Joanna y estuve contento de tener a una persona con referencia, recibiéndome.

—Como vas a estar poco tiempo te voy a dar un Tour rápido —dijo Joanna que llegó acompañada de su amiga Maria Amorín, portuguesa residente en la isla.

Un sabroso pescado al ajillo y el café, me hicieron tomar nota de Fernando Lorenzo, dueño del restaurante lusitano, para recomendarlo a quien visite a Macao.

Escuché con interés lo que me explicaron de Macao:

"Los chinos son grandes fumadores y muy aficionados al juego de azar. Como los dos vicios están prohibidos en la China continental viajan por miles vía aérea o en ferry a Macao —donde los juegos de azar están legalizados— especie de Las Vegas, en Nevada".

"En Macao siguen construyendo obras monumentales del tamaño de las pirámides de Egipto, para albergar los casinos y las maquinitas y mesas de juego. De esta manera los chinos viciosos han incentivado el desarrollo de los casinos".

El inglés Dick Trimmer, es el ingeniero jefe del mayor proyecto. Se trata de Sands y The Venetian, una edificación colosal que es más ambiciosa que el casino más grande de Las Vegas. Tiene góndolas en los canales del tercer piso, para que la gente tenga la sensación de sentirse en Venecia. Su dueño es Sheldon Adelson, un magnate de casinos de Nevada, escalafonado entre los hombres más ricos del mundo, quien multiplica su fortuna cada segundo gracias a los amantes de ese vicio. La mujer del inglés es Yamilet Rendón, natural de Tumaco, en la costa pacífica colombiana, hermana de un futbolista del equipo "Millonarios" de Bogotá.

En nuestra segunda noche en Macao nos fuimos a lo alto de una colina a contemplar la ciudad, recostados en las ruinas de la Catedral de San Pablo.

A lo lejos vi las luces y el mar por donde entró San Francisco Javier para evangelizar este pueblo de Asia.

La comida de Macao es deliciosa y tiene el toque con canela, leche de coco y cúrcuma, una especia de fuerte aroma. Comen mucho bacalao a la salazón, guiso de gallina a la portuguesa y el minchi, un plato a base de carne picada de puerco y adobada con melaza y salsa de soja servido con arroz y huevo frito. El plato más popular es el bollo de chuleta de cerdo.

Manila, la perla de Oriente

En Manila, esperando mi maleta en un aeropuerto de mucho movimiento y congestión de pasajeros que llegan y salen. Predomina el tagalo, el idioma de los filipinos, una lengua incomprensible, que hablan 90 millones de personas. El tagalo es la sexta lengua más hablada en Estados Unidos, debido a la fuerte inmigración de filipinos.

Por la banda de equipajes salen cajas, bultos y valijas marcadas con nombres como; Pedro Martínez, Juan Rodríguez, María García, como si estuviéramos en cualquier aeropuerto de Latinoamérica, circulan por allí, miles de personas bajitas, menudas, de pómulos salientes. La razón la explicó más tarde, en el bulevard Roxas, Guillermo Gómez, profesor de Adamson University. Es el único país hispánico de Asia, acuérdese que los españoles llegaron por aquí en el siglo XVI y el nombre Filipinas se debe a Felipe II.

Quien mejor me ayudó en un almacén a entenderme con la vendedora, en la compra de unas guayaberas de fibra de piña, fue una señora que hablaba castellano.

—El castellano lo aprendí de mis padres, —expresó. Eran descendientes de españoles como muchas familias aquí en Filipinas —

dijo. Esta es una raza que tiene fama de ser fuerte y laboriosa. Pelear con un boxeador filipino es chocar con una roca, así como son valientes en el ring, son eficientes en el trabajo. Hay filipinos para echar a lo alto. Es un país de siete mil islas. Su presencia es notable en todas partes, en los Estados Unidos por ejemplo no hay hospital donde no haya enfermera filipina. Además tienen un gran corazón y cuidan bien a los pacientes. Comprobé estas estadísticas, una tarde de domingo en Hong Kong al ver cantidades de mujeres sentadas en una calle.

—Son filipinas y se congregan por centenares para desahogarse, hablando de su país y tomando un poco de aire, debido a la vida agitada de Hong Kong —me explicó un amigo. Compran la comida, la llevan en una cajita de cartón y se echan en los prados a disfrutar del picnic dominical.

Los filipinos son muy diestros en las manualidades con la fibra de cáñamo para fabricar sombreros. Con el mimbre y el bambú hacen muebles que se ven frecuentemente en mansiones norteamericanas. El órgano de bambú de la iglesia de San José, en el sur de Manila, es una de las joyas que más turismo atrae.

Al terminar las caminatas por las congestionadas calles de Manila, llegué para disfrutar del confort de la suite presidencial del Manila Intercontinental; las frutas frescas y una vista maravillosa de la ciudad.

De "La Perla de Oriente" seguí rumbo a Miami con escala en Hawai-Los Ángeles con la sensación de esta compleja mezcla de razas, de las tribus que al unirse con los conquistadores españoles, con los chinos y con los norteamericanos, representan un pueblo muy especial y diferente a los demás conocidos.

Mientras regreso, me llama la atención la siguiente reflexión de un personaje de Jorge Ordaz, en La Perla de Oriente:

"Hoy, 5 de agosto de 1888, hace tres meses que llegué a Marianas, y todavía me pregunto qué es lo que hago yo aquí, en este archipiélago perdido en medio del océano Pacífico".

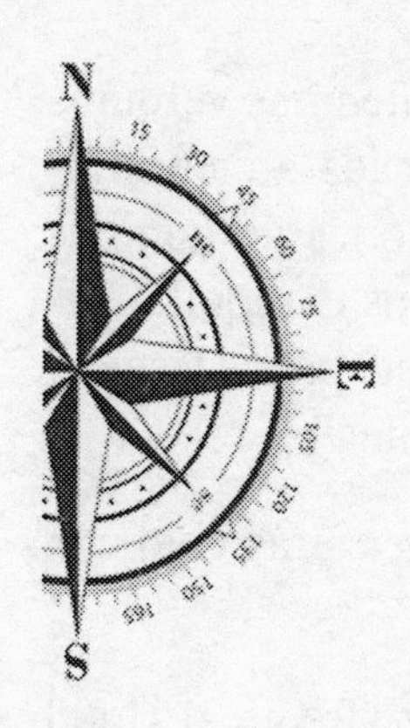

VII. AMERICA "MUNDUS NOVUS"

Agua para Rosinha

En Brasil el idioma portugués suena diferente al de Portugal. Es lunes a las siete de la mañana. Le pido un café a Margareth Soares, en el mercado del noreste de Sao Paulo, Brasil. Lo sirve de uno de los termos de su carrito, mientras lo saboreo responde a mis preguntas:

—Me levanto a las 3 de la mañana, hago nueve termos de café y vengo en bus a venderlo.

Esta mujer, que aparenta mucho más de los treinta y cuatro años que dice tener, sale de Casuarinha todas las mañanas y hace un recorrido de veinticinco minutos en bus, con la ilusión de que sus clientes habituales amanezcan con ganas de tomar café en el mercado donde consigue para sobrevivir.

—Nací en Bahía —dice— pero viajé a Sao Paulo buscando mejor suerte. Sus tres hijos, sobreviven con el producido de las infusiones de café. Su mejor cliente es Eulalio Silva, quien trae verduras frescas, brócolis y zanahorias de una chacra ubicada a cien kilómetros. Margareth es cabeza de una de once millones de familias pobres del gigantesco país del fútbol, la samba y los desequilibrios sociales. Todo es lo "mais grande do mundo", en este país. Desde el carnaval de Río de Janeiro hasta el estadio "Maracaná".

Continúa el periplo, tarde veraniega. Dos noches atrás vivo una experiencia terrible:

Subo a un autobús en un paradero de Ipanema, frente al Hotel Olinda Otón, con la idea de conocer algunos barrios de Río de Janeiro. El autobús se va abriendo camino por entre oleadas de transeúntes y edificios de apartamentos a la orilla del mar, tan lujosos que no se equivocaron quienes los bautizaron como Miami y Tijuca.

Más de una hora después de un recorrido laberíntico, entrando y saliendo a barriadas, el chofer se estaciona y anuncia el final de la jornada. Afuera es noche y en el interior del bus prima la desconfianza. Todo es sombrío, con tono de espanto. Quedamos solo tres pasajeros. Aparté la oscuridad y divisé un letrero pintado con cal sobre una pared que decía "Agua para Rosinha". Miré a mi alrededor y con el asombro que surge de un acto irresponsable, me di cuenta de que estaba inmerso en la vulnerabilidad de un territorio sin Dios ni ley. El panorama no podía ser peor. Viviendas en ruina y abandonadas; basuras dispersas, olor a perro muerto, ratas cruzando la vía y perros y gatos merodeando. Al frente escoria y más allá más edificaciones decadentes. Calles polvorientas bajo las tinieblas. "Dónde he caído", me dije. Busqué la manera de que nadie notara el miedo que me carcomía las vísceras. En este barrio cayó una bomba atómica y lo acabó todo —pensé— pero no fue hoy, porque si fuera reciente, la miseria no estuviera tan latente en la atmósfera. Caminé unos metros con el delirio de alguien que cree que todos le persiguen. Metí la nariz en una barraca buscando orientación para regresar a Copacabana. Choqué con otra sorpresa. Un antro de poca luz y humo donde cuerpos perdidos consumían droga sin saber de dónde eran vecinos. Acudí al mismo ardid que me ayudó a salir de una encrucijada similar en Tailandia. Así pude llegar sano y salvo al hotel, casi a la media noche.

—Eres un looooco— me dijo el uruguayo Álvaro Gustavo Arias, gerente del hotel en Copacabana cuando le conté lo sucedido. Estás vivo de milagro. Rosinha es una de las favelas más peligrosas del Brasil. Tiene casi un millón de habitantes y todos los días hay muertos y enfrentamientos entre grupos juveniles y bandas del narcotráfico.

—¿Que hiciste para salir? —Les dije que vendía droga, así me vieron como un narco y me tuvieron respeto. Tuve que usar ese truco como mecanismo de defensa.

Un diario de Brasil publica: Las grandes ciudades del país están rodeadas de populosos barrios pobres que han quedado bajo el dominio de grupos armados cuya fuente de dinero es el narcotráfico.

El auge de la criminalidad es uno de los grandes desafíos del gobierno de Brasil.

"Marcola", líder del PCC, la mayor organización criminal.

El PCC (Primer Comando de la Capital) es la mayor organización criminal del país. Su base son las cárceles del estado de San Pablo. Hace poco el grupo organizó sanguinarios ataques en las calles paulistas. Hubo 220 muertos. Su líder es "Marcola".

Días más tarde mientras hojeo un libro de Rubén Fonseca en una librería del centro, el diplomático colombiano Juan Lozano me llama la atención. Mira lo que viene allá. Al comienzo no estaba seguro si eran dos guitarras con cuerpo de "garotas" o dos sensuales mujeres con cuerpos de guitarras. Cualquier cosa es posible en este país alucinante que lo tiene todo.

La feijoada es uno de los platos típicos del Brasil. Me explican que tiene su origen en el norte de Portugal, hay que buscar sus raíces en las comidas dejadas por los patrones de los esclavos africanos traídos al Brasil en tiempos coloniales.

Brasil: samba, garotas y favelas

Es una mañana agitada en Sao Paulo. "Llegué a esta ciudad hace veinte años", declara el cónsul de Colombia a quien pasé a saludar.

Dice: "Esta es mi vida, de aquí no me voy".

Yo tenía en mente saludar a Baden Powell, a quien el periodista chileno Richard Zamorano llevó a mi programa radial en Miami para entrevistarlo. Powell es un músico y guitarrista genial. Miembro del grupo creador del Bossa Nova con Vinicius de Moraes, Antonio Carlos Jobin, Joao Gilberto, Dorival Caymmi y Paulo Cesar Pinheiro.

Abro el diario y quedo atónito. No puedo creer la noticia: el funeral de Baden Powel el día anterior. Crónica y foto de sus hijos y amigos músicos acompañándole hasta el cementerio donde le cantaron ante la tumba.

Domingo. No hay mejor sitio en Brasil que Salvador de Bahía para sentirse cerca de África. La música, la danza, la culinaria, la vida. Bahía es África en América. Alegre, pintoresca, cosmopolita, sensual, amable, histórica, magnánima, de calles largas, iglesias, playas y mar.

Pelhurinho, un barrio que de noche se transforma, es alma y esencia afro-brasilera. Allí el grupo Olodum, presidido por Joao George, trabaja por la preservación de la cultura. Hunde sus raíces en Benín, Guinea, Mozambique y Angola. Esta es "La Roma Negra", dice George.

Humberto Becerra al terminar su curso de Derecho Internacional Público, auspiciado por Itamaraty, en Brasilia, me comentó su buena impresión por el profesionalismo de la cancillería brasilera. Él quedó enamorado de Brasil.

—"Acuérdate que yo recorrí por carretera desde Brasil hasta Bogotá, pasando por Paraguay, Argentina, Chile, Lima y Quito". Los choferes de carretera de Brasil son los más solidarios —dijo. Me hacían cambios de luces cuando yo iba en la carretera — recuerda. También me avisaban de la presencia de la policía para bajarle a la velocidad.

Martes. "Hay muchas diferencias sociales" —expresa Danilo Santos, sociólogo fluminense. Me brinda café mientras hablamos de Brasil. Luego salimos al balcón para ver una panorámica de los rascacielos desde lo alto de su despacho en una torre de oficinas. "Tenemos una historia colonial muy injusta. Nuestras élites son muy conservadoras, atrasadas y enraizadas en sus intereses".

Brasil tiene una población de doscientos millones de habitantes y es el quinto productor mundial de alimentos. Sin embargo Frei Betto, autor de "El hambre cero en Brasil", opina que el problema no es "falta de alimentos ni exceso de bocas, tenemos falta de justicia".

Fabián Repetto del Banco Interamericano de Desarrollo —BID—, también estudio la "Dimensión social de la pobreza de Brasil". Concluye que contrario a lo que se pudiera esperar; la pobreza y la desigualdad en América Latina han aumentado en términos absolutos.

Dekasegui, es un concepto japonés aplicado a quienes salen a buscar mejoras en sus ingresos para retornar después a su suelo.

"El fenómeno dekasegui de japoneses brasileños que emigran temporalmente al Japón en busca de trabajo comenzó a mediados de la década de 1980 y alcanzó su punto máximo a mediados de la década de 1990. En especial después de 1993, cuando la economía japonesa entró en un período de recesión y muchos dekasegui perdieron sus empleos".

Así como en Londres, París y Berlín los inmigrantes del subdesarrollo africano y latinoamericano se dedican a las tareas duras; en Japón había una demanda de mano de obra para labores que no querían cumplir los japoneses. "Se los denominaba trabajos 3K (kitsui, kitanai y kiken, o labores duras, sucias o peligrosas)".

Lo que poco avanza es la equidad social. Según el Instituto de Investigación económica aplicada, el 10% de la población de Brasil concentra el 75,4% de la riqueza del país. Unas cifras que varían poco de las registradas a finales del siglo XVIII.

En las favelas de Río y Sao Paulo le apuestan a la prosperidad del Brasil. Quieren creer que el gobierno se acordará de ellos no solo a la hora de hacer discursos.

Fútbol, carnaval y garotas, es el estereotipo de Brasil. Algunos de los amigos que traté se quejan que esta sea la imagen que se tiene de su país. Brasil es mucho más que eso, dice el dramaturgo Aimar Labaki en su apartamento de Sao Paulo. En Brasil se siente África más que en cualquier otro país de Suramérica, lo mismo sucede con Japón y el Líbano. Todas esas comunidades conviven con europeos, indígenas y asiáticos.

Viví en Santa Catalina y no conocí a nadie con abuelos nacidos en suelo brasileño, me dijo Marcia Do Nascimento, publicista residente en Palm Beach.

Uruguay, un inmenso campo de Golf

Visitar la tierra de Onetti me ratificó aquello de que no hay países ricos, sino gente que hace grande a una nación. Uruguay es uno de los países más pequeños del mundo, y es uno de los pueblos más prósperos, cultos y con mejor calidad de vida.

—Sabías que en tu hotel hay un fantasma, —me dijo la guía Mary Linich.

En efecto, Esplendor-Cervantes mi hotel en Montevideo, (construido en 1927 con un hermoso teatro declarado patrimonio nacional), era el favorito de Borges, Bioy Casares y Gardel, cuando cruzaban el río de la Plata. La historia es esta: el escritor Julio Cortazar residía en París y fue contratado por la UNESCO como traductor de una conferencia internacional. Cuenta que se alojó allí en una piecita y al ver un armario tapando una puerta se le ocurrió escribir "La puerta condenada", un cuento fantástico donde en la noche un niño llora en el cuarto del lado, quien se interese debe leerlo por su impactante final.

A quince cuadras del hotel, ubicado en Soriano 868, por la avenida 18 de Julio, la principal de Montevideo, se abre la gran feria dominical en Tristán Narvaja y calles laterales. Es una postal "donde lo cotidiano se vuelve mágico", la gente camina con su mate en la mano y se escucha el candombe de los tambores en la esquina de un anticuario.

—Se inició en 1909 con ventas de frutas y verduras, —me dijo Federico Celsi, presidente del Conglomerado de Turismo de Montevideo.

Las exquisitas carnes de "Francis", en Punta Carretas, el "Nuevo García" en Carrasco, Café Brasilero, Café Bacacay, Facal y las parrillas del Mercado del Puerto, son algunos de los restaurantes para degustar la rica gastronomía del Uruguay. Las ramblas son el balcón de 30 kilómetros que bordea el río de la Plata en Montevideo al que acuden de paseo, en los carnavales o para celebrar los habituales triunfos de la "celeste".

—Yo camino siete kilómetros todos los días —comentó el reconocido artista plástico de Tacuarembó, Gustavo Alamón, en su atelier del Parque Rodó. Voy solo, porque si voy con Nuri, mi mujer, siempre habla y no puedo sostener el ritmo, precisó.

Punta del Este es el balneario con rambla, puerto y casinos, más importante del Atlántico sur. Cuenta con una red hotelera moderna, centros comerciales y ambiente cálido para el turismo internacional. Es el Miami Beach de los uruguayos, los argentinos y miles de brasileños del sureste. En el verano del 2011 "nos visitaron casi dos millones de turistas procedentes de Argentina, Brasil, Europa y estados Unidos", señaló Javier Báez, director de Turismo de la ciudad.

Degustábamos un exquisito pescado en salsa verde con vino de Canelones, en el restaurante del Hotel Conrad.

Piriápolis fue el primer balneario que hubo en Uruguay fundado por Francisco Píria, un loco que lo hizo realidad. Actualmente es una pequeña Costa Azul con pescadores, ramblas y el Argentino Hotel que sigue siendo como dice Fabio Lancaster, su gerente, "uno de los más clásicos de Suramérica". En palabras de Cisel Cardoso, una guía y poeta local, Piriápolis "es el abrazo de la naturaleza entre los cerros y el mar".

Muy cerca, en Punta Ballenas —hace 40 años— el pintor Carlos Páez Vilaró se entusiasmó con la vista del mar. "Cuando compré este terreno, solo llegaban las aves", me confesó la tarde que lo visité. Es "Casapueblo", los turistas de todo el mundo acuden allí para visitar su atelier y ver la espectacular caída del sol.

Para los uruguayos el fútbol es una religión. El mate lo toman en la calle hombres y mujeres de todas las edades. El fuerte mestizaje europeo –españoles, portugueses, italianos, principalmente-, está expresado en su cultura. Nueva Helvecia es un legado suizo en el departamento de Colonia, al que se sumaron franceses y alemanes. Inmigraron e introdujeron estilos y culinaria europea visible en los quesos, los lácteos y la deliciosa pastelería. Como parte de su idiosincrasia el uruguayo es calmado y si puede pasar desapercibido, mejor.

"Vivo feliz en esta chacra, aquí lo tengo todo", dijo Juan Martín, cuando lo visité en La Tapadera, su casa de La Pedrera, donde pinta y tiene su taller de esculturas en cerámica y bronce. Dejó Argentina y se mudó hace 20 años a Rocha, un departamento de estancias y pueblos de campo a la orilla del mar. La topografía del país es semejante a un campo de golf de 176.000 kilómetros cuadrados de extensión.

Uruguay es un país donde la palabra tranquilidad se vive a toda hora. El profesor Jesús Perdomo de Castillos, en el departamento de Rocha afirmó: cuando los españoles vieron que los portugueses fundaron Colonia abrieron el ojo y fundaron Montevideo en 1726. Los portugueses eran geopolíticos, con gran visión de territorio. España los corría, ellos volvían, por ello hay unas seis o siete refundaciones de Colonia de Sacramento por parte de los españoles.

Chuy está en el lado uruguayo, y Chuí en Brasil. Dos lugares separados únicamente por el idioma y una letra. Los une y los separa una avenida relativamente ancha y tercermundista. El lado norte de la avenida es una calle de Brasil y el costado sur una calle de Uruguay. El sector brasileño tiene mayor desarrollo comercial. Una notable presencia de almacenes, supermercados, talleres de vehículos y bicicletas, restaurantes, bares y comerciantes árabes. En una tienda de granos y artesanías importadas del Medio Oriente conocí a un egipcio. Me dijo que había emigrado a Brasil cuarenta años atrás. "Soy más brasileño que la misma samba", dijo con una foto de Anwar El-Sadat, presidiendo su oficina.

—¿Cómo llegó aquí? —pregunté—.

—Lancé tres papeles al aire con el nombre de un país en cada uno: España, Estados Unidos y Brasil. Dos cayeron al suelo. Brasil quedó encima de la cama. Por eso estoy aquí —afirmó. Desde la frontera de Brasil hasta el balneario de Punta del Este en Uruguay, hay medio día de viaje. En el recorrido se atraviesa por estancias ganaderas como Guardia del Monte, donde Alicia Fernández viuda Servetto, cuida su proyecto de turismo ecológico frente a Laguna Castillos.

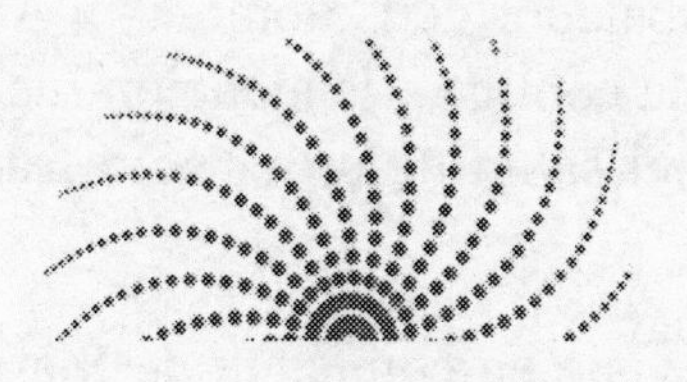

Buenos Aires, ícono cultural y vida nocturna

Cuando el veterano y erguido camarero se acercó hasta su mesa, esa tarde del año 1970, como era su costumbre, Borges le preguntó: ¿No vino Gardel hoy?.

—No porque murió en 1935.

"Ah, qué suerte. Es tan mal cantor..."

La anécdota tuvo lugar en "El Tortoni", paradigma del café bonaerense, y me la recordó el periodista mendocino Rodolfo Windhausen, tal como se la refirió el camarero que la vivió. Tomar una taza de café en el Café Tortoni es un buen comienzo en esta mañana de jueves en la capital Argentina.

Fue fundado en 1858 por un francés de apellido Touan, que lo bautizó con el mismo nombre de un célebre café de París. De la esquina Rivadavia y Esmeralda fue trasladado al número 826 de Rivadavia. Al abrirse la Avenida de Mayo, el local, cuyo ingreso se hacía solo por la calle Rivadavia, tuvo también entrada por la Avenida en el número 829, que es acceso principal, lo que acrecentó su importancia, escribió Antonio Requemi, en un folleto.

Hoy es un ícono de Buenos Aires, sitio turístico y lugar de tertulias. Hablan de política, de fútbol, de literatura, de milonga, en fin de lo divino y humano. Entré al Tortoni y me sentí en Madrid, Roma o Lisboa. De estilo clásico, tiene un ambiente agradable y acogedor.

Buenos Aires es otra de las ciudades donde yo viviría gustosamente. Tiene algo de París, de Madrid y de Barcelona. Ideal para compartir con amigos en un boliche o para caminar. Cuando Víctor G. Ricardo, era embajador de Colombia en Argentina almorzamos en el Jockey Club, la comida y la atención fueron excelentes, y nos sentimos como en el salón de un palacio francés, por su estilo y decoración.

La última vez, viaje en compañía de Maripaz. Atravesamos el río de la Plata en el buque bus que sale de Colonia de Sacramento, en Uruguay y disfrutamos tres noches entre amigos.

Con Hernán Gamboa, el cuatro de Venezuela y Dácil su mujer, nacida en Argentina, paseamos por su vecindario en Palermo frente al Hipódromo. Como en Madrid, los porteños acostumbran ir a los restaurantes y pasear hasta entrada la madrugada. Cerramos la segunda noche con el poeta y escritor Alejandro Tarruelas, por las librerías nuevas y las de libros viejos, abiertas casi toda la noche. La tercera noche tomamos un remise, (los taxis), y nos fuimos para el sector de "La Lucila", con el propósito de ver a Pedro Konstant y María Radó.

Ellos son protagonistas de una historia muy simpática. María Radó durante la guerra caminó parte de Europa para llegar al puerto de Marsella. Allí consiguió subirse al barco "Euzkerda" y llegó a Buenos Aires. Un día iba con una amiga por una calle de la capital argentina. Su amiga le dijo: ¡hola! a un amigo que estaba al otro lado de la vía.

—¡Espera María y lo saludamos!, es un amigo —dijo la amiga.

—No, yo no quiero que me presentes a nadie ahora —le replicó. Estoy cansada —dijo María—, no quiero que me presentes a nadie.

—Ya es tarde, ya viene —le informó su amiga. Tenemos que

esperar.

Así fue—, esperamos y lo saludamos. Ese hombre es Pedro, mi marido —dice María Radó con una sonrisa tierna y sonora.

Pedro nació en Alemania y también emigró a Argentina después de la guerra. María tiene 85 años y dice que comparte dos profesiones: es mujer de letras y empresaria.

Sus libros son publicados por Ediciones El Narrador, una editorial que creó Pedro Konstandt, para complacerla divulgando su obra. Allí, Pedro ahora también publica sus cuentos.

—Vos sabés que dicen que las empanadas nacieron durante el gobierno del Virrey Vertiz en Buenos Aires —comentó el novelista Alejandro Tarruelas.

Un buen día —narró—, su personal doméstico (pensá en criollos y afros) se quedó sin otra cosa que harina y un poco de carne, huevos y algo de verduras. Cortaron la carne (no era carne molida o picada, como decímos, sino cortada) en cuadrados muy pequeños, pusieron algo de papas, cebolla, huevo duro e hicieron con las tazas un corte en la maza de harina, redondo. Luego encerraron el contenido, la unieron en repulgue y fritaron en aceite. Ahí nació la empanada. —Me hiciste dar hambre —le digo—.

—Te invito a comerlas en un lugar típico —responde Alejandro. Cada provincia tiene su característica. En este sitio preparan las salteñas y son de una calidad singular.

—Vamos a "La Carretería", calle Brasil entre Chacabuco y Perú, San Telmo —indicó Alejandro al taxista—.

—Maestro —dije mirando al chofer— ¿cuál es su tango preferido?

—Cuartito azul —expresó sin pensarlo.

—Ah, usted también —manifesté— van dos taxistas que me responden lo mismo. Alejandro continuó su exposición sobre el origen de las empanadas:

Las empanadas argentinas gozan de fama y yo doy fe de unas deliciosas que comí en Buenos Aires. Según nos contaron es un lugar de tradición conocido por porteños, políticos y recomendado a los turistas. En Argentina comen empanadas en las fiestas populares y en la mesa familiar. La receta de las empanadas es simple: relleno de carne con huevo duro cocinado, aceitunas o uvas pasas. Este relleno se envuelve en una masa y se pone al horno. Se preparan con verduras, de pescado, de humita, de pollo y de jamón. También se preparan dulces, saladas y fritas.

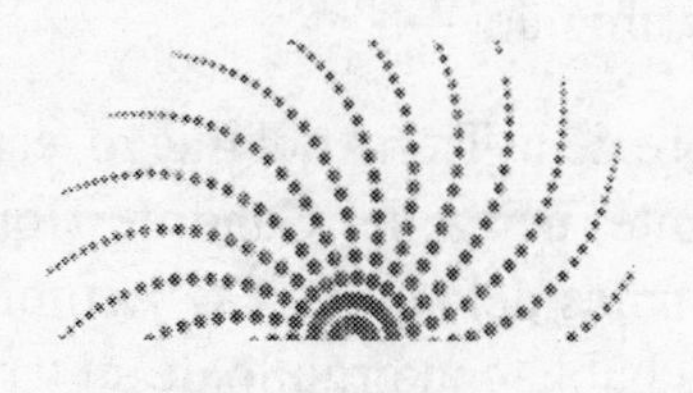

Primavera en Patagonia

En San Carlos de Bariloche uno tiene la sensación de estar en Suiza o en Escandinavia.

—Estás en el lugar más cercano al cielo. Vas a conocer el paraíso —me dijo el guía que me recibió en el aeropuerto—. Impresiona la inmensidad del cielo, la belleza de las montañas y la paz que se respira.

—Soy Jon Henriksen y me llaman el gran danés —expresó por su lado el hombre que conducía la camioneta que nos recogió en el aeropuerto. El conductor de la camioneta que nos fue a buscar al aeropuerto era un hombre de cabellos blancos, dos metros de estatura y piel roja. Luego contó que su padre llegó de Copenhague y allí se estableció con la familia.

Todo es bello en estas lejanas tierras. El lago Nauel Huapi, las montañas, otros lagos, las casas de madera en medio de los bosques. Bariloche es un encanto a orillas del Lago Gutiérrez, cuyas aguas azules parecen una pintura.

La ciudad es un remanso y un buen lugar para degustar jamón de jabalí o de ciervo.

—A lo mejor no soy nada más, pero soy el poeta mas austral del mundo —me dijo José Maria Castiñeira de Dios, poeta, catedrático e intelectual nacido en Usuahia.

—A Usuahia, cerca del Polo Sur llegaron mis abuelos y padres gallegos en 1910, y ahí nací—.

—Soy un hombre de la Tierra del Fuego, esa isla grande que está al final del continente, cerca del Cabo de Hornos, famoso por los naufragios en los finales del siglo XIX, y comienzos del XX —dijo Castiñeira. El poeta habla con orgullo de su terruño:

—Amo mucho a mi tierra sureña, zona inhóspita de nieves, de vientos helados y de una impresionante belleza natural única en el mundo. Los primeros hombres que llegaron para colonizar la Patagonia fueron los pastores de ovejas y esta actividad económica sigue siendo fuente de riqueza.

En Bariloche se respira aire puro y se ve destacado el verde de la naturaleza. La primavera es un campo de una acuarela verde.

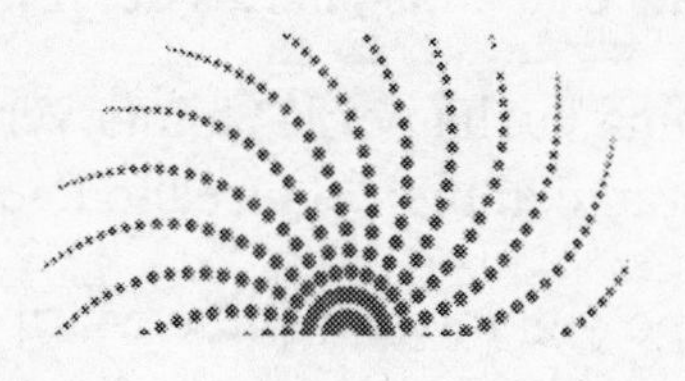

En Chile con Donoso

A Chile lo asocio con los poetas, los mariscos, el buen vino, la cueca y una mañana en casa de María Donoso, la esposa de José Donoso, escritor chileno, autor de la novela: "Donde van a morir los elefantes".

Me recibió en su casa sentada en un sofá del segundo piso, atenta a los movimientos de un gato negro. Me relató pasajes de su vida en El Cairo, cuando ella vivió en Egipto, entre diplomáticos y la familia del Rey Farouk.

La residencia se localiza en un tradicional barrio de Santiago. Tiene dos pisos y un ático espacioso donde el novelista tenía su máquina de escribir y allí escribía sus libros.

Ese día no pude verlo porque debió quedarse dictando una charla en Mendoza, Argentina. En cambio aproveché la visita para entrevistar a María, su mujer.

Amable, atenta, y con un café que me brindó descubrí a una

excelente conversadora. Entre charla y charla me enseñó la casa. En el salón del primer piso vi parte de su biblioteca y vitrinas que exhibían las ediciones de sus obras traducidas a varios idiomas. En una pared, una fotografía en blanco y negro tomada en Barcelona en la década de los años sesenta: Gabriel García Márquez, Jorge Edwards, Mario Vargas Llosa, José Donoso y Ricardo Muñoz.

Ahora he vuelto a Chile con Maripaz. En este periplo por el mundo, encuentro un Chile modernizado y desarrollado. Dicen los periódicos que el país está a las puertas del primer mundo.

Después de dar una vuelta por la Quinta Vergara de Viña del Mar buscamos un restaurante al pie del Océano Pacífico.

—Choritos, pulpo y gambas —pidió Maripaz.

—Machas a la parmesana —solicité para mí. Y ¡claro! vino blanco cosechado a pocos kilómetros.

"Valparaíso son 50 cerros", me había dicho el escritor chileno y ahora embajador en México, Roberto Ampuero, oriundo de aquí. Ampuero sitúa en este puerto a Cayetano Brulé, un personaje que adquiere vida en sus novelas.

Para llegar hasta los cerros los porteños usan los ascensores —carros montados sobre rieles, tirados por cables de acero por la ladera de los cerros—, son un vehículo de transporte pintoresco y a su vez un atractivo para los turistas.

Una de las casas más visitadas por los turistas en Valparaíso es La Sebastiana, en el cerro Florida que perteneció al poeta Pablo Neruda, Premio Nobel de Literatura. Neruda decía que la casa estaba construida "en el aire", pues desde su emplazamiento se ve toda la ciudad, "y ese mar que Dios dejó caer frente a su ventana pues era tan grande que no tenía otro lugar donde ponerlo".

Desde lo alto se confirma que Valparaíso tiene la forma de un anfiteatro enclavado entre el mar y los cerros. La bahía está rodeada de cerros desde Playa Ancha hasta Barón. Muchos de los ascensores que visitamos toman su nombre del cerro donde se encuentran emplazados. Empezando por el extremo sur se encuentra el Cerro Playa Ancha, Santo Domingo, Toro, Cordillera, Alegre, Cárcel, Panteón, La Florida, Mariposa, Monja, La Cruz, Polanco, Larraín, Lecheros y Barón, por el norte.

Recuerda el periodista Claudio Solar el siguiente episodio que ocurrió al escritor español Eduardo Blanco Amor. Una noche de 1950, desde el hotel Miramar, se veía un panorama iluminado como si las estrellas se hubiesen puesto a dormir sobre los cerros. ''¿Y esa maravilla?

—¿Qué es eso?", preguntó a la camarera. ''Es Valparaíso", le respondió. ''¿Y desde cuándo está allí?" Ella dijo, simplemente: "¡Desde siempre!'"

Valparaíso y Viña del Mar, dos ciudades a las que sólo separa una calle, son dos destinos del austral Chile. En un local del puerto tuvo su despacho el poeta nicaragüense Rubén Darío, en su época de cónsul. Aquí mismo publicó Azul, en julio de 1888, su primer libro de cuentos y poemas.

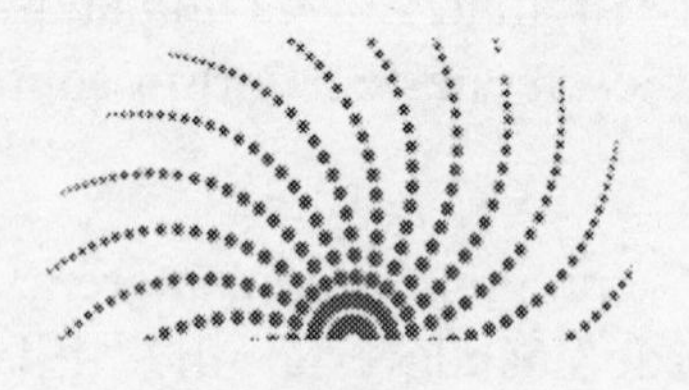

Bolivia, Tíbet de Suramérica

El avión aterrizó en el aeropuerto El Alto, ubicado a 4061 metros sobre el nivel del mar, uno de los más altos del mundo. Luego bajamos a La Paz distante 14 kilómetros, cuya altitud alcanza 3665 metros. Al descender por carretera se puede ver la capital de Bolivia esparcida en un valle entre los cerros.

—Manténganse en quietud en el hotel y tomen mate de coca el primer día— nos recomendó el ex ministro, Carlos Sánchez Berzaín—. Es la mejor forma de evitar el soroche, un dolor de cabeza que producen las alturas. Atendimos el consejo y la experiencia fue afortunada. A la mañana siguiente recorrimos la plaza Murillo, el popular mercado de las brujas y el valle de la Luna.

A 155 kilómetros por carretera llegamos a Copacabana, la capital de la provincia Manco Capac. Es centro de peregrinación para los devotos que van a visitar la Virgen de Copacabana.

Es un lugar apacible de 3000 habitantes, frecuentado por turistas europeos y mochileros de varios países, donde el sol quema en el día y el frío de la noche se mitiga con singani caliente, una bebida con uva boliviana. Tiene una hermosa bahía donde llegan y salen botes y aliscafos para visitar la isla del Sol, de la Luna, Taquile y Amantani. Otro de los atractivos turísticos son unas pintorescas islas flotantes con casas y canoas —al estilo piragua—, fabricadas con juncos largos que crecen a orillas del lago.

La superficie del Titicaca que comparten Perú y Bolivia es de 8490 km2, y está a 3810 metros sobre el nivel del mar, convirtiéndose en el lago navegable más alto del mundo.

Sus aguas son tranquilas y se respira un clima místico. Los indígenas son abiertos a conversar con los foráneos y algunos se acercan a los turistas para ofrecer artesanías o fotos al lado de llamas y alpacas a cambio de una propina.

La fauna del lago es rica en patos, peces y truchas que preparan con fórmulas exquisitas.

A pocos kilómetros del Lago Titicaca están unas ruinas en piedra como La Puerta del Sol conocidas como Tiahuanaco. Los arqueólogos hablan de un lugar que encierra insondables misterios y lo asocian con la astronomía. Los aimaras celebran el solsticio del invierno austral el 21 de junio. Con los primeros rayos del sol atraviesan la puerta del templo de Kalasasaya de Tiahuanaco y dan inicio a la llegada del nuevo año.

Darius Morgan es uno de los grandes impulsores del turismo al Titicaca. En Inca Utama Hotel, a orilla del Lago, ha implementado un concepto para introducir al viajero a las culturas de los Andes.

Deslumbra el azul del cielo y del agua, en el Lago Titicaca. Además del azul majestuoso que invade el paisaje me llamó la atención el derroche de colores rojos, naranjas, amarillos y verdes de los ponchos, mantas, gorros y faldas que usan los pobladores, en su mayoría, de la rama aimara.

Los quechuas —que venían del sur— es la otra cultura que comparte el altiplano. Los indígenas cargan una bolsa con hojas de coca que mascan por costumbre desde hace siglos entre otras cosas para no tener sensación de hambre y algunos dicen que para soportar los esfuerzos a grandes alturas.

Lima, entre peñas y buena mesa

Mis primeros viajes a Lima fueron por unas horas. Llegar de Bogotá, dormir una noche y al día siguiente tomar el vuelo maratónico de Aeroflot rumbo a Moscú con paradas en cinco países.

En esta ocasión fue distinto, vine con el ánimo de recorrer la capital peruana y detrás de la tradicional buena mesa peruana. El cebiche, el lomo saltado, la papa a la huancaína y la causa limeña, son referentes peruanos que trabajan por el país las veinticuatro horas.

—La cocina del Perú puede estar al lado de la hindú, la china y la francesa— asevera Jaime Palencia, urbanista de Valladolid, España que turna su vida entre su tierra natal, Miami y Lima.

Hay que empezar mencionando el nombre de Gastón Acurio, para reconocer a uno de los grandes maestros. Un embajador gastronómico que innovó y creyó en los valores y calidad de la cocina del Perú.

—La gastronomía peruana está basada en las tradiciones incas

—dijo Alonso García, propietario de "El Hawaiano", un gigantesco restaurante de la Avenida Paseo La República.

—A esto se suman los aportes españoles, moriscos y las recetas traídas por los esclavos de África —añadió. Esta mezcla se enriquece con las costumbres gastronómicas de la inmigración china, italiana, japonesa y francesa. Ese es la razón para que maestros como Ignacio García dueño del restaurante "Puntarenas" en la calle Santa Teresa en Chorrillos, afirmen que "hoy es posible encontrar en un solo país los sabores de todos los continentes". Ahora se ve a muchos turistas quienes le agregan a su expedición por Machu Pichu o la Amazonía, un Tour por los excelentes restaurantes de Lima, Arequipa o Trujillo.

Aseguran que en la costa del Perú existen más de 2500 tipos registrados de papas y 250 postres. Algunos de los platos populares del menú, son el ceviche, pescado marinado al limón, aderezado con ají, servido con cebolla en rodajas y vinagreta; tirado de pescado con crema de ají servido con patatas; corvina guisada con limón y especias, puré de choclo y yuca; locro, guisado muy completo con carne de res y cordero De postre brioches rellenos de chantilly al café, o suspiro limeño hecho con leche evaporada, yemas de huevo, vino oporto y un toque de canela.

Lima es historia viva. La aldea que fundó Francisco Pizarro en 1535, en un valle costero a orillas del río Rímac, se ha desarrollado. Hoy alberga a siete millones de criollos, afro y mezclas con inmigrantes españoles, alemanes, italianos, chinos y japoneses.

Del aeropuerto Jorge Chávez al centro de Lima hay 30 minutos de recorrido por la ruta de la costanera; se divisan las playas y acantilados del Océano Pacífico.

La Casa de Gobierno está inspirada en el Palacio del Eliseo de París. En otro costado de la Plaza Mayor o de Armas —es la misma cosa, dice el historiador Teodoro Hampe Martínez—, se levantan en color amarillo, el majestuoso Palacio Municipal y el Club Unión. Al frente está la Catedral donde reposa el cráneo de Pizarro —según Hampe— y el edificio del Palacio Arzobispal con sus balcones típicos labrados en madera.

Lima tiene 43 distritos y cada uno posee sus propias características, tradiciones y entretenimiento.

Miraflores es uno de los sectores modernos y seguros, con vida nocturna, lujosos hoteles, casinos y centros comerciales. Se localiza sobre el acantilado de la Costa Verde, tiene playa y numerosas tiendas, bares, cafés y restaurantes. EL centro comercial Larcomar y el Parque del Amor brindan maravillosas vistas del litoral. San Isidro es un próspero distrito que combina modernidad arquitectónica en los elegantes conjuntos residenciales y torres de oficinas. El Country Club Lima Hotel, construido en 1927 es uno de los edificios más emblemáticos de la ciudad.

El recorrido turístico pasa por Barranco, notable por su ambiente romántico. Allí se encuentra el Puente de los Suspiros, que sirvió de inspiración en 1960 a la compositora Chabuca Granda.

Chorrillos se inicia en el Malecón Iglesias y termina en la Panamericana Sur. Es un barrio bohemio con restaurantes como Puntarenas, famoso por sus ceviches de pescado y el pulpo al carbón con salsa de aceitunas.

—El sol es muy huidizo aquí —comentó Maripaz al ver una capa de nubes tapando el cielo limeño.

Gerardo Conca, presidente de la agencia CostaMar, afirma que los viajeros ahora no sólo van a Machu Picchu, sino que también buscan los circuitos gastronómicos de Lima, excursiones a la selva, a la costa y a la Sierra.

El domingo pasó por el hotel nuestro amigo, Víctor Andrés García Belaúnde y nos llevó a pasar el día en su agradable casa de campo a 40 Km. de Lima.

—Este es Chaclacayo, está en las faldas de los Andes y por ese motivo tiene sol todo el año, algo de lo que Lima carece —explicó el diputado limeño. Está a 800 metros de altura sobre el nivel del mar.

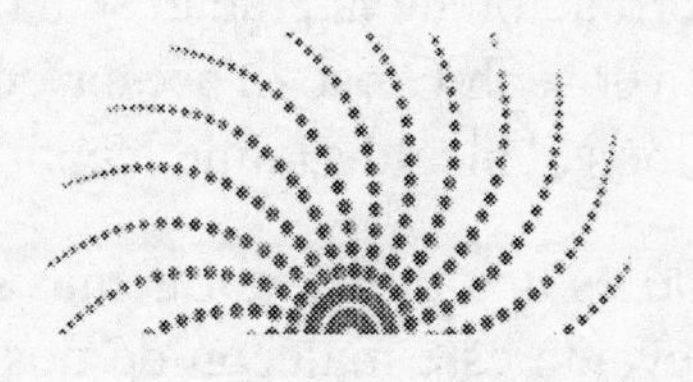

Ecuador, todo en la mitad del mundo

A Ecuador lo recorrí de punta a punta. De Tulcán, frontera con Colombia a Aguas Verdes en la frontera con Perú y de Lago Agrio, en la selva amazónica hasta Machala, al pie del Pacífico.

Aquí fui diplomático y aquí tuve inolvidables experiencias con su gente. Una mañana fui al puerto de Guayaquil y recibí un Peugeot 604 que encargué a la fábrica. Lo trajo en dieciséis días un barco desde el puerto de El Havre en Francia y me lo entregaron con tres kilómetros de recorrido. En este vehículo visité las provincias de Ecuador. Un país pequeño pero con todos los paisajes, climas, cocinas y temperamentos.

La sede del gobierno bautizado como "Palacio de Carondelet", está ubicada en el centro histórico de Quito. Callejones, casonas históricas y la presencia indígena, fundamento de la identidad nacional. Un sábado despejado y de cielo limpio y azul, desde la terraza de mi apartamento, en la Avenida La República, en Quito, divisé cuatro volcanes: Cotopaxi, Pichincha, Antizana y Cayambe.

En el día la temperatura sube a los 20 grados y en la noche baja a los 5 como en Bogotá. Quito se esparce sobre las cimas y faldas de colinas andinas, por lo que en las noches se ve la iluminación desde la distancia. Parecen pesebres. El Panecillo, con 3.000 metros de altitud, es la máxima elevación y se encuentra en el corazón de la capital.

Guayaquil con dos y medio millones de habitantes es puerto sobre el Pacífico, centro cosmopolita y motor económico y comercial del país. "La transformación de la ciudad se ha producido en los últimos años", asegura Joseph Garsozi, asesor de turismo local. "Ese progreso se lo debemos al alcalde Jaime Nebot", dijo.

El Malecón 2000 es una de las obras más destacadas. A orillas del río Guayas se levanta este malecón de dos y medio kilómetros de largo desde la Calle Cuenca por el sur, hasta el histórico barrio monumental de Las Peñas. Tiene un área de veinte hectáreas con centros comerciales, restaurantes, parques, esteros artificiales, zonas artísticas, museos, zonas peatonales y jardines. El cerro de Santa Ana, en la costa del río Guayas es un enclave pintoresco y de tradición muy visitado por los turistas. Dejó de ser un sector peligroso, ya que fue recuperado por la ciudad y ahora alberga restaurantes, galerías de arte y peñas para escuchar música bohemia. Una de las más visitadas es la peña de la popular bolerista Patricia González.

Aquí el turista encuentra atractivos que no encontrará en otros lugares, tradiciones como las serenatas, que casi ninguna ciudad del mundo conserva, en Guayaquil los guitarristas que dan las serenatas se llaman lagarteros y tienen incluso un lugar propio en donde reunirse, sostiene la odontóloga colombiana Ana Teresa Ramirez. Otro atractivo de la "Perla del Pacífico", es su exquisita cocina, sus famosos cangrejos, el pescado y los ceviches. A unos cuantos kilómetros de Guayaquil se encuentran algunas de las más conocidas playas del Ecuador, como Salinas, Punta Carnero y Playas General Villamil.

En Manabí, provincia reconocida de mujeres hermosas, se puede visitar la casa donde nació Eloy Alfaro ex presidente de la República, en la población de Montecristi, que es a su vez, el lugar donde fabrican los famosos "sombreros de Panamá".

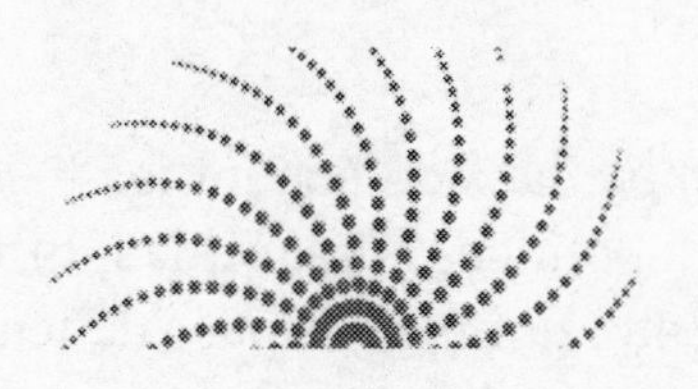

Encuentro con "Mi adorable loca"

Busqué a Manuelita Sáenz por los conventos del Quito colonial un medio día de viernes. El volcán Pichincha se levantaba gigantesco con sus 3.600 metros sobre el nivel del mar y el cielo siempre azul de la mitad del mundo.

Caminé los laberintos estrechos del corazón de la ciudad, por donde dicen que sus padres la entregaron de niña a unas monjas españolas para su educación.

Subí por las aceras adoquinadas en dirección al Panecillo, rastreando la casona de tejados rojos y balcones de guayacán y cemento, desde donde ella con 24 años vio llegar a Bolívar a fines de mayo de 1822 con sus 39 años de edad ya cumplidos.

Terminé encontrándola en una esquina a donde fui acompañado de Vicente Martínez Emiliani, Benigno Escallón y Jorge Valenzuela, —en una pausa a la agenda de la Embajada de Colombia—, para seguir la sombra de los tiempos de la Independencia.

— Me vende todos los cigarrillos —le dijo Vicente a la ambateña que cuidaba su tiendita portátil en el pretil de la calle.

—Doctor, le vendo uno solo porque después me quedo sin más cigarros para seguir vendiendo —replicó. Vicente negoció la compra de tres cigarrillos y yo me le acerqué a Manuela Sáenz.

—Tu moriste en el siglo XIX —le dije, ¿cómo puedes estar aquí? Manuelita soltó una sonrisa y replicó: tú tampoco estás en Quito. Ahora te encuentras en Paita donde dicen que yo dejé mis últimos suspiros.

—Tu vida siempre ha sido una intriga —le dije. De ti todos especulan: tu sentido político, la sagacidad, tu valentía, tu entrega al hombre del momento, tu final, después de tener tanto poder, terminaste enferma, proscrita y abandonada, son muchos temas. Ya que estamos solos, le hice un guiño a ella y un gesto a mis acompañantes para que guardaran silencio, Manuelita —insistí— cuéntame de ti.

La mujer altiva, sensual y orgullosa, se acomodó en una silla y mirando el Panecillo precisó:

—Soy hija del adulterio, nací en aquella casa de la esquina, en tiempos del Quito de los placeres.

Mi padre, el español, Simón Sáenz me dio a las monjas de un convento para que se encargaran de mi crianza y educación. La confidente de la soledad en los años de mi adolescencia fue Jonatás, cuatro años mayor que yo, una negra esclava del valle del Chota, un asentamiento que se desarrolló en el camino de Quito a Ipiales. Mi madre Joaquina Aispuru, recibió la visita de mi padre durante un tiempo, pero me dio poco cariño.

A los veinticuatro años tuve que enfrentar el encarcelamiento de mi padre por ser español en pleno furor independentista, mientras que mi madre era militante de la libertad de nuestro pueblo.

—Manuela, ¿en qué momento nació tu interés por la causa de la independencia? —Estuve muy cerca de los hombres y mujeres que lucharon por Ecuador. Lo que más me llenó de valor fue la crueldad de Sámano contra nuestra gente, especialmente los que participaron en el movimiento del 10 de agosto de 1809. Mi padre ya había sido asesinado cuando trató de escaparse rumbo a España con 40.000 pesos. Cayó en manos de patriotas, era la guerra.

—Qué hay de cierto en tu primera aventura con D'Elhuyar, el apuesto oficial?

—Prefiero decirte que me casé a mediados de 1817 a los 22 años con el médico Jaime Thorne. Efectivamente era un hombre de dinero, mucho mayor que yo. Fue un inglés que me amó, pero era pesado, monótono y alejado del placer. A su lado me sentí sola.

—¿Cómo conociste a Bolívar, fue amor de primera vista?

—Recuerdo ese Quito del 16 de junio, habían pasado tres semanas de la victoria de Pichincha, pero reinaba gran expectativa por la llegada de Bolivar procedente de Pasto. A las ocho de la mañana la ciudad era una fiesta, Sucre salió a recibirlo sonaban las campañas de las iglesias, venían las tropas detrás de la banda de guerra y una cabalgata. Yo lo vi desde el balcón de la casa, y le lancé una corona de laurel, él me miró y yo hice lo mismo, fue algo indescriptible. Fue un instante tan definitivo que desde entonces nos amamos siempre.

En la noche las autoridades y la sociedad de Quito ofrecieron un baile al héroe, y don Juan Larrea me llevó del brazo y me presentó a Bolívar. Bailamos valses y contradanzas y me dijo: el baile es el poema de la vida. Esa noche nació lo que él y yo buscábamos: el placer de la gloria. Fue una luna de miel de veinte días, y mientras las tropas reposaban yo lo invité a mi hacienda Catahuango, cerca de Quito. Jamás el mundo sabrá lo que nos amamos. Al principio me decía: "gimo de tan terrible situación; por ti, porque debes reconciliar con quien no amas, y yo porque debo separarme de quien idolatro". Luego le demostré que lo daría todo por él y por la libertad. Estuve junto a él ocho años que estos pueblos no tendrán con qué pagarme, porque al salvarle la vida de sus enemigos, evité la destrucción de la Gran Colombia en momentos que hubieran sido catastróficos para el destino de estos países.

—Manuela sé que ya te vas, pero antes dime ¿cuándo fue la última vez que los dos se vieron?

—Un medio día del 8 de mayo de 1830 en Bogotá, el Libertador se fue con sus acompañantes por la vía de Guaduas para bajar por el río Magdalena y morir en Santa Marta. Ni él ni yo sabíamos que sería el último beso del más grande amor que haya registrado la historia de América.

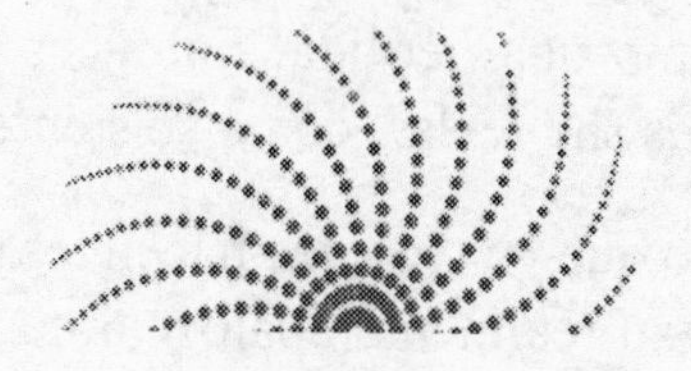

En Guadalajara con Skármeta

El vuelo Miami-Guadalajara (Jalisco) sale madrugado de Miami y se realiza con una escala en el aeropuerto de la capital mexicana para cambiar de avión y continuar el recorrido. Casi todos los años a fines de noviembre nos encontramos sin citarnos y viajamos juntos con Eduardo Durán, el librero de Revistas y Periódicos y la periodista Adriana Herrera, quienes asistimos religiosamente al gran evento de libros que se organiza en Guadalajara.

Pocos días después de haber llegado, Adriana Herrera y yo veníamos de entrevistar a Juán Goytisolo y entramos al lobby del Hotel Hilton, que en los días de la FIL, la Feria Internacional del Libro, es un lugar de encuentros inesperados, pero oportunos.

Invitamos a la mesa para una entrevista improvisada a Antonio Skármeta, el reconocido escritor chileno, autor de "El cartero de Neruda" (Il postino), "Baile de máscaras" y otras novelas.

Esa mañana Skármeta comentó: He tomado la palabra satisfaction para hacer un discurso feature. Les digo que quiero hacerle un homenaje al tema Satisfaction de The Rolling Stones. Sabes —dice—, que la revista "The Rolling Stones" hizo un ranking de las 500 mejores canciones de la historia del rock. Satisfaction de los Rolling Stones quedó en segundo lugar. Pero en primer lugar quedó una de las canciones que siempre he amado, una de Bob Dylan que se llama Like a Rolling Stones.

Recordemos lo que dice aquella célebre canción. Habla de una chica que se ha creído una princesa y que ha andado por el mundo llena de arrogancia y de pronto cae y comienza a rodar como una Rolling Stone, como una perdida. Entonces la pregunta que hace Bob Dylan: ¿Who´s she feels?, cómo se siente uno cuando está ahí.

Bueno eso es lo que yo creo que hacen los escritores trabajar con personajes que están realmente abajo y tratar de sentir como estos personajes sienten. Creo que esta es la democracia en literatura.

Perdóname que haya tomado la palabra Satisfaction para hacer un discurso literario, pero valía la pena.

Skármeta agregó: Ah, de la encuesta que hicieron 150 críticos de rock, quedó la canción de John Lennon: Imagine.

Imagínate si toda la gente nos pusiéramos de acuerdo y construyéramos un cielo acá, un cielo que no se nos va.

Además de disfrutar de la FIL y los encuentros literarios, descubrí la receta de las Tortas Ahogadas estilo Guadalajara. Se preparan con1/2 kilo de carne de puerco en pedazos, 1 taza de soda de naranja, 1 cebolla, jugo de 3 o 4 limones, frijoles cocidos, fritos y molidos, 1 kilo de jitomates, 1 diente de ajo, 3 clavos de olor, pimienta un puño de chiles de árbol cocidos, luego se preparan poniendo la carne a sazonar con pimienta, sal y la taza de soda de naranja, se deja consumir hasta que se dore. A la cebolla en rodajas se le agrega el jugo de limón con sal y se deja reposar por 15 minutos tapando el recipiente con una servilleta. Se cuecen los jitomates y se licúan con los clavos y 1 diente de ajo para la salsa.

Después se cocinan los chiles de árbol con muy poca agua se licuan y después se cuelan. Tener los frijoles fritos ya preparados, a continuación se toman los birotes —pan horneado— se les untan los frijoles, se les pone la carne y se mete todo el birote —pan horneado— en la salsa, se le agrega la cebolla al gusto y si les gusta picocito, me dicen, se le revuelven los chiles de árbol a la salsa de jitomate Recordaré los desayunos opíparos, a base de tortillas, salsas y huevos divorciados del hotel de Guadalajara. Me llama la atención imaginarme a Bob Dylan llegando a la gran manzana y escribiendo su canción: Talking New York.

Vagando desde el salvaje Oeste/ Dejando atrás las ciudades que más quiero/ Creía que ya lo había visto todo/ Hasta que entré en Nueva York/ La gente descendiendo tierra abajo/ Los edificios subiendo al cielo.

En El Salvador se comen pupusas

Chalchuapa al occidente de El Salvador, quiere decir "en agua de jade". Es un municipio que tiene las calles empedradas y adoquinadas, pero lo que mejor recuerdo es el sabor de las ricas pupusas que me comí en la casa donde nació Willy Retana, amigo entrañable que después de unos tragos, reencarna en él el espíritu de Vicente Fernández.

—Las pupusas son tortillas de maíz o de arroz rellenas con queso, —me dijo Willy en Weston, cuando me invitó a conocer su patria chica meses atrás. Después de ir a Tazumal, un emporio arqueológico de los mayas donde Willy asegura que jugaba de adolescente, visitamos el lago, hicimos un recorrido por el pueblo y nos fuimos a su casa paterna a probar las famosas pupusas.

—Las pupusas se revuelven con chicharrón y frijoles y también con frijoles y queso —explicaron Willy y Beatriz, su esposa. Hay quien les echa camarón o chacalines y pescado. Se acompañan con encurtido de repollo y un poco de picante al gusto.

Usulután, está en el otro extremo del país, en el oriente de El Salvador. Es un departamento rico en paisajes de volcanes, montañas y playas bañadas por las aguas del Pacífico.

Uno de los mayores atractivos de la región es la bahía de Jiquilisco, que aloja la mayoría de las aves marinas del más pequeño país centroamericano. A este escenario natural se llega después de recorrer 70 millas desde San Salvador, la capital, a través de una excelente carretera conocida como la Carretera del Litoral. Hay cuatro accesos.

Primero, por el desvío de San Marcos Lempa y el bosque Nancuchiname está la entrada por la carretera CA-2 hacia la ciudad de Jiquilisco hasta Puerto Triunfo. También se puede ir por Puerto Barillas, la playa El Espino, y desde la ciudad de Usulután vía Puerto Parada.

Pernoctamos en Usulután y al día siguiente salimos temprano a recorrer el parque, visitar la iglesia y conversar con gente que llega a contar sus asuntos cotidianos. Lo primero que impresiona al arribar a la bahía es el estado primitivo de sus alrededores. A pocos minutos de salir el visitante se encuentra con las armaduras oxidadas de un cementerio de viejos barcos pesqueros.

Tony Reyes es un agrónomo que vivió en Estados Unidos y decidió regresar para disfrutar de las bellezas de su país. Fundó en una isla un conjunto de cabañas con el nombre de Bahía Sport, donde se respira paz y se vive en medio de la naturaleza. Reyes habla de la llegada de las tortugas marinas para cumplir allí su proceso de desove. En el paisaje predomina el verde de los manglares, el azul del cielo y el colorido de las lanchas de los pescadores y los cultivadores de coco. Le llaman pangas a las decenas de canoas que atracan en los malecones, en las que ofrecen paseos de aventura por la bahía que conecta con el Océano Pacífico, por los estrechos o bocanas.

El escenario es tan pintoresco que permite ver desde las playas de la bahía o desde una panga, el imponente volcán de Usulután con sus 1449 metros de altitud. En unos pocos kilómetros se abre una bahía, la península de San Juan del Gozo y 27 islas de diversos tamaños, como Espíritu Santo, Tortuga, El Arco y Méndez. En esa hermosa y variada geografía marina se forman bocanas que han bautizado con los nombres de El Bajón y la Chepona, al igual que puertos de cabotaje como El Triunfo y Puerto Parada. En las costas de la bahía se encuentran caseríos y puertos dotados de hoteles con exóticos bungalues, estaderos y restaurantes con los servicios básicos para pasar unos días y disfrutar de la vida natural a orillas del mar. La cocina está basada en platos elaborados con pescados y mariscos.

Estando en El Salvador no hay que olvidar las pupusas y la horchata bien fría. Los amantes de las caminatas tienen 50 kilómetros de reserva natural sobre la costa. Se han estudiado 54 clases de aves, iguanas, tortugas, boas y cocodrilos. Pasando la población de Jiquilisco encontramos Puerto Triunfo, en cuyas vecindades está el bosque de Chaguantique, un área protegida por el gobierno, de mil hectáreas de terreno. Es rica en mono araña, mariposa Big Blue y árboles enormes que llegan a crecer a una altura de 60 metros. El Salvador es un país de gente hospitalaria, donde el turista es bien recibido y por su tamaño, todo queda cerca.

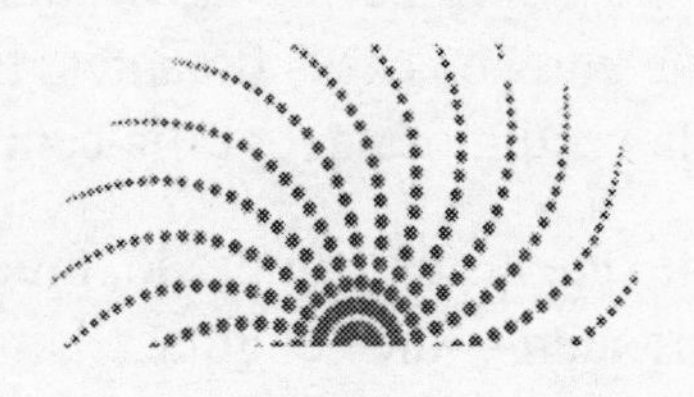

Amanecer en Managua

Managua es la única capital donde uno se orienta con La Montaña y El Lago, si va para el sur, el norte, o el este. El oeste es simplemente Arriba y Abajo. Era una aldea de pescadores a mediados del siglo XIX y hoy es una ciudad con ambiente de campo. El canto de los gallos y un concierto de pájaros me arrullaron desde las cinco de la mañana. Me alojé en un hotel familiar con patios de árboles, palmeras, jardines. La capital de Nicaragua es también una de las pocas capitales donde el afán de modernización no ha acabado con la naturaleza.

Junto a ese ambiente de finca desayuné huevos fritos de yema amarillísima, queso, tajadas de plátano maduro, frijoles recalentados y chocolate.

Este es un país donde la pasan bien los que disfrutan de lagos, volcanes y el verdor de los bosques. El paseo en bote por el lago Cocibolca fue tan agradable que pienso repetirlo. Se llega a Granada, que junto con Managua, León, Chinandega y Estelí son las ciudades que concentran los mayores núcleos de población.

En ese lago hay reposo y sosiego; peces y aves; naturaleza diversa, aguas tranquilas y el volcán Mombacho en el horizonte. En Puerto Asese contraté los servicios de un motorista por 50 dólares.

Alejandro Jarquín fue mi "lobo del lago" con su motor Mercury de diez caballos de fuerza. Emprendimos la excursión de una hora por los canales del lago en su pequeña lancha La Tiburona. La lancha navegó por ese pequeño mar de agua dulce, entre un conjunto de muchas islitas que parecen casas flotantes. El paseo era como un juego de niños por la prodigiosa geografía centroamericana.

—Allí vive gente que las ha comprado, muchos son extranjeros, algunas islas las arriendan —dice el guía. Llama la atención un tipo de árbol llamado "popocohe". Salimos de allí y me comí un pescado a la "Tipitapa" con cebollas en abundancia y exquisita sazón.

En León visité la casa donde vivió el poeta Rubén Darío. Ubicada en una esquina es una de las joyas turísticas de la antigua capital nica. Exhiben manuscritos, trajes que usó el autor de "Azul", la cama donde murió y una cantidad de artículos que le pertenecieron.

A 150 kilómetros de Managua se encuentra el Museo de Selva Negra, un homenaje a los inmigrantes alemanes que se enamoraron de las bellezas del país. Existen crónicas de la época según las cuales los prusianos se dedicaron al cultivo del café en las selvas nicaragüenses en el año 1845.

El plato básico de la comida campesina lo componen las tortillas y el gallo pinto con fríjoles colorados. En la mesa no puede faltar el vigorón que combina chicharrón de cerdo, yuca cocida, ensalada de repollo con tomate y vinagre con chile. A este tipo de chicharrón, en Granada le llaman "chicharrón de cáscara".

En otros lugares de Nicaragua le llaman "chicharrón de torreja". Es la piel del cerdo con algunos trocitos de tocino adheridos que la tuestan en aceite hirviente hasta quedar crujiente. "La yuca se pone a cocer en agua y un poco de sal. Se le recuece, como dicen en Nicaragua, para que quede suave, casi deshaciéndose. A la ensalada de repollo y tomate picados, se le añade vinagre oscuro con "chile congo", un pequeño chile criollo redondo y rojo.

Pero en Granada, a la ensalada del vigorón se le añade un elemento muy autóctono: el mimbro. Es una pequeña fruta verde y alargada (parecido al pepinillo, pero pequeña como un jocóte) que por dentro es porosa y con una acidez suave, casi dulce. Cuando uno prueba el mimbro, se le "hace agua la boca", por su acidez. Por eso a los niños les gusta cortar mimbros y comerlos sólo con sal. Entonces, al servir el vigorón, en una hoja de bijagua, primero se acomoda la yuca recocida, luego se le adorna con trozos de chicharrón tostado y después se la baña con la ensalada de repollo, tomate, mimbro y vinagre.

Jamaica y las reliquias inglesas

Jamaica fue una colonia que le proporcionó a Inglaterra: azúcar, tabaco y arroz. Algunos ingleses venían en plan de negocios y huyéndole a los inviernos europeos.

Greenwood, está ubicado a 20 kilómetros al este de Montego Bay, segunda ciudad de la isla y epicentro de los mejores resorts. Greenwood proyecta la imagen de un caserío a la orilla del mar donde la gente camina bajo el sol, escucha reggae y sale de pesca.

Llegué con Maripaz, en una camioneta por un camino destapado bordeando la playa hasta una casona de tres pisos que sobresale en lo alto de la colina.

Nos recibió un flaco de descuidada dentadura, entrado en años y natural de Kingston.

—Soy Bob Breton —dijo al darnos la bienvenida.

—Estamos en la casa de verano de Mr. Richard Barret —dijo Breton. Barret fue un magnate inglés y figura del parlamento británico. Caminamos, observé con curiosidad la propiedad llena de muebles, antigüedades y adornos.

—Todo es auténtico y se conserva intacto desde el siglo XVIII y XIX —dijo el señor. Barret, su propietario original, vivió en los tiempos de Napoleón. De niño fue llevado por sus padres a Viena. Lo más seguro es que Barret haya asistido a una presentación de Beethoven quien residía en Viena, la ciudad que junto con París, albergaba a los genios musicales de ese momento.

Es posible que cuando el inglés creció, entusiasmado con la leyenda del músico, —le dije a Maripaz— Barret compró en Bonn el piano que usó Beethoven y lo trajo a Jamaica a esta casa que estamos visitando, me aventuré a comentar.

Betton, el señor que nos guía el paseo por esta extraordinaria muestra del ayer, conoce perfectamente cada objeto. La casa es un inmenso museo para caminar y recrear la imaginación de cómo era la vida en aquella época.

—¿Puedo tomar fotos de la mesa? —preguntó Maripaz. Se le ve entusiasmada observando tanto arte antiguo.

—No hay problema —responde Breton.

—Tome las fotos que necesite —precisó—. El inventario es monumental. Muebles de estilo victoriano tallados en caoba. Armarios, mesas, sillones, estantes para libros, curiosidades. Lámparas y miles de objetos y artículos fabricados en Asia, África y Europa. Caminamos y observamos cada espacio de la mansión. Yo sentía que el espíritu del dueño nos acompañaba, como un fantasma por cada rincón.

—Este piano —explicó Bob Breton— funciona perfectamente. Se detuvo, tocó el teclado y sonaron varias notas sueltas. Luego nos llevó hasta el secreter de la esquina y nos enseñó las cajas que entraban dentro de otras cajas más pequeñas, en un juego interminable de cajitas chinas.

Bajamos a la primera planta por una avejentada y sólida escalera de madera. Caminamos hasta un salón donde se conservan periódicos antiguos y un cuarto de baños. Afuera el patio espacioso con jardines y al fondo otra sección de una casa donde vivió la servidumbre de los Barret. De los millones de esclavos traídos desde África para vender en el Caribe, Mr. Barret se reservaba los mejores ejemplares para su propiedad. Los demás tenían otro destino: trabajar en las plantaciones.

Terminamos la visita y nos despedimos. Salimos deslumbrados, abordamos nuestra camioneta y volvimos a pasar frente al caserío de Greenwood.

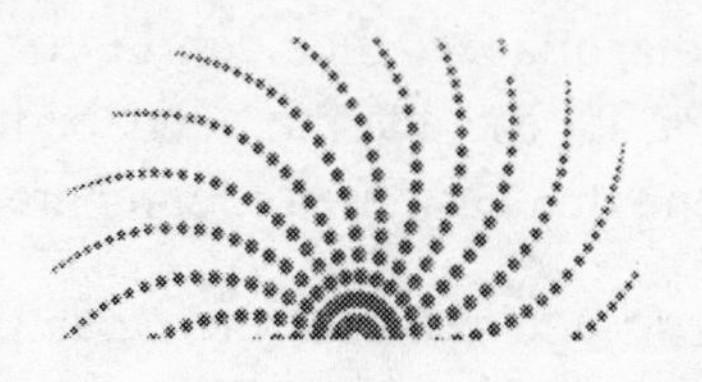

A Negril llega el aroma del café

Negril es un pueblo que sobresale como una cornisa al oeste de Jamaica. Viajábamos por el litoral jamaiquino desde Montego Bay y en la carretera quedaron los villorrios al pie de ensenadas: Hopewell, Sandy Bay y Cascade. Los paisajes son mágicos entre palmeras, acantilados y vegetación. Sus playas y los colores del agua del mar pueden contarse entre los más llamativos del mundo.

A un lado de la vía: playa y cocoteros. En el otro caseríos con una población que crece cada anochecer. Sale el sol y la gente se sienta en los bancos, a la sombra. Hacen lo mismo de todos los días: no esperan nada, ni a nadie. Mitigan su desesperanza conversando. La riqueza de los recursos naturales de Jamaica no llegan hasta sus bolsillos.

Las regalías de la industria de la bauxita y la alúmina, y la exportación de azúcar y el ron, se han quedado históricamente en pocas manos.

—Muchos turistas pasan por aquí —me dice un hombre recostado en una esquina del frente de su casa. Cinco hijos y su mujer, le acompañan. Es medio día y no hay movimiento en la cocina.

—Tengo 27 años —dice. Los turistas gastan en los hoteles. Ellos son australianos, españoles y americanos. Para nosotros no hay empleo —aseguró.

Thomas es semianalfabeto, solo cursó tres años de primaria.

—No pude estudiar más —dice con la voz apagada y los ojos perdidos en la lejanía. La escuela me quedaba muy lejos y no pude seguir. La vecina tiene una casa mejor, con paredes y techo de teja.

—La construyeron con remesas enviadas por el esposo desde Nueva York —me cuenta. Hace seis meses que no le giran dinero. Le dijo que se quedó sin trabajo. Jamaica recibió 1790 millones de dólares el año 2010, en remesas del exterior.

Una patrulla de policía busca en el vecindario de Thomas a los miembros de una pandilla de delincuentes. Desde que estallaron los incidentes por la captura y extradición a Estados Unidos de Christopher "Dudus" Coke, hay tensión en varios pueblos de la isla. Dudus Coke, está acusado de ser el jefe de la banda criminal "Shower Posse" con base en la comunidad de Tivoli Gardens, el distrito más violento de Jamaica. Esa es una organización dedicada al narcotráfico y contrabando de armas. Son autores de cientos de asesinatos desde los ochenta hasta el presente.

Los enfrentamientos con la policía fueron solo un primer capítulo de un conflicto con ramificaciones en Suramérica, Estados Unidos y Europa. Los negocios ilegales de Dudus Coke producen millones de dólares. Nadie está dispuesto a permitir que otros se apoderen de las rutas, los clientes y el dinero. "Dejen a Dudus en paz" se lee en un graffiti en la pared. Hay más: "El está cerca de Dios".

En la noche se cuentan historias y ven televisión. Thomas sigue en la acera de su casa sin poder ofrecerle nada a su familia. Las horas se les pasan viendo pasar autos con turistas que persiguen la puesta del sol. En la mañanita, antes de que se levantaran los turistas, nos fuimos a una terraza junto a la playa y le pedí café a la señora de la cocina.

—Aquí está su café —dijo el camarero— y puso un tazón en la mesa. Dio gusto sentir la sensación del aroma a buen café. El mar estaba ahí a los pies y el rumor de las olas golpeaba los oídos. Unos caminantes trasnochados iban de largo jugando con la arena de la playa y el agua que los mojaba. Pedí otro café y comenté de la exquisita infusión que estaba disfrutando.

—No sé que piensas tú —manifesté a Maripaz—, pero este es uno de los momentos más placenteros de la existencia.

—Estoy de acuerdo contigo —opina ella.

—A uno cuando nace —dije— Dios le da una mochila para que la llene de experiencias. Unos la dejan a medio llenar y otros vivimos llenándola a diario. Con los viajes, con las vivencias, con buenos momentos o saboreando un plato de comida.

—Otros ni la usan —puntualiza— Maripaz.

Disfrutar de una taza de café que se le sienta el aroma, que sepa a café, es algo que he hecho aquí en Jamaica.

—100 % Blue mountain coffee —expresó orgulloso, Kevin Broderick, chef de Rock House Hotel, donde disfrutamos de una agradable estadía y hermosa vista del mar.

Las montañas azules están localizadas en el noreste de la isla. Cerca de Ochoríos, uno de los epicentros del turismo de Jamaica. No hay mejor lugar para fotografiar la caída del sol que Rick´s café. La tarde que estuve allí con Matthew Marzouca, el gerente del hotel Rock House, el reggae corrió por cuenta de una banda liderada por una mujer. Derrochan ritmo y energía.

Amarran las cabelleras con una pañoleta amarillo y verde. Los empleados del bar hacen sonar las canciones de Bob Marley. Esa es la chispa que anima a todos. Mencionar a Bob Marley es una forma de exaltarle la identidad a un nativo. Es el gran icono nacional y el gurú del reggae.

A la mañana siguiente desayunamos "ackee" a base de pescado con la flor de Jamaica, muy similar a los huevos revueltos. Este es el plato nacional de Ghana, en África. Paseamos por las "Seven miles" de playas blancas. Al final la villa de Kubaya. Jamaiquinos caminando solos, con largas trenzas y el cabello ensortijado. Mascullaban música de un repertorio disparatado.

—Aquí todos los nativos se creen la reencarnación de Bob Marley —le comenté a Maripaz— al momento de abordar el avión de regreso a Miami.

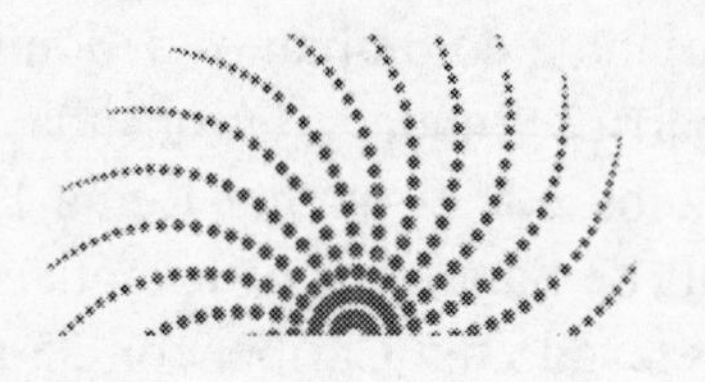

Keshi Yená en Curazao

Agenda tentadora en Curazao: caminar por el malecón de los cafés de Willemstad, la capital. Ir al mercado a comer pescado, darle un vistazo a la casa donde vivió Simón Bolívar y verificar en el museo Kura Kulanda, el comercio de esclavos que se realizó allí en los siglos XVII, XVIII y XIX.

Lo que coronó esta escapada fue ir por una carretera bordeada de cactus y vegetación y descubrir a 45 minutos de la capital, un pueblo rústico llamado Westpunt, al final de la isla. Allí la hermosura del océano, la belleza de la naturaleza, los colores del mar, la brisa fresca, el clima seco y la armonía sin par hacen que uno se desconecte inmediatamente del mundanal ruido.

"Hablo la lengua de Surinam y el papiamento que hablamos todos", me dijo mientras conducía su camioneta, Charla Nievald, la curazoleña de la oficina de turismo que nos llevó a un grupo de periodistas hasta Westpunt.

"Holandés, ingles, y español lo aprendemos en la escuela", agregó. Días antes la mesera y la señora de la cocina del restaurante del hotel Renaissance, el chofer del bus, la empleada del almacén de perfumes y otras personas de la calle con quienes conversé, respondieron que hablaban esos cuatro idiomas. Algunos como Charla también pueden expresarse en alemán y portugués.

Willemstad es centro de gobierno, comercial y donde vive la mayor parte de los 150.000 habitantes de la isla. Quince consulados están acreditados ante el gobierno y se destaca la presencia de holandeses, venezolanos, colombianos y dominicanos en el sector laboral. Los dos barrios Punda y Otrobanda, están separados por un canal y conectados por el puente Reina Emma, construido en 1888. Sobre la bahía de Santa Ana se levanta en arco el puente Reina Juliana, el más elevado del Caribe, con 55 metros de altura. Las fachadas de las casas son de estilo caribeño holandés con colores vivos: amarillo, verde, azul y techos color naranja. Allí cerca está el mercado donde la gente acude a comer arroz con frijoles, pollo, chivo y pescado.

"Nací en Curazao y no me quiero ir para ninguna parte", expresó, por su parte Chandal Elionora, el chofer de 45 años, que nos llevó de Westpunt al aeropuerto. "Soy de San Miguel, un barrio de pescadores que tiene fuerte, playa, escuela, bar y un restaurante donde venden cabrito", dijo.

"Este es un lugar paradisíaco, siempre venimos a disfrutar de su clima" comentó Nelson Ramiz, propietario de la aerolínea DAE.

Muchos comercios de la isla están en manos de judíos sefarditas descendientes de inmigrantes que salieron de los Países Bajos y Brasil en el siglo XVII. En Willemstad se conserva la sinagoga Mikve Israel-Emanuel, la más antigua de América y Pehna, un almacén de perfumes de 1702.

Por estar fuera de la ruta de los huracanes, Curazao se ha convertido en una gran receptora del turismo en el Caribe. El Keshi Yená, a base de queso relleno con carne o pollo y gratinado, es uno de los exquisitos platos de la gastronomía local. Cada vez hay más europeos, latinos y norteamericanos gozando de sus 35 playas, su música, casinos, maravillosos hoteles, restaurantes, discotecas y sitios de atracción turística.

Jacob Gelt Dekker, es un empresario holandés que abrió en Willemstad el museo de la esclavitud. Allí exhibe réplicas oxidadas de galeras, grilletes y cadenas de hierro que usaron los traficantes de africanos. Gelt pretende hacer un llamado de conciencia respecto a las violaciones de los Derechos Humanos patrocinadas por los holandeses y otros europeos en siglos recientes. Hay grabados de la época colonial donde se ven torturados hombres, mujeres y niños de África. Janchi es un pequeño puesto de comida famoso por su sopa de pescado o yuana, iguana estofada, servida con sopa.

El Octagón recuerda el paso del Libertador Simón Bolívar por esta isla en 1812. El comerciante judío Mordechai Ricardo le dio albergue y le prestó ayuda incondicional. Las dos hermanas de Bolívar también recibieron apoyo en este lugar. De aquí salió el Libertador con destino a Cartagena.

Saint Maarten, la isla compartida

Llegar a San Maarten es descubrir una isla preciosa y extraña del Caribe. En 88 kilómetros cuadrados de superficie y 74000 habitantes el viajero se encuentra con dos países, uno holandés Sint Maarten con capital Philipsburg y otro francés Saint Martin, capital Marigot. Dos idiomas, francés y holandés. Dos monedas, euro y dólar. Dos gobiernos, dos economías, dos banderas, dos himnos, dos voltajes de la energía eléctrica —110 y 220— y dos formas de vivir la vida. Lo único que tienen en común es el pollo en BBQ, en el menú, una playa nudista y la fiesta del aniversario del 11 de noviembre de 1648, día en que se dividió la isla. Se ingresa por el aeropuerto internacional "Princesa Juliana" o el embarcadero de cruceros Dr. A.C. Wathey, ambos en la zona holandesa.

Llegamos en el "Allure of the Seas", el barco más grande del mundo de la Royal Caribbean. Bajamos a tierra en un día de fiesta. El pueblo estaba adornado con flores, globos y banderas de color naranja. La gente y el tránsito vehicular lucían alterados. Estaban de visita la reina Beatriz y los principes Guillermo y Máxima de Holanda, y fueron recibidos por la primera ministra Sarah Wescot-Williams. Ramón Quevedo, un simpático dominicano fue el guía. La isla tiene la forma de un zapato-tacón de mujer. La línea fronteriza se extiende horizontalmente y deja en la base el territorio holandés y en el norte la parte francesa.

"Llegué hace 25 años como técnico de las maquinitas del casino Atlantis", dijo. "Me gustó la isla y me quedé". La parada inicial fue en Divi Titlle Bay, a la orilla de la carretera. Ofreció una panorámica de costas y hoteles con hermosas playas. Lo primero que llama la atención es el verde de las montañas, las casas y las mansiones dispersas en diferentes alturas de las sierras. Bahías, ensenadas, playas y aguas color turquesa rodean su geografía.

Simpson Bay, es centro de la navegación y base de yates de celebridades de hasta 250 pies.

—Los dueños pasean y salen a St. Barths y otras islas glamorosas del Caribe —, sostiene el guía.

Otro atractivo es el paseo a Oyster Pond, frontera franco-holandesa. La vista comprende una laguna llena de botes, montañas y casas francesas. De las 37 playas, la mejor está en Philipsburg. Los turistas se acomodan en sillas reclinables en la playa. Gozan de sol, restaurantes, bares y paisaje. Al frente el puerto con capacidad de recibir seis barcos de cruceros.

En Marigot reside la mayoría de la población francesa. Es un poblado de tiendas, almacenes y negocios donde circula el euro. Fort Louis es el monumento histórico y militar más importante de la isla. Construido en 1767 con planos enviados desde Versalles.

En la isla no se ven cocoteros, ganados, ni cultivos.

—No produce nada, todo es importado—, comenta Quevedo. La gente vive del gobierno y del turismo. Salta a la vista que la parte holandesa está mejor cuidada y es la más limpia.

—Todo lo que sea casino, juegos de azar y lotería está permitido en la zona holandesa—, expresa el guía. Pero los franceses vienen a jugar acá y hay 14 casinos.

Ir a la cabecera de la pista y ver llegar los aviones en el bar o la playa es uno de los entretenimientos de los isleños y visitantes.

—Hay una historia —asegura Quevedo— que para repartirse la isla un holandés con una cerveza y un francés con vino, hicieron un acuerdo. Pactaron que cada uno se quedaría con las tierras que lograra recorrer. Por lo visto, si observamos el mapa de la isla, el holandés se emborrachó y el francés acumuló más tierras.

Se lo escuché a alguien, “La tarea es vivir”. “Uno es de donde es y no de donde llega”.

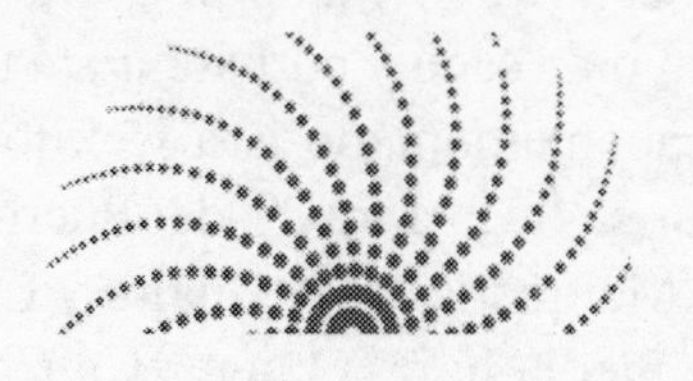

Caracas, fusión de razas

Comer pasteles de ricota y espinaca, pasteles de pollo, o pasteles de queso y jamón en "La Alicantina", en la avenida principal de "Las Mercedes", fue uno de mis mayores placeres durante mi última visita a Caracas. El tráfico es una locura pero como buen latinoamericano me las arreglé para "torear" en las vías y sacarle provecho a mi viaje. Aparte del asunto político y la inseguridad, con un poco de buena suerte y sentido de conservación, Caracas tiene cosas interesantes para un curioso viajero.

Me encantó pasear por Las Mercedes y Sabana Grande y probar el pabellón criollo, la cachapa con queso guayanés, la arepa de maíz, el cachito de jamón, la hallaca, la empanada rellena, el asado negro criollo o la ensalada de gallina. Una que otra vez he demorado en decidirme por el majarete hecho a base de coco, el dulce de guayaba, la jalea de mango, el dulce de papaya, el bien me sabe y los churros de media noche. A la hora de las bebidas he tomado la chicha de arroz, guarapo de papelón con limón y la tizana.

En Caracas existe una gran variedad de restaurantes franceses, italianos, hindúes, chinos, japoneses, tailandeses, mexicanos y otros.

La vida de los venezolanos está marcada por la influencia migratoria. La fusión de los españoles, portugueses, italianos, alemanes y árabes con lo criollo, dio un país que se debate en medio del despilfarro de su riqueza, las bellezas naturales y las contradicciones de su desencuentro político.

Caracas es una ciudad de clima primaveral todo el año donde se puede vestir tropical o de saco y corbata. Está ubicada a 800 metros en el valle de una cadena montañosa, a 15 kilómetros del mar Caribe. Desde el exterior se llega a través del Puerto "La Guaira" donde está el aeropuerto "Maiquetía". La Guaira y Caracas se comunican por un viaducto de media hora. Quien va a Caracas sube al Ávila; una de las mejores atracciones turísticas. El Ávila es un cerro en una montaña de 2600 metros donde hay un parque, una pista de patinaje y un hotel. Se llega por un teleférico, que ofrece una panorámica de la ciudad y el mar en el horizonte.

Caracas tiene una topografía quebrada y por lo tanto sus seis millones de habitantes están distribuidos en barrios fundados en laderas, valles y cimas de colinas, con vistas maravillosas.

Cuenta con zonas de ambiente refinado en El Rosal, Las Mercedes, La Floresta, La Castellana, Colinas de Bello Monte, La Alameda, Prados del Este y La Lagunita. Petare es un cáncer social de extrema pobreza que no han resuelto los gobiernos en medio siglo. Es un enorme poblado instalado en los cerros del este de la capital, alcanza un millón y medio de habitantes y más de dos mil barriadas. Allí los habitantes marginales han construido un impresionante laberinto de callecitas y torres de ranchos de ladrillo y techos de zinc. De cada casucha sobresale una antena de televisión y un enjambre de cables que se conectan en los postes de la energía eléctrica. El Hatillo es un poblado de estilo colonial con buenos restaurantes, heladerías, galerías, almacenes y ambiente bohemio.

A manera de colofón a su crisis actual, parece una broma afirmar: los venezolanos eran felices y no lo sabían.

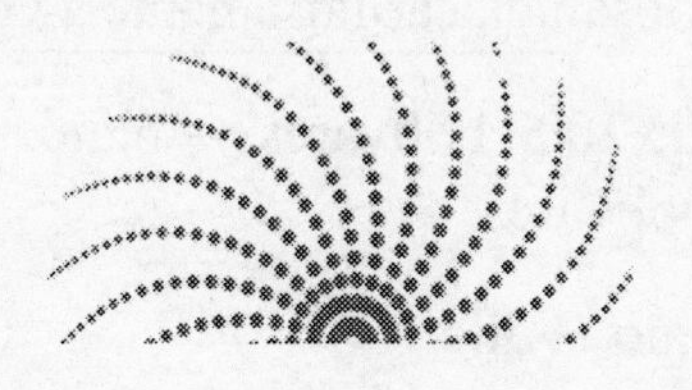

Margarita, la isla que encanta

A la altura de Salamanca, en isla Margarita, Venezuela, nos causó admiración el desparpajo de ver un hombre recostado en un chinchorro entre dos palmeras, a orilla de la carretera, en pleno medio día, leyendo un periódico junto a un letrero que decía: "Se vende agua de coco y cocadas". Fue en la Asunción, sobre la Avenida 31 de julio, en la ruta Porlamar y Playa.

—Cómo se llama —amigo.

—Giacomo —respondió. Se puso de pie para servirme una cocada fría y nos pusimos a charlar.

—Nací en Picherno, sur de Italia, cerca de Nápoles —dijo.

—Cómo llego un italiano como usted por aquí —pregunté.

—Salí en 1947 rumbo a Venezuela —respondió. Tengo recuerdos tristes, por la destrucción y el hambre que dejó la guerra. Yo tenía 16 años cuando abordé el barco que hizo escala en Madeira y llegamos en 14 días a La Guaira. Giacomo es de baja estatura, tiene barba larga, viste pantalón corto y parece un eremita.

—Trabajé en un cine reparando máquinas de oficina. Viajé por la Panamericana en una moto BMW entre 1978 y 1980. Estuve en Colombia y Panamá. Seguí por los países de Centro América, México Estados Unidos y la frontera con Canadá. Regresé hasta Panamá y desde Colombia continué de gira hacia Argentina, Brasil, Uruguay y Paraguay.

Llega una señora saluda cariñosamente a Giacomo.

—Una cocada de 2000 bolívares —pidió. Y agua de coco embotellada de 6000 bolívares.

—Vivo en Macuto —dijo.

Nos despedimos de Giacomo y continuamos dando vueltas por Margarita. Una isla venezolana de excelentes playas, ideal para compras, casinos y auténticas empanadas de cazón.

Existe un accidente orográfico en la franja de tierra que une a las dos penínsulas de Margarita. Se trata de dos colinas gemelas que se levantan a 103 metros de altura, cuya sugestiva apariencia de senos de mujer se ha ganado el nombre de "Las Tetas de María Guevara".

—¿Y quien es María Guevara? —pregunté.

—María Guevara fue una mestiza cuya fama se popularizó entre los pescadores, que comparaban sus senos con los dos picos montañosos que se divisan desde toda la geografía de la isla. —precisó Paulino Soria, residente en Pampatar.

Partiendo de las salinas de Pampatar en dirección contraria al movimiento de las manecillas del reloj se puede hacer una correría y encontrar una variedad de maravillosas playas. Están las de Guacuco, El Tirano, Parguito, El Agua, El humo, Portofino, Manzanillo, Constanza, Zaragoza, Caribe, Puerto Viejo, Pedro González, La Galera, Juan Griego, María Libre, Pocú, La Restinga, El Maguey, El Saco, El Tunal, La Mula, Los Loros, Robredal, Boca de Pozo,

Punta Arenas, Manglillo, El Horcón, Guayacancito y Boca de Río. Sus aguas son de tonos azules y verdes.

—La cocina criolla tiene un toque caribeño, con mucho sabor —dice Marcelo Rimmaudo, quien nació en Argentina y se enamoró de la isla donde reside desde hace veinte años, como empresario turístico.

Debido a que existen múltiples paisajes, desde la parte árida hasta la boscosa, es posible vivir en la montaña, a orilla de playa o en la ciudad.

—Esta posibilidad no te la dan muchas islas en el mundo y es una de las grandes virtudes de esta —opina Óscar Álvarez, Gerente General del Hotel Portofino y director de la Cámara Hotelera de Margarita, oriundo de Chile, quien se mudó de Miami a Venezuela.

Es un decir que quien no visita la Basílica de Nuestra Señora de El Valle es como si no hubiese estado en isla Margarita. Y lo cierto es que en el lugar se respira paz y espiritualidad. Cuentan sus seguidores que a raíz de la vaguada tropical del 25 de diciembre de 1541, la imagen de la Virgen fue trasladada a Margarita desde la isla de Cubagua, a la primera iglesia construida en la isla entre 1510 y 1518. En principio fue una pequeña iglesia modificada varias veces, una de ellas, coordinada por el Padre Felipe Martínez, en 1733. Fue declarada Basílica Menor por el Papa Juan Pablo II, en 1995.

Otra iglesia para visitar es la de Santa Ana del Norte, por guardar un recuerdo histórico. En su interior un grupo de notables reconoció la autoridad del Libertador Simón Bolivar como Jefe Supremo de Venezuela. Allí el Libertador nombró al general margariteño Santiago Mariño como segundo al mando y ascendió a General en Jefe a Juan Bautista Arismendi. En una esquina de la plaza del valle del Espíritu Santo está la casa natal del General Santiago Mariño, uno de los héroes de la Independencia de Venezuela. Es una hermosa edificación restaurada en 1985. Guarda muebles, pinturas, óleos y objetos de la época.

Isla Margarita es un paraíso, para quien gusta del mar, las lanchas, el pescado y la vida elemental. En el Sambíl, un gigantesco centro comercial se encuentra de todo. En una semana de ensueño la recorrimos por todos sus rincones y hablamos con gente de Santa Ana, en la colina y pescadores de vida auténtica en Puerto Viejo. A las cinco de la tarde ver la caída del sol en la terraza del Café Guayoyo, en Pampatar, es un poema en el que habla la naturaleza con pinceladas de colores. .

Los Roques, *embrujo antes de morir*

El archipiélago de Los Roques es otra joya de ensueño que la naturaleza regaló a Venezuela.

Es un destino ideal para el buceo, el windsurf, snorkeling y la pesca a cuarenta minutos de vuelo desde La Guaira. Son cincuenta islas, cayos y 300 arrecifes de origen coralino, sobre una gran superficie de 225.153 hectáreas de mar apacible. Las islas mayores son: El Gran Roque, Francisquí, Nordisquí, Madriskí y Craskí. Las playas son preciosas, con arenas blancas y aguas cristalinas que cambian de tonalidad.

El Gran Roque, donde está el aeropuerto, es la única isla poblada. Sus dos mil habitantes viven en absoluta paz, con un clima maravilloso todo el año. En el fondeadero hay botes a toda hora, y una intensa presencia de pelícanos, alcatraces y guanaguanares.

En la isla no hay vehículos automotores, ni cobradores, ni vendedores de lotería gritando, ni banqueros, ni nada que produzca estrés. El único contacto con las autoridades se tiene a la hora de llegar y en el momento de embarcar para abandonar el archipiélago. No hay hoteles de lujo ni cosas artificiales, sino una gran variedad de posadas cómodas de 5 y 6 habitaciones, atendidas por sus propietarios. La isla se camina en unos minutos por un laberinto de calles arenosas, almendros y cocos, donde se conversa con gente cordial y sencilla. Guardo la experiencia de una noche de desvelo por unos parlantes a todo volumen de un baile de caseta que se terminó a las cinco de la mañana.

El Gran Roque está unido a la leyenda de Simón Bolívar—, nos explica un guía. Aquí encalló y casi naufraga la goleta Constitución con los restos del Libertador que habían salido de Santa Marta, Colombia, el 22 de noviembre de 1842 con destino a La Guaira.

En su pormenorizado diario de viaje de 1842, Carmelo Fernández, militar del grupo de venezolanos que fueron a Santa Marta, Colombia, con la misión de trasladar los restos de Bolívar a Caracas comenta: "Es un hecho curioso que llama a la reflexión, ya que lo mismo le sucederá a la estatua ecuestre del Libertador ordenada por Guzmán Blanco para su colocación en la Plaza Bolívar de Caracas en 1874, como la primera en su tipo que se erigiría en Venezuela... Inexplicablemente... también la embarcación encalla en la misma isla de Los Roques y la estatua se hunde en las profundidades... como también se había hundido siete años antes, el 25 de septiembre de 1867, el barco que llevaba hacia Bogotá el monumento de mármol realizado por el artista italiano Pietro Tenerani, para contener el "corazón" de Bolívar dejado en Colombia".

Los Roques son un paraje para quien desea aislarse del mundo y vivir unos días embrujado por la brisa, sol, cocina de mar y bellezas naturales.

Maracaibo, calor de calidad

Maracaibo es cuna de la gaita y "la ciudad con el calor de más alta calidad del mundo". Así la bautizó Marcos Vinicio Ramírez, precursor de la radiodifusión venezolana.

Como en el resto de Venezuela, los maracuchos dan preferencia al whisky "Buchana´s" 18 años. Gozan del vallenato y viven orgullosos de dos maravinos: Luis Aparicio, único venezolano en llegar al Hall de la Fama del Béisbol de Grandes Ligas de Estados Unidos, y Felipe Pirela, "El bolerista de América".

El relámpago del Catatumbo es un fenómeno natural que en las noches deja ver los destellos de luz, pero no producen sonidos—, explica Oswaldo Muñoz, decano de los periodistas de Maracaibo en Miami.

—Al relámpago lo han declarado Patrimonio de la Humanidad —agrega.

—En el Zulia tenemos sol los 365 días del año y temperatura promedio de cien grados Fahrenheit —dice. A pesar del clima tan ardiente, el humor de Fernando Álvarez Paz le lleva a decir:

—Maracaibo es la ciudad más fría de Venezuela, porque hay aire acondicionado en todas partes.

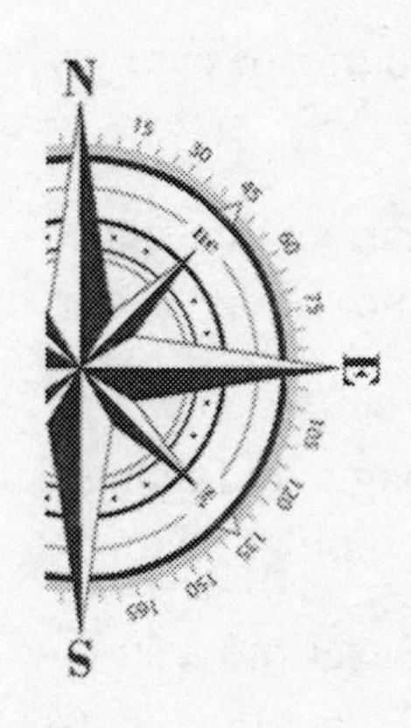

VIII. ESTA ES COLOMBIA

Taganga, un rincón para enamorados

Soy de los que llegan a Taganga, a soñar. Es un pueblito colombiano de pescadores en el circuito geográfico de la Sierra Nevada. Está a solo veinte minutos del centro de Santa Marta, la ciudad donde suspiró por última vez el Libertador Simón Bolívar el 17 de diciembre de 1830.

Tiene un paisaje de mar, playas y montañas. Área desértica, fauna marina, buena pesca y aguas profundas y tranquilas.

Sus cinco mil habitantes le enseñan a los visitantes lo que decía mi madre: en la vida solo necesitas alejar la envidia y tener unos zapatos cómodos para pasarla bien y ser feliz.

Los días en Taganga transcurren apaciblemente y sin mayores sorpresas. Los tagangueros salen a trabajar en sus cayucos a las 4:30 de la mañana y regresan en la tarde trayendo la pesca de la jornada.

A esa hora se arremolinan los pobladores y turistas curiosos para ver y comprar mariscos y pescados.

—En nuestra cocina siempre hay un pargo, mojarra o una sierra, acompañada de arroz con coco y tajadas de plátano verde, —dijo Micaela López, la mujer de un pescador.

Blandine Kaltenbach quedó embrujada por la magia de Taganga. Llegó de turismo y quedó presa en los brazos de un colombiano.

—Este lugar es lo mas bello que he visto, —le escribió a su familia en París. Fundaron el hotel "La Ballena Azul", y es uno de los mejores lugares para alojarse y ver la caída del sol.

—Jehimi Rodríguez Quiroga dejó Bogotá y aceptó la gerencia del hotel.

—Es una oportunidad de vincularme a un polo de desarrollo turístico —dijo. Los pasajeros buscan este lugar para descansar y ver los atardeceres con una copa de vino, escuchando el arrullo del mar.

La hija de Charles Chaplin, Geraldine Chaplin, fue otra viajera que se enamoró del lugar.

—Dijo que se iba por asuntos de negocios pero que volvería —aseguró un pescador.

—Así son todos los que llegan a Taganga —aseguró Zacarío Osorio, el piloto de un mini cooper y trompetista de una banda de músicos de Brickell. El grupo toca cinco porros y dos vallenatos por un dólar, mientras el turista que los contrata se toma unas cervezas sentado junto a la playa.

Taganga significa "un rincón del mar en la montaña" y es un lugar que sigue de moda. Buena parte de los visitantes son caminantes bien informados. Australianos, suecos, israelíes, franceses, alemanes y suramericanos en general. El secreto de la magia de Taganga continúa de boca en boca.

— Taganga es un sueño, porque la gente quiere disfrutar de escenarios donde esté segura y pueda contemplar el universo,—sostiene Maripaz. Taganga es el destino que muchos han soñado. Los días en Taganga pasan suavemente. Disfruto la llegada de los pescadores y las historias que me comparten sus mujeres. Mujeres que viven humildemente, y a pesar de no tener nada, nos dan lecciones de fe y alegría para vivir. Este es un paraíso por el mar, la música y la gente.

Aquí nació García Márquez

Llegamos a Aracataca un medio día de abril procedentes de Valledupar, donde se realizaba el Festival vallenato. En la tienda de la última esquina antes de entrar al pueblo, tomamos una cerveza para calmar la sed. En estas tierras de Gabolandia el sol sale para todos.

Pasamos la carrilera del tren y Maripaz exclamó:

—¡Mira las mariposas amarillas! —.

Era el monumento de tres metros construido en concreto en una calle, a las mariposas amarillas de Mauricio Babilonia, inmortalizadas por García Márquez en su obra literaria. A pocas cuadras encontramos la casa del Nóbel.

—A Gabo le han recomendado que no vuelva a la casa, porque dicen que si regresa a su tierra natal viene a recoger sus pasos y se muere —dice Rubiela Yánez, guía de la casa natal de Gabriel García Márquez.

—Son creencias guajiras —agrega— ya que él es de familia guajira wayúu. Sus abuelos maternos son indios guajiros, los paternos son de Sucre. Su mamá se vino de Riohacha. La mandó a buscar el abuelo y ya venía en estado de embarazo. Aquí nació el niño —expresó.

La casa donde nació el escritor, está pintada de blanco y rojo tiene dos gigantescas mariposas amarillas en la puerta principal. Se encuentra en Aracataca, un municipio de 50000 habitantes. Está a ochenta kilómetros de la ciudad de Santa Marta, a ciento cincuenta de Barranquilla y a ciento ochenta de la frontera con Venezuela. "Aracataca, tierra del Nobel", dice la valla que atraviesa la carretera, con la fotografía del escritor laureado en Estocolmo el 24 de octubre de 1982.

Al medio día del sábado entré para visitar uno de los lugares más referenciados de Colombia. Confirmé lo que escribió Gabo —como le dicen sus amigos —en La Hojarasca: "Se oye el zumbido del sol por las calles, pero nada más. El aire es estancado, concreto; se tiene la impresión de que podría torcérsele como una lámina de acero". Es un pueblo cruzado por un riachuelo y ubicado en el corazón de la zona bananera, de cuyo esplendor quedan las historias y una estación de tren abandonada. Frente a la cual se levanta el monumento a Remedios La Bella, la mujer de Cien Años de Soledad, cuya belleza encendía el deseo de los hombres. Aquellos que intentaban consumarlo, morían en el intento.

"En este lugar, donde quedaba el dormitorio de los esposos García Márquez, siendo las 8 y 30 de la mañana del 6 de marzo de 1927, nació un niño bautizado con el nombre de Gabriel José, hijo legítimo de Gabriel Eligio García Martínez y Luisa Santiaga Márquez Iguarán ", reza la placa frente a una fotografía del escritor. De la casa de ocho cuartos que adquirió el coronel Nicolás Márquez Mejía, abuelo de García Márquez, cuando llegó como recaudador de impuestos en 1910, están en pie la sala, el comedor y la cocina. En el interior está intacto el corredor de las begonias donde solía sentarse todas las tardes la abuela Tranquilina Iguarán con las dos tías solteronas. Allí tomaban té, tejían, cosían, zurcían y hablaban ante la mirada curiosa del pequeño Gabriel José, de la guerra del abuelo Nicolás, ya que él perteneció a las tropas liberales en la Guerra de los Mil Días que libró Colombia de 1899 a 1902.

Rubiela Reyes Yánez, hija de un exiliado español y cataquera como el autor es la guía de los visitantes de la casa museo. Rubiela recita de memoria fragmentos de la obra del Nobel colombiano.

Pasa de una sala a otra para admirar la casa, que "se ha mantenido tal y como perteneció a la familia". En el patio hay un árbol de Pivijai, matas de crotos verdes y palmeras. Un aviso clavado en un palo de coco indica "Cuarto de los baúles". Es el de San Alejo, o de los chécheres, en el que Gabo descubrió la afición por la lectura con retazos de "Las mil y una noches".

En otra esquina está el cuarto donde vivían los tres indígenas wayúu que el coronel compró por trescientos pesos.

En la casa de García Márquez abundan los objetos de comienzos del siglo XX, como el telégrafo del padre de Gabo y dos proyectores del "Cine Olimpia" importados por Don Antonio Daconte.

En una mesa las primeras ediciones de "Cien Años de Soledad" en español y una buena cantidad de las noventa y ocho traducciones a otras lenguas. Pude ver las fotografías con la familia, amigos y frente al Rey de Suecia Carlos Gustavo XVI, recibiendo el galardón y un cheque por 150.000 dólares del premio Nobel.

Era temporada de mangos, asi que comimos unos cuantos a orilla de la carretera.

Safari en la Sierra de "La Macarena"

La carretera Bogotá a Villavicencio tiene 110 Km. El paisaje es de montaña con curvas por una carretera de vista admirable y túneles para acortar el trayecto.

Villavicencio, capital del departamento del Meta, es una ciudad hecha con inmigrantes llegados de toda Colombia. Es la cabecera de una extensión del tamaño de España. Fincas ganaderas, cultivos y explotaciones petroleras. Se le considera la mayor despensa agrícola y ganadera de Bogotá.

Es también fuente musical donde se escuchan conjuntos llaneros que interpretan joropos y pasajes con arpa, cuatro y maracas. Por la vía a Puerto López se llega a Venezuela en tres días de carretera atravesando hatos y morichales.

En esta ocasión viajamos por la ruta que conduce a Acacías, Granada y Vista Hermosa. Antes de La Cuncia nos detuvimos en un puesto de frutales a orilla de carretera y compramos piña y langostinos. Seguimos paseando y viendo fincas, montañas y ríos.

—Paremos aquí para comer carne a la llanera —dijo la dueña de la finca "El Turpial", Margarita Velilla Saleebe al llegar a Acacías. Maripaz estuvo de acuerdo que entráramos a un restaurante o piqueteadero, como también le llaman. Unos hombres jugaban en una cancha de tejo, pero la mayoría de la gente comía y se entretenía viendo a una pareja de bailadores de joropo. Habíamos desayunado temprano así que ya pasado el medio día, había regresado el hambre.

—Ya estamos cerca de la Serranía de la Macarena —anunció Nadim Saleebe —.

Entre carnes asadas a la brasa y refajo, una mezcla de cerveza y cola Postobón, compartí a Maripaz y a los amigos el siguiente episodio:

—¿Usted quiere saber por qué soy guerrillero de las FARC? —me preguntó desafiante el hombre. Mascaba el tabaco, a la sombra de un rancho de paja. Su nombre era Marcial Hurtado y tenía la piel negra como esa noche oscura que hacía resaltar el marfil de unos dientes blancos. Detrás del sombrero y su cuerpo macizo se perdía el contraluz del mediodía en los matorrales de la serranía de "La Macarena", departamento del Meta. Esta era mi primera excursión a uno de los refugios de biodiversidad más fascinantes del país. Yo formaba parte de una misión del gobierno para atender un problema de tierras con campesinos que no podían recibir créditos agropecuarios por carecer de títulos de propiedad.

Según el INDERENA, estaban ocupando indebidamente áreas pertenecientes al Parque Nacional de "La Macarena".

—Vamos a resolver ese asunto —dispuso el Director del Proyecto Meta No. 1 del INCORA, abogado Didier Martínez Molina. Partimos del municipio de San Martín, sede de trabajo, un grupo de veinte y de varias disciplinas: antropólogo, agrónomo, economista, trabajadora social, abogado, supervisor de crédito, topógrafo y cadeneros, veterinario, promotor de desarrollo social, sociólogo y un baquiano, entre otros.

Me sentía en otro mundo, extasiado no sólo por lo exótico de la fauna y las inmensas sabanas que jamás había visto en mi Caribe natal, sino que me creía privilegiado por estar en un sitio de poco acceso para la mayoría de los colombianos y por tener frente a frente a un protagonista, y a su vez víctima, de la violencia sobre la que tenía referencia únicamente por la lectura en los periódicos.

Se había planteado un conflicto entre propietarios ricos y campesinos que habían emigrado de "zonas rojas" de otros departamentos y se habían establecido en la margen derecha del río Güejar. El hombre agarró el tabaco con dos dedos, le tumbó la ceniza golpeándolo con el anular, y me relató esta historia: "Yo no olvido la arremetida del gobierno con 16.000 soldados el 18 de mayo de 1964. Vivíamos en el oriente del Huila. Yo nací en el Cauca, pero llegué de muchacho a El Hobo, donde trabajé en el campo con mi papá. El ataque del ejército nos obligó a crear las autodefensas campesinas con más compañeros liberales del Tolima y el apoyo de guerrillas comunistas del Tequendama y Sumapaz.

Nos bautizaron como la República de Marquetalia. Ahí arreciaron los bombardeos. Nos echaron armas bacteriológicas. Mis viejos cayeron enfermos de viruela negra, con fiebre. Se les paralizó el cuerpo de los ojos a los pies.

El 20 de julio de ese mismo año tuvimos una asamblea, y ahí nacieron las FARC como grupo guerrillero".

En la cocina anunciaron que el sancocho hirvió y llamaron a la mesa a un primer grupo. Cuchara en mano vi sentados y descamisados en una banca a Rondón, Gabriel Lozada, Amadeo Cipagauta, Valerio Guzmán, Caro, Nelly y al doctor Martínez, dando cuenta de las presas de gallinas, el plátano y la yuca servidos en hojas de guineo, sobre un mesón largo.

—En el segundo turno vamos nosotros —me dijo Hurtado y movió los hombros. Zonas aledañas al Parque de "La Macarena", en las vertientes de los ríos Duda y Guayabero, fueron clasificadas por el gobierno de Guillermo León Valencia, como las "Repúblicas Independientes" de El Pato y Guayabero.

El sol cae ahora perpendicular sobre nosotros, pero bajo la enramada se puede respirar. El sonido de los pájaros y los colores de la naturaleza conforman una atmósfera de serenidad que nos toca el alma.

Es un silencio que deja pensar en el abandono del Estado.

Marcial Hurtado tiene organizados en su memoria los acontecimientos que apuntan hacia heridas de un pasado funesto que aún sigue vivo: "Vine a La Uribe (sede más tarde del Secretariado de las FARC y base de Manuel Marulanda, alias "Tirofijo") hace años, con el deseo de tener una vida en paz y hacer una economía personal. Con mi mujer y mis hijos hemos tumbado monte y levantado esta casita. Aquí están enterrados mis hijos, por eso de aquí no nos vamos. De aquí tendrán que sacarme muerto".

Hurtado dio por terminado su razonamiento y me invitó a sentarme a almorzar.

Yo tenía veintiún años de edad cuando este hombre me confió su historia un día de 1970. Hoy la reconstruyo tantos años después, con pedazos de mi memoria. Tras miles de compatriotas caídos y una patria empantanada en busca de su destino. Parece mentira que cuarenta y seis millones de colombianos no hayamos podido encontrar un final de paz para esta guerra. Lo único cierto es que en lugar de responder con violencia a la violencia, el conflicto se debió enfrentar con inteligencia y estrategias sociales. Nos hubiésemos economizado décadas de derramamiento de sangre, desastres y caos.

En la catástrofe colombiana no hay ganadores: todos hemos perdido, empezando por Marcial Hurtado, el negro del tabaco en "La Macarena" que quien sabe donde andará.

La ternera a la llanera o becerra asada es un plato tradicional de Villavicencio y los Llanos de Colombia. Se mata una becerra aproximadamente de seis meses, luego las presas de carne se chuzan en estacas de metro y medio o dos metros, se les echa sal y se ponen alrededor de una hoguera a fuego lento.

Paralelamente a la ceremonia del asado de la carne, con trozos de carne de pajarilla, corazón, chunchullo, riñones, hígado y bofe se hace el entreverado. Así se le llama a todo lo anterior envuelto en una tela de la tripa de la res. La ternera a la llanera se suele servir con papa, plátano verde cocinado y yuca. No debe faltar la cerveza o el refajo frío, a base de cerveza y una soda con sabor a cola.

El Henry Miller de Miami

Nació en Bogotá, pero el maestro Zalamea, es el Henry Miller de Miami. Este hombre se levanta a las cuatro de la mañana todos los días y escribe hasta que su mujer lo obliga a pararse para tomar el desayuno.

Luis Zalamea es el decano de los periodistas colombianos en Estados Unidos, de familia santafereña acomodada, es un buen gourmet.

—Yo me vendí por un plato de caviar —dice cuando hablamos de éxitos literarios. Compañero de García Márquez en el periódico "El Espectador" se lamenta de no haber tenido la voluntad de Gabo de ser escritor de tiempo completo.

—Lo que más le admiro a García Márquez fue que lo dejó todo, amigos, invitaciones, y lo que fuera. Se escondió varios años en un cuarto para dedicarse a escribir su novela.

Luis Zalamea, vino a Miami a sus cincuenta años, después de haber trabajado con las Naciones Unidas y de ser el director de la Oficina de Turismo de Colombia. Hermano menor de Eduardo Zalamea, gran intelectual y autor de "El sueño de las escalinatas".

Luis escribe poesía y es autor de varias novelas y otros libros. Ha sido corresponsal de varias publicaciones internacionales. Pero su pasión es escribir, le place conversar y saborear buenos platos. Es autor de un libro que recoge anécdotas del mundo de los alimentos y la cocina. Dice que si no hubiese sido por Beba su mujer, una cubana de Miami, que administró con inteligencia sus recursos, hoy no tuviera cancelada la hipoteca de su casa de los mangos donde reside en la zona de The Roads. A su lado descansa un perro que le acompaña en sus caminatas.

Sus amigos nos reunimos y le hemos celebrado con cariño, con vinos y con paellas los ochenta, los ochenta y cinco años de edad. Después volvimos a reunirnos cuando completó los noventa años de edad. Primero en el patio de su casa y luego en Diego's Andalucía Tapas.

—Cómo se siente a esa edad, maestro? —le pregunté.

—Como de quince— respondió—, pero con algunas pequeñas dificultades. Luis Zalamea es nieto de Don Benito Zalamea un acaudalado hombre de negocios. Dejó una gran fortuna y una ferretería ubicada en el marco de la Plaza de Bolívar en Bogotá.

—Mis tíos se gastaron la fortuna en mujeres y champaña en París— afirma. De la herencia, a mí solo me dejaron unas tijeras con la propaganda: Zalamea Hermanos. Comenta que ya dio instrucciones para que cuando muera sus cenizas sean echadas al patio debajo de los árboles de mango y lo recuerden tomando champaña. "Pero que sea champaña francesa", dice haciéndose acompañar con una carcajada en su cara de niño consentido.

En las paredes de la casa de Luis Zalamea no hay espacio para otra pintura. Su perro hace y deshace en la casa. Una piscina y la sombra de los árboles de mango en el patio invitan al reposo. El maestro Zalamea irradia simpatía y va soltando frases relacionadas con su vida.

—¿Mi plato preferido a los 90 años?: ¡Rigamarole! —respondió. Dijo: —A los 90 años mi plato preferido es uno improvisado por mi mujer Beba. Lo llamo Rigamarole, o sea mezcolanza loca de sabores, texturas y aromas avivados por el duende de cocina anímica que ella lleva oculto: ¿Cuáles son los ingredientes?

Todos han de ser frescos, orgánicos, de temporada: mucho ajo picado, cebolla cabezona, ramilletes de cebollín, perejil y rúgula, aceite virgen de oliva, jerez de cocina, queso añejo parmesano rallado.

—¿El protagonista? —preguntó y contestó:

—Filete de falda, y de socio acompañante, zucchini sudado, el dúo y todo el conjunto apuntalado por cogollos crocantes de lechuga romana.

—En la mesa —agregó— prefiero mezclar en un tazón ensalada, carne y verdura rociar con parmesano y dejar que sus jugos y aliños naturales se combinen solitos en una ambrosía que únicamente nos puede obsequiar la Madre Naturaleza en primavera. El maestro Zalamea falleció a los 91 años, el 24 de febrero del 2013.

En "La Modelo" con Brandon

Bogotá con doce grados centígrados de temperatura. Experiencia de una visita en la cárcel "La Modelo".

—¿Cuántas veces has matado? —le pregunté al recluso de veintinueve años de edad, que tenía frente a mí. Lo observé atravesado de cicatrices en el cuello, y ví que le faltaba media oreja.

Brandon respondió sin inmutarse:

—Cincuenta.

Dos internos pulían sus artesanías. Al lado otros cuarenta reclusos compiten por sobrevivir en esta área hacinada. Es todo un patio que por techo tiene un entramado de varillas y cemento, por donde se filtra la luz del sol. Desde allí un policía vigila a los presos con su fusil terciado al hombro.

Solo un poco de claridad, ni el aire, ni la vida circulan por este espacio. Traspasé las rejas, por unas horas, atizado por la pasión del periodista que se emociona con los atractivos del país, y el mismo que se asombra frente al infierno que no se ve.

—No te preocupes por Colombia —me recomendó un escritor de mi pueblo y amigo de infancia, cuando él me vio alucinar por la Colombia surrealista.

—Disfruta las cosas buenas del país —me aconsejó.

Estoy con 44 reclusos en un patio de La Modelo, una de las cárceles más terribles de Colombia. Está ubicada en un área descampada a pocas cuadras de un populoso barrio de la capital. Se llega con el corazón arrugado y la respiración calma. Es una cárcel bogotana de máxima seguridad.

Cinco mil setecientos hombres y mujeres acusados de terrorismo, robo, homicidio, delincuencia sexual, narcotráfico, fraude bancario, trata de blancas, porte ilegal de armas, vendettas, falsedad ideológica y enriquecimiento ilícito. Es la mañana de un domingo.

Andrea Casiraghi, el nieto del príncipe Rainero de Mónaco, disfruta a sus anchas de Cartagena invitado por Tatiana Santo Domingo —dice la comentarista por el televisor de la cárcel. Un grupo de internos —así le llaman a los reclusos— mira de pie y otros sentados en el suelo. Cuatro juegan parqués —un juego colombiano derivado del parchis de India— en una banca. En la mitad del patio otros fuman. Más allá otros matan el tiempo en una mesa mirándose las caras largas o hacen fila para entrar a la cabina telefónica.

Los internos entran y salen de sus literas de concreto. Luchan en silencio contra la pasividad del reloj que marcha sin prisa. Casi todos aseguran que son inocentes y que están a punto de salir.

"Todos te van a decir que no son culpables", comenta el instructor que ingresó conmigo. Esta área, a la que denominan patio, no es más que una superficie de 20 por 40 metros.

Presenté mi identificación para que el coordinador del patio me abriera la puerta. Entré con el corazón en la boca, saludando a los reclusos y con una mirada que no es la mía.

Traté de ver la vida y entender lo que está dentro de las rejas. Es en este micro mundo donde se cruzan las iniquidades de la sociedad, las fallas del régimen, las consecuencias del conflicto colombiano y la extraña naturaleza del ser humano.

Intenté hacer el ejercicio de ponerle a las caras, los delitos que les cuelgan de sus conciencias. El desconcierto me sobrecoge. Un muchacho de 25 años, de cabeza rapada y bajo de estatura juega parqués. Está acusado de atracar con una moto una furgoneta transportadora de dineros.

Cometió el delito y se fugó a Villavicencio. Lo capturaron después de dos años. Fue apresado gracias a que lo delataron las huellas del arma con la que asesinó a un policía.

Miré con sigilo hacia varias esquinas buscando la cara y los ojos de los acusados. Tenía el ánimo de recolectar la mayor cantidad de información de un lugar que infunde terror y pánico. Detrás de cada rostro se esconden secretos de crímenes en proceso de juzgamiento. Algunos secretos se irán a la tumba con sus autores.

El instructor me llama la atención para que observe hacia la derecha. A cien metros se levantan pabellones cinco estrellas. Dan derecho a menú y a comodidades de club, por dos mil dólares al mes. Así se benefician los acusados de cuello blanco, los pudientes o los procesados por narcotráfico. Hay un pabellón con helipuerto para los casos de máxima seguridad. El almuerzo de hoy consta de: arroz, carne molida y puré de papa.

La vida aquí es circular. La rutina comienza a las cinco de la mañana, hora en la que todos deben ir a ducharse con agua helada. Las horas se pasan en comer, dormir, levantarse, caminar 20 pasos y estrellarse contra las paredes y las ansias de libertad. Sobre una banca en la pared del fondo hace gestos repetitivos un hombre de baja estatura.

—¡Qué te pasa! ¿Por qué estás inquieto?

—Porque me van a matar.

—¿Cuántos años tienes?

—29 años.

—¿Cómo te llamas?

—Brandon.

—¿Qué pasó contigo?

—Me reinserté, le colaboré al gobierno dando información. Me utilizaron y no me han dado protección.

—¿Cómo entraste a la guerrilla?

—Me entregaron al Frente Bolchevique —responde Brandon. Mi papá, alias "El Cucho" fue fundador del Frente Arsecio. Mi familia era revolucionaria. Yo era guerrillero sin saber que lo era.

El recluso no me mira. Sus ojos están clavados en el suelo mientras habla: —A los dieciocho años maté a un policía porque golpeó a mi hermano. Fui a la casa y saqué un R 15 de la caleta de mi papá. Estuve preso siete años en cárceles de El Líbano, Fresno, Honda, Manizales y Guayabal.

—¿Qué hacías en la guerrilla?

—Secuestros y retenes. Le cobraba vacuna a los paperos. "Vaya donde fulano, que mande cinco millones". Yo saqué plata para mi mamá, era muy pobre. Vendí munición, armas rusas y nicaragüenses.

—¿Qué te pasó en la oreja?

—Los paras volvieron pedazos Delicias. Nos prendimos y me dieron ocho machetazos, me tumbaron la oreja y me pegaron un tiro en el pecho. Me dieron por muerto, pero me recuperé.

Brandon juega con sus manos y sigue mirando al piso.

—Todos los domingos nos dábamos bala en el cementerio de Santa Isabel y El Suspiro.

—¿Brandon es tu verdadero nombre?

—En la guerrilla me bautizaron así. Nací en El Líbano. Soy analfabeta, pero tengo todas las cualidades militares. Yo tenía mentalidad de guerra.

—¿Por qué decidiste reinsertarte?

—Por una mujer. Saca la cartera y me muestra la foto de una muchacha de Villahermosa, ex guerrillera de las FARC.

Sus ojos lagrimean.

—Queríamos formar un hogar. Me entregué al Batallón con diez compañeros un día de diciembre de 2002, con diez fusiles, pistolas, granadas y proveedores. El batallón me escondió tres meses, me manipularon, les di información. Le di duro al Frente pero la Fiscalía 48 de Honda me engañó. En el batallón ascendieron con mi "positivo" y nunca me protegieron.   Hace una pausa, se limpia los ojos:

—El once de abril mataron a mi familia en la vereda Yarumal.

—¿Aquí de qué te acusan?

—De asaltar y robar 104 millones de pesos en el Banco Agrario de Palo Cabildo, Tolima, y de la muerte de dos policías. Levanta la mirada y dice: —Yo no los vi morir.

—¿Y tu mujer?

—A ella la mandaron al Bienestar Familiar por ser menor de dieciocho años. Un hermano mío que se fue para el Guaviare se pasó a las FARC. No sé si está vivo o muerto. Estoy en la cárcel y los de las FARC me buscan para matarme y los paras también.

Continúa girando una mano sobre la otra. Sentencia:

—Perdí el tiempo en la guerrilla y me quedé sin mujer. Cuando salga de aquí no tengo para dónde irme.

—Él sufre delirio de persecución —comenta otro interno.

Su actitud es de derrota total. Como Brandon hay muchos y su historia se repite día a día. Esta es otra cara del conflicto colombiano.

A las tres de la tarde los guardianes verificaron los cuatro sellos en mi antebrazo. Salí a la calle con varias historias para contar y dejando tras las rejas una Colombia triste y desconocida.

Como le dijo el poeta Jorge Rojas a Neruda, en su visita a Bogotá:

—Esta es Colombia, Pablo.

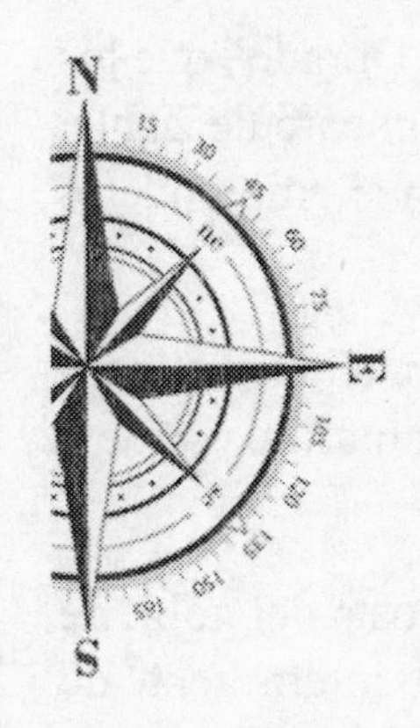

IX. HISTORIAS SIN COORDENADAS

La lancha "Damasco"

Las lanchas llegaban a Lorica de Cartagena de Indias en la mañana, botando fumarolas por la chimenea. Cargaban mercancías y baúles de viajeros trasnochados y de turcos amanecidos. La gente local se movilizaba cuando era necesario ir a la capital regional por asuntos de salud, a estudiar, o por negocios. Los árabes viajaban con el sueño peregrino de hacer nueva vida en Lorica, capital del Bajo Sinú.

Lejos, en una orilla del Mediterráneo, en el valle de Balbeek, en el Líbano, y también al otro lado de la frontera, en Siria, había tomado fuerza el rumor de que en el Sinú —en el otro lado del mundo— existía un paraíso en el trópico abierto de América donde la gente dormía, jugaba dominó, jaraneaba de día, de noche bebía ron, se iban de pesca en la madrugada y todo estaba por hacer. Nunca se mencionaron las nubes de mosquitos disciplinados que se daban cita en invierno para formar escuadrones de ataque con preferencia a los foráneos.

—Es allí donde sigue enterrado el tesoro de "El Dorado" que los españoles no pudieron encontrar —aseguraba en un café de Zahle, Yamil Ayub, animando a unos primos que dudaban si emprender o no la aventura.

"Damasco", era el nombre de una de las embarcaciones que todos en Lorica identificaban por los alegres colores amarillo, verde y azul de la cubierta.

El buque bordeó los doscientos kilómetros de costa del golfo de Morrosquillo durante la noche, orientado por el faro intermitente de Santiago de Tolú, playón de pescadores y bastión de comerciantes que marcaba la mitad del recorrido. Al nacer el día la lancha subió pesadamente por el río hasta acomodarse como un caimán disecado en el muelle del mercado público atestado de kioscos y parroquianos procedentes de las veredas. Ante la mirada vagabunda de pescadores y curiosos, la tripulación afianzó amarras junto a la imagen desteñida de la Virgen de Fátima en Lorica, y los pasajeros empezaron a descender de la lancha.

Antes de amanecer en una esquina del mercado, se aglomera la gente y se toma el café mañanero. Acuden los matarifes, los comerciantes, los viajeros, los policias, las fritangueras, lo serenos que cuidan las casas y calles del centro, y también Nicolás, un negro grande y bonachón a quien todo el pueblo quiere. Nicolás sobrevive de "hacer mandados" y repartir los periódicos. Curiosamente, cuando alguien le pregunta por qué emigró del Chocó, contesta.

—Allá hay mucho negro, allá hay mucho negro... De la embarcación quedan leyendas y una reproducción en el mural de la muralla pintado por el artista Adriano Ríos Sossa.

Vagabundos en el Caribe

Los anteriores eran los recuerdos que afloraban a mi memoria cuando caminaba por el mercado de Kingston, corazón de las Antillas, aturdido por la música que brotaba de los parlantes y retumbaba por todos los rincones. Me abría paso entre la muchedumbre, los kioscos rodeados de latas de aceite y bultos de arroz, las altas temperaturas y el fuerte aroma salitrado del mar. Buscaba un lugar donde me habían dicho que Bob Marley —el rey del reggae— tenía la costumbre de ir a tomar "Blue mountain", el cotizado café de Jamaica. De pronto escuché una voz que decía:

—¡Enrique! ¡Enrique! ¡Qué haces por aquí! Levanté la vista y respondí: ¡Hola capitán, cómo estás, te veo muy bien. Ahora es cuando el hacha corta y las flores huelen —expresó con una mueca de veterano malicioso.

Qué gran sorpresa. Jamás pensé encontrarme en Jamaica con el capitán Diter Grillenhausen. Al frente, una manada de alcatraces dibujaba un crucigrama longitudinal. Se disputaban los desperdicios de comida que un hombre descamisado, feliz y canturreando melodías enrevesadas, lanzaba al mar. Su velero estaba amarrado a la dársena.

¿El capitán? Es un marinero simpatiquísimo. Le había perdido la pista. Lo vi la última vez, en los astilleros Merrill Steves Yachts, en el río Miami. Se parece al de las fotos de Hemingway. Idéntico, ciertamente. El capitán llegó a Colombia siendo un muchacho, iba con Hans su padre, un paramilitar nazi. Al morir Hans en una masacre de las FARC, él y la familia apoyaron a las Autodefensas de Carlos Castaño y fueron intervenidos por el gobierno. Al final lo perdieron todo y salieron desplazados. Una tarde de 1987, nos encontramos en el Puerto de Miami y me contó de los golpes que le ha dado la vida.

Atravesé en zigzag el piso mojado y abarrotado de mercaderías, hasta llegar al muelle, para saludar al capitán.

Intercambiamos abrazos y lo sentí afectuoso, sólido y con su panza de sibarita.

—Capitán, no me diga que se está tomando sus tragos desde temprano —le dije.

—No se puede perder la costumbre —expresó. Ahí está la esencia de la vida —agregó con picardía. Jajaja.

—Zarpo para Miami —anunció luego. Si quieres te vienes conmigo esta noche —me convidó. Voy solo. Se secó el sudor de la cara con un trapo arrugado que guardaba en el bolsillo trasero del pantalón y señaló:

—Cargo a las diez de la noche —dijo— mañana me esperan en otra isla.

El capitán precisó haber salido de Miami la semana anterior y volver ahora por más contratos de carga.

—Estuve en una isla vecina llevando un pedido a los inversionistas de un hotel — comentó. El capitán solo mencionó la palabra mercancía y no me animé a preguntarle que clase de productos transportaba.

—Por estos lados del Caribe la economía sigue viento en popa —dije.

—Me voy con él, pensé. Debe ser una buena experiencia.

—¡Acepto! —confirmé al Capitán. Me voy contigo, aquí estaré antes de las diez de la noche. ¡No me vayas a dejar! —recalqué.

Retorné al centro para hacer unas diligencias, me despedí de unos amigos y fui al hotel a recoger la maleta. No eran muchas cosas. La maleta es liviana, pero había que acomodar camisas, pantalones y papeles que habían quedado regados. Al echar un vistazo para asegurarme que no se quedara nada dentro del armario de la ropa me llevé la gran sorpresa: ¡un cadáver trajeado con smoking! ¡Qué impresionante! Quedé aturdido, por poco me desmayo. Nunca había visto algo igual. Palidecí y pegué un alarido que no se escuchó afuera por la estridencia del ruido de la música que sonaba frente al hotel, en el bar "Tuki tuki" de la acera del frente. Dudé en avisar abajo a la administración y reaccioné: ¡No! No llamaré, me meten en problemas con la policía. Mejor me voy. Así fue, sin darle mayor debate a la gravedad del incidente, dejé la llave en la recepción y salí sin reportar el muerto que había visto. En un dos por tres salí despavorido con la maleta, cambié de calle y desaparecí. A las nueve estaba a un paso del muelle central de Kingston. Compré comida y cerveza en una tienda desordenada atendida por un hombre tuerto y descontrolado que tenía la mente puesta en alguna sandunga. Fumaba marihuana abiertamente, caminaba bailando para uno y otro costado y se detenía mirando al cielo. Así me entretuvo sin darme el cambio de la compra mientras cantó con voz ronca y girando las trenzas de su cabello mugre y ensortijado: "By the rivers of babylon, there we sat down Ye-eah we wept, when we remembered zion".

Sabe usted que la letra de esta canción fue tomada del salmo 137 de la Biblia decía el hombre rastrillando las palabras en medio de su borrachera. Llegué, abordé y encontré al capitán ultimando sus detalles para el viaje. En minutos la lancha levantó anclas con puntualidad inglesa.

—Menos mal que no registraron mi nombre en el hotel —pensé temblando de nervios. —Tuve suerte —pensé de nuevo. Tejí toda clase de teorías sobre el muerto, no podía creer el tétrico episodio del que acababa de ser testigo. Después de darle vueltas al asunto del hotel, cambié la página. Di frente a la aventura del barco y ayudé al capitán a mover unos bultos para equilibrar el peso de la carga y salimos.

El capitán tensó una cuerda y se ajustó la cachucha. Soltó amarras abandonando el puerto y dejando un gran oleaje.

—Cuál es el próximo destino, capitán.

—Vamos con proa en dirección a Grand Cayman —me respondió.

Caminamos y dimos una mirada de curiosidad a los pertrechos de la embarcación.

—Quién es más loco —medité, en medio del crujir del barco sobre el mar picado.

—¿Es más loco el capitán que lleva una vida de peligro y aventuras, o yo que me embarqué con él sin saber mayor cosa de sus andanzas?

Moví los hombros y me persigné.

—Diosito, ya tu sabes —dije y me encomendé.

Vimos las últimas luces de Jamaica desde el puente de mando de "La Golondrine", bajo una noche de brisas y el firmamento nublado.

—De dónde viene ese nombre —pregunté. ¿Se lo pusiste tú?

—Se lo puso el primer dueño —contestó el capitán maniobrando los controles a babor para salir de la bahía. Un barco se deja con el primer nombre, cambiarle el nombre trae mala suerte —explicó.

El capitán maniobró nuevamente para alejarse de otra lancha que navegada hacia la isla y el fuerte oleaje en el mar alcanzó a estremecer nuestro barco. Me recosté a la proa y regresó a mi cabeza la preocupación del muerto que dejé en el hotel.

—¿Quién puede ser? —cuestioné. ¿Quién cometió el crimen? ¿Por qué allí? ¿Desde cuándo?

—¿El muerto estaba metido en el armario antes de mi llegada o lo escondieron después que alquilé el cuarto? —dije para mis adentros.

—¿Dormí con el cadáver en el cuarto?

—Es inexplicable —reaccioné.

—Qué habrá detrás de este crimen. ¿Lo mataron o murió de muerte natural? No, noooooo…

Me hice toda clase de preguntas y afloraron más interrogantes que hicieron crecer mi confusión. Fue en sueño donde vi al hombre del smoking. En esas se me acercó el capitán.

—¡Cómo vamos! —exclamó.

—Esto es una maravilla, le dije.

El capitán gobernaba el timón de la lancha mientras fumaba su tabaco y lo mordía con gusto como si fuera una melcocha. El agua del mar y el viento nos pegaban con fuerza en la cara y los brazos. El viaje me producía una mezcla de alegría pero al mismo tiempo una dosis de miedo. Todo era causado por el anonimato de la oscuridad de la noche, la compañía y las circunstancias desconocidas de la aventura en el mar.

—Cambié la finca por un apartamento y un barco en Miami — expresó el capitán. El hombre habla con el acento típico de un alemán expresándose en castellano, pero construye las frases casi a la perfección con una riqueza de vocabulario. De vez en cuando emplea vulgaridades callejeras.

Terminé transportando carga entre los puertos del Caribe. Así fue como pasé de mi vida en la tierra a la vida del mar —aseguró. El hombre es un retrato de los bucaneros que siglos atrás azotaron estos mares pirateando los tesoros hallados por los conquistadores ibéricos. Todo el mundo lo conoce: es un bon vivant que no sigue patrones. No entra en disciplinas, ni acepta reglas. Arbitrario, desafiante y ameno, al mismo tiempo. Un charlador y conocedor de armas que disfruta el tiempo libre viendo películas de vaqueros, cuantos lo conocen hablan de su dominio y conocimiento de la geografía del Caribe. Dicen que la conoce como la palma de su mano. En ese sentido nos sentimos seguros.

—Este capitán pronostica el estado del tiempo con solo ver el firmamento y el horizonte —dije.

—Son los años, la experiencia de la vida —musitó él desde su puesto de mando. Es un hombre que luce fuerte y macizo, con manos de hormigón, como dos martillos, tiene la piel tostada y manchada por el sol. Al verlo evoco las películas sobre los tiempos de los piratas con barba rubia y pelo en pecho, como la figura del novelista Ernest Hemingway. —Mi vida es el mar —dijo. Aquí como, aquí duermo, aquí transcurren mis horas. Mientras habla se entorcha el cabello y lo amarra desde la frente hacia atrás. Suele asegurar su abundante cabellera bajo la cachucha del "Bayerm" —una referencia de su equipo de fútbol de Alemania— o con una bandana negra, verde y naranja, que tiene dibujada una hoja de marihuana en el centro de la tela.

El cielo esta despejado ahora, se ve un puñado de estrellas, el capitán agarra el timón endereza el rumbo y bebe ron Appleton.

—Prefieres el ron a la cerveza —le pregunté. El capitán levanta el vaso y lo examina haciéndolo girar:

—Esta es la hora del ron —proclama. Me explica pausadamente del lúpulo que vio en su infancia en los campos de Oberasbach.

—Ueli Walchli, un buen amigo navegante suizo —comenta —me inició en el conocimiento del buen ron.

—Esta bebida la descubrieron en el siglo XVI, los piratas ingleses —dice. La encontraron al extraer la esencia de la melaza de caña de azúcar, en los trapiches de Barbados.

Saborea con agrado el licor y dice:

—Al principio fue un ron de pobre calidad que ingerían los marineros de la Armada Real Inglesa.

El barco se bambolea y sentimos la brisa fuerte.

—En 1740 —continúa diciendo el capitán— el vicealmirante Edward Vernon adoptó la tradición de diluir una parte de ron en cuatro de agua. La bebida se popularizó con el nombre de "grog".

El capitán se lleva el tabaco a la boca, hace su o de humo y repite:

—Grog. Grog.

Se percata de un movimiento fuerte del barco y sigue:

—La práctica fue reglamentada por las autoridades navales en 1756 y se ha mantenido por más de 200 años.

Ahora acaricia el cigarro humeante en una mano. Lo observa, fuma y dice:

—Los indios empleaban el tabaco en recetas medicinales, en ceremonias religiosas y en la dieta. El barco vuelve a tener un movimiento brusco, que nos obliga a afianzarnos de un tubo. El capitán hace un paréntesis y opera el timón con pericia. Pasan unos minutos, regresa la calma y retoma la conversación:

—En Cuba se establecieron fábricas de cigarros. El cigarro y el ron formaron un matrimonio inseparable que pasó a otras islas: Barbados, Jamaica, República Dominicana y Nicaragua. Después esto tomó características industriales. El capitán vuelve al cigarro, lo sostiene con los dientes y escupe.

Según el capitán: los piratas ingleses se aliaron con los indios del litoral nicaragüense. —Crearon el Reino Miskito —sostiene— dependiente del gobierno de Kingston.

—¿No te acusa la conciencia por haber tenido un padre nazi? —le cuestioné.

—No lo niego. Hitler los engañó a todos. El noventa por ciento del pueblo alemán votó por Hitler, en las elecciones. Llegó un momento en que descubrieron sus políticas, ya era tarde, tenía todo el poder, no podían hacer nada —suspiró. La travesía fue movida sobre un mar profundo. Dormí por ratos. En la mañana tomé café y comimos sandwiches con coca cola. El paisaje se adornó de delfines, aves y alcatraces donde se engolosinó la mirada. Al medio día anclamos en Grand Cayman y salí del puerto a caminar.

—Aquí nos vemos a las tres de la tarde para zarpar —me pidió el Capitán.

—¡Listo! Capitán —Aprovecho para dar una vuelta por la ciudad —dije.

Me fui a buscar algo de comer. El puerto de Georgetown, la capital de Grand Cayman, estaba invadido de pasajeros del "Allure of the seas" el gigantesco crucero de Royal Caribbean. Seguí por la esquina de Harbor Drive y Cardinal Avenue. En el restaurante "Latin Taste" me encontré un hondureño.

—Soy ingeniero contratista de hoteles. Entrados en confianza me dio su nombre y me alertó del peligro que corría andando con el Capitán Grillenhausen.

—Mucho cuidado —advirtió. No te confíes de ese señor, él no tiene muy buena reputación. Me sentí algo preocupado.

—El capitán se alquila a redes de mafiosos —reveló, él carga lo que sea y va donde le pidan. Lo que le importa es el cash. El ingeniero abundó en detalles:

—Su negocio es el contrabando de ilegales desde Cuba a Cancún y de allí a Miami. También transporta chinos desde Panamá, y rusas y ucranianas. Hace lo que sea —dijo. —Creo que es con la mafia rusa de Sunny Isles que está trabajando ultimamente.

—¿Cómo? —exclamé asombrado.

—Cuidado mencionas mi nombre —indicó el hondureño. Aquí hay una mafia y matan a quien meta las narices —insistió—. Por estos días —agregó— la policía ha montado un operativo porque desaparecieron al gerente de un banco que dio pistas de una banda muy poderosa.

—¿Un desaparecido?—

—Qué sorpresa me he llevado —dije entre labios.

—El Capitán lleva girls que trafican mafias rusas y chinas de Marsella, para los cabarets de Atlanta y Fort Lauderdale —sostuvo mi interlocutor. Hace unos dias pasaron un grupo de lituanas para South Beach.

—¡Grave¡ —susurré— preocupado por lo que acaba de escuchar.

—Tenga cuidado —añadió.

—Qué tal que me meta en líos —comenté.

—Para dónde van —preguntó.

—Vamos con destino a Miami —dije.

—Importante que te mantengas alejado de él —insistió. Quien anda con él no sobrevive —afirmó, por eso anda solo.

—Te agradezco la información —le respondí. No puedo hacer nada ahora.

—De su vida, el hombre me contó que llegó a Grand Cayman como futbolista de primera división.

—Jugué con el "Platense" y me quedé trabajando en la construcción. Conseguí un capital para vivir y aquí estoy.

—Los isleños son buena gente —afirmó.

—¿Cuántos habitantes tiene la isla? —pregunté.

—45.000 habitantes. Explicó que Grand Cayman es un paraíso fiscal.

—Esta es una de las economías más prósperas del Caribe — dijo. El gobierno tiene registradas cerca de cuarenta mil compañías.

Hay más de 600 bancos que mueven quinientos mil millones de dólares. Se dice que en esta isla está el dinero de los dos mil políticos, banqueros y multimillonarios mas poderosos del mundo, que evaden y encausan dineros sucios hasta los bancos caymaneros.

—Ideal para el turismo — agregó. Es segura y por esa razón vienen muchas mujeres solas y familias a pasar vacaciones.

Arriban tres vuelos semanales de Londres, uno diario de Nueva York y varios de la Florida.

—Hay que aceptar que esta es la isla más cara de todas —opinó, aquí viven seis mil hondureños. Se reúnen en el restaurante "Latin taste", a comer baliadas. Es un plato hondureño que preparan con: puré de frijoles, huevos revueltos y queso desmoronado. Se sirven enrollados en tortillas de maíz; su valor es de seis dólares de Cayman.

—Por un dólar americano te dan ochenta centavos de aquí —dijo, ya verá usted como es de alto el costo de vida, dijo haberse casado con una Caimanera veinte años atrás.

—Tengo cinco hijos, una estudia medicina en Honduras, dos viven aquí. Grand Cayman es una isla donde todo se sabe. Por ejemplo: que aquí están depositadas las fortunas de personajes como Fujimori y Montesinos, del Perú. Bienes del hondureño Ramón Matta Ballesteros, quien purga condena en Estados Unidos. Dineros dejados por Pablo Escobar y otros capos de la política y los negocios turbios de las Américas. Recuerdo que por estas tierras también se han quedado magnates como Mr. Darf. Un millonario americano que renunció a su ciudadanía para evitar pagar los altos impuestos de Estados Unidos. En la actualidad sus recursos los invierte en la construcción de una ciudadela en West Bay, en esta isla. Sus aviones están al servicio de la población en casos de emergencia, por eso se ha ganado la simpatía de algunos.

Respecto al ron y el cigarro: estos son dos amigos incondicionales, unidos a los placeres de la vida del Caribe de los siete colores.

A las tres de la tarde salimos con la carga de unos comerciantes de tortuga de mar de West Bay. Contrataron al capitán Diter Grillenhauzen para que los llevara a Miami. Me contaron que ellos venden las tortugas vivas a una cadena de restaurantes de Nueva York, Boston y Chicago.

Los señores tienen otro negocio: surtir de muelas de cangrejo a Joe's Stone Crab de South Beach. Este es un histórico palacio de la culinaria para paladares exigentes en Miami Beach. Fue fundado el 1913, por Joe Weiss y su esposa Jennie.

Descubrieron que podían quitar una pinza a las jaibas sin matarlas y devolverlas al mar. La pinza pequeña se forma en cinco semanas. Crecen enormes y son las más apetecidas, por el tamaño.

Nuestro trayecto hacia Miami se convirtió en una auténtica odisea. Fue una copia del relato de Homero. En esta ocasión no tropezamos los lestrigones ni los cíclopes, pero vivimos las peripecias de Sandokan, el tigre de los mares de Asia.

—Las 4:00 de la mañana es buena hora para entrar —anunció el capitán, con la seguridad de quien dicta una cátedra a los alumnos. Es parte de su rutina. Está metido en este submundo. Tráfico de cubanos, de drogas y de mercancías, como nos informó el ingeniero hondureño en Grand Cayman.

El capitán maniobró el timón y le redujo la fuerza a los potentes motores fuera de borda. Todo sucedió en fracción de segundos. Navegamos por el meridiano 80, a pocos grados al occidente de Nassau. De manera sorpresiva tras una ola gigantesca nos encandiló una luz y sentimos un ruido aparatoso tan potente como de turbina de avión.

—¿Qué pasó? —exclamé.

Era una lancha de la policía que nos había detectado. Eramos perseguidos por una patrulla adscrita a la guardia costera de Bahamas.

El capitán hizo un viraje fulminante, la evitó y la llenó de agua. Perdí el equilibrio y me di en el hombro, el brazo y la cabeza. Tuvimos que emprender la fuga. Fue una huída larga y de mucha tensión.

Amanecimos en las costas de Yucatán. El momento fue crucial en México. El capitán tuvo que ir y negociar con guardias y policías mexicanos, acostumbrados a la "mordida". Dejó a los custodios en un kiosco del muelle y vino a mí.

—Cuánto tienes en efectivo —me dijo angustiado. Metí la mano en el bolsillo, conté y le dí seiscientos dólares.

—No. Necesitamos darles más, para que nos dejen ir. Saqué cincuenta dólares del otro bolsillo y una piedra de esmeralda colombiana que guardaba como joya de reserva.

—Dame esa esmeralda —dijo el capitán con vehemencia. Esa piedra nos salva, esta es una situación de vida o muerte —sentenció y se fue al encuentro con los guardias.

—Qué locura es esta —pensé nervioso y acosado por el frío que se sentía en la madrugada.

El capitán volvió, reasumió rápidamente el mando del barco y nos trasladamos hasta el muelle de un resort exclusivo. Mientras recargamos gasolina para la lancha, el celador de la marina nos dijo:

—Váyanse lo más pronto. Ayer llegó un pez gordo y no les conviene estar por aquí. Creo que son del cartel del Golfo, esa mafia mexicana es temible. No se puede ver con la Familia, la gente del cartel del otro lado.

Le hice señas de preocupación al capitán y de inmediato nos dirijímos a Miami. Fue en ese instante cuando el capitán me reveló de la maniobra suicida que acababa de hacer. Al emprender la estampida, el capitán puso en máxima potencia los tres motores fuera de borda y anegó la lancha de la policía de Bahamas.

—Fue así como los sacamos de ruta y no dudo que se haya accidentado —confesó entre risas.

Con el sol del medio día, por fin recalamos en Miami y terminaron las aventuras al lado del capitán Grillenhauzen. Ya llegará la hora de escribir con detalle y contar de las aventuras suicidas en los mares del Caribe, con un intrépido lobo de mar.

El capitán está acostumbrado a estas faenas cinematográficas. Para él ésta fue una más. Forma parte del juego de un canalla con la vida, con la suerte y las autoridades. Yo tengo que confesar que pasé un mal rato y un gran susto. Casi me da un infarto. Creí que esa peripecia en el estrecho de la Florida, no acabaría como la soñé.

¿Qué tal el canalla?

—Bueno, pero llegamos, y estamos a salvo.

—¡Qué más pides!—exclamó mi hermano.

“Hallan en un hotel de Jamaica el cadáver del banquero secuestrado en Grand Cayman. El occiso era una pieza clave en el escándalo de Bernard Madoff autor de una estafa multimillonaria a través del esquema ponzi…” empezaba diciendo la información en El Nuevo Herald.

Al fin fue cierto o lo soñé… seguí pensando. Terminé de leer los detalles de la noticia y quedé en estado de shock.

Tamora es una mujer que...

Desde cuando la vi pensé que algo pasaría con esa dama que iba a mi lado. Me intrigó conocer su currículo. Tiene los ojos negros como el ónix, viste blusa de seda y su piel es acanelada. No es alta ni bajita, tiene la estatura de la modelo Naomi Campbell y habla modulando la voz, como saboreando las palabras. Posee un cuerpo que para cualquier ojo masculino, que es por donde le entran las mujeres a los hombres, obtendría una calificación sobresaliente. Cabellos al hombro y estatura normal de latina. De piernas largas como una holandesa, viste jean y habla produciendo un chasquido con los dedos de su mano derecha. Su boca puede parecer la de Angelina Jolie. Hace parte de esa secta de mujeres atractivas, que un hombre no puede ignorar. Si no fuera por la arrogancia que se le sale por los poros, diríamos que es una maravillosa mujer de cinco aclamado. Tropecé con ella en la fila para subir al avión. Pisé su pie al tratar de ayudar a un joven discapacitado y reaccionó. Se salió de casillas, se ofendió.

—Lo siento, dije, ofreciendo mis disculpas. Pero en lugar de aceptarlas, me respondió despóticamente y de malas maneras y para colmo de mi infortunio al abordar el avión, se sentó a mi lado. Le dieron el puesto inmediato al mío. Se acomodó fanfarronamente a mi derecha.

Avanzado el vuelo y no pudiendo dejar las cosas así con esta mujer guapa, sabiendo que la tendría de compañera durante ocho horas, opté por invitarla a una copa de vino para derrumbar la muralla con la que había comenzado nuestro encuentro.

—Prefiero vodka tonic respondió. Surtió efecto pensé. En minutos bajó el tono y su actitud fue más cordial. Yo me quedé con el whisky.

Al momento de habernos tomado tres tragos la conversación fue más sorprendente.

Comencé a conocerla. No cesó de hablar pestes y barbaridades del marido.

Me confesó herida, que tras los avatares de un accidente de tránsito esta mañana, en el Dolphin Express Way de Miami, descubrió que su esposo tenía una amante.

Era de noche, creo que pasadas las doce. Viajábamos rumbo a Europa en un avión Boeing 747, que se remontó majestuosamente por los aires sobre el Océano Atlántico. Del techo se infiltraron dos columnas ténues de luz para ser cómplices de nuestra charla mientras la mayoría de los viajeros dormían apaciblemente. Al fondo de la aeronave una pareja veía una película. Mientras adelante un rabino leía de pie la Torah junto a dos jóvenes que parecían ser sus hijos. Yo estaba entretenido con mi vaso de whisky. Del pecho me salió una descarga de euforia en forma de mariposas que revolotearon por todo mi cuerpo. La mujer rozó su pierna con la mía y tal fue el choque eléctrico que activó las membranas de placer en mi cerebro. Se despertó el seductor.

Ahora emerge el recuerdo del bohemio, del comerciante en la frontera, del billarista en lugares de mala muerte y el enamorado de mis años mozos.

Siempre creí que los ángeles retaron mi timidez temprana. Supuse que fueron ellos quienes pusieron en mi camino a mujeres desconsoladas, dispuestas a confiarme los secretos de sus vidas, y abiertas a vivir interminables experiencias amorosas.

Nacido y criado en un hogar compartido con una docena de mujeres, me acostumbré a vivir entre féminas. Ya entrada la juventud salí por el mundo y fue fácil relacionarme con las de cinco y cuatro en conducta, y con aquellas que se rajaron en la materia.

Las de tres me confiaron desinhibidas en los bares, secretos amatorios y las heridas de sus dramas personales en un submundo de barrios prohibidos, de luces, de vicios, de personajes y de olores, donde la noche se convierte en día y ronda la soledad y el desasosiego. Ese es el ambiente de las llamadas zonas de tolerancia, áreas de ilegalidad, pasión y crimen. Teatro de la lujuria habitado por mujeres que venden ratos de placer a cambio de dinero. En las mañanas esparcen el olor de la creolina que en las noches cambian por los aromas de Dior.

Allí cohabita lo ilegal con la pasión, se mezcla el dinero con la bajeza del poder. Memoria de aventuras y curiosidades de ayer, revivo ahora, mientras esta mujer alicora su sangre y aviva mi corazón.

—Antes de morirme tengo que hacer el amor en un avión insinué. Choqué su copa con la mía y la doblegué con una carga de dinamita en cada ojo.

—Nada se pierde pensé dejando la carnada en el anzuelo.

Como dije, a la mujer impregnada de sándalo que viaja a mi lado, la conocí accidentalmente, al abordar el vuelo en el aeropuerto de Miami.

En aquel vuelo lo que tenía en mente era echarme a dormir, leer o escribir unas notas. Es que con regularidad voy a muchos países a trabajos periodísticos similares, pero nunca había tenido una experiencia como ésta.

Confieso que disfruto el ambiente de los aeropuertos y los viajes, para mí tienen un magnetismo misterioso. Disfruto los rigores en los pasos por la aduana, migración, seguridad y hasta las demoras para llegar al avión. Es que salir a conocer otros lugares, tratar con gente distinta, llegar, regresar, me genera adrenalina, me emociona y lo acepto como tomarme un vaso de agua, es ahí donde aflora mi irrefrenable conexión con Marco Polo.

La mujer sigue a mi lado en esta travesía por los cielos. Toma uno tras otro, el vodka para quemar las penas. Estira las piernas y se reacomoda en su asiento. Solo se escucha el run run del sonido del motor del avión. Ella toma fuerza y me participa memorias de su vida.

—Escapé de la tiranía de mi padre dijo, él era indiferente a mi deseo de instruirme. El es de esos hombres machistas que limitan la acción de la mujer a la servidumbre del marido. No le interesa que los hombres traten a sus hijas como él sometió a mi madre.

Se acarició los cabellos, una y otra vez. Con el habitual tic femenino. ¿A qué acudiría, pienso, si no tuviera cabellos largos? Los vuelve a tocar se los mira y dice:

—La única salida que tuve y debo darle gracias al apoyo de mi madre fue mudarme a Bogotá la capital. Conseguí trabajo en una empresa de manufacturas. Fabricábamos botas y carteras de piel de becerro para damas. La dueña era una dama ecuatoriana. Estudié abogacía en las noches y me casé con el que creía era el príncipe de mis sueños. Fue un modelo de la televisión y algunas de mis amigas suspiraron por él.

—"Es un galán" decían.

—Creí haber alcanzado el cielo con las manos y pronto me sentí defraudada. ¿Para qué un hombre atractivo, si me daba mala vida? Viví un infierno chiquito.

—A propósito de esa experiencia, yo te puedo contar —interrumpí. Cuando a mi tía le ponderaban a un hombre a quien se lo ponían por los cielos, ella respondía: "sí, vive con él, ahí es cuando vas a saber si es bueno".

—Bien, me separé, continuó. Luego conocí a un señor que me apreciaba y me cuidaba. Era un dealer, vendía obras de arte. Este hombre no me dejaba mover, me celaba, me controlaba. Viví una auténtica pesadilla en una jaula de oro. Me complacía en lo que quería, pero me sentía asfixiada.

Veo en la pantalla que el avión avanza con velocidad de crucero: 900 kilómetros por hora. La mayoría de los pasajeros siguen durmiendo. Observo y veo que esto parece una bodega sin fondo; unos leen y otros se entretienen con películas.

La mujer toma otro trago de vodka. Se le aguan los ojos y continúa: En los días siguientes desilusionada del amor y frustrada, perdí mi autoestima y pasé unos momentos de profunda depresión llegando a pensar en lo peor, hasta en el suicidio.

—Juré nunca más tener un hombre a mi lado. Una amiga me llevó a un grupo cristiano y allí me ayudaron tanto que llegué a conocer a Cristo y a vivir la verdadera vida.

El avión pasó por una pequeña turbulencia y ella se aferró de la silla.

—Me dediqué a los libros de Thomas Merton y leí sus diarios, cartas y sus conferencias en Alaska. Con Merton me volví reflexiva y espiritual. De él copié dos reglas para viajar en avión: una, ocupar el asiento que queda al lado de la última ventanilla cerca de la cocina. Dos, leer el libro de Hermann Hesse, El Viaje a Oriente y lo grande acudí a vivir La Biblia.

—Si, pero aquí no se te cumplió —le repliqué— y ella reanimada y sin ponerme atención sigue:

—Fundé una agencia de viajes con una socia y cuando menos lo pensé apareció Eduardo Carlo. Un hombre que había conocido en la universidad y que buscaba desde esa época. Al cabo del tiempo nos casamos.

La azafata nos alcanza el pedido: un vodka tonic y un whisky en las rocas. Mi trago quedó cargado y con varias piedras de hielo.

Brindamos por un momento en medio de un bailoteo del avión que no logró alterar la calma del vuelo.

—Casi que desde el principio Eduardo Carlo me fue infiel —asegura. El mismo me lo confesó, que tenía a alguien y que quería darse la oportunidad. Como consecuencia de esta experiencia caí de nuevo en una depresión que se sumó a un cáncer en el seno. Me operaron y superé todo el proceso.

Mientras más hablaba la mujer más recargaba sus baterías. Esta mujer no se cansa pensé.

—Volví a estar sola —continuaba. Cumplí los cuarenta años sin una pareja y sin una relación estable.

—"Tienes que encontrar un hombre que te quiera y te cuide" —insistía mi mamá que sufría al verme sola.

—Efectivamente. Conocí a otro hombre: José Luis, propietario de fincas de palma africana en la Costa Atlántica colombiana y el departamento del Caquetá, él tenía en su pasado una relación por lo civil y otra unión libre y, dos hijos. Nos frecuentamos, nos conocimos más a fondo. Salimos por varios años y terminamos en matrimonio por insistencia de él.

Hay movimientos entre los pasajeros por la sacudida del avión. Mi amiga se nota intensa, explosiva.

—Cuando sentimos que habíamos encontrado el amor esquivo que perseguimos durante tanto tiempo, secuestraron a José Luis —dijo—. Eso sucedió en el camino de la finca de Florencia, Caquetá, en Colombia. Lo secuestró una banda de delincuencia común apodada "Los paisas". Lo tuvieron en un cambuche, amarrado a una cama, en Pajuil durante un mes. Esos hombres lo vendieron como mercancía humana a las FARC. Todos esos detalles los fuimos conociendo. La policía nos fue informando de sus pesquisas a mí y a sus hijos.

La mujer sale de una historia y entra en otra.

—Oye, pero eso parece una película. Le observé.

—Así es. Fue una auténtica pesadilla interminable —me responde.

—Mira esto —dice—. Te vas a privar. A los tres meses los servicios de inteligencia nos informan: "qué pena señora pero José Luis fue plagiado equivocadamente". Imagínate eso. Lo confundieron en Leticia, con un homónimo. Estaban detrás del dueño de un consorcio económico de Venezuela. Después de dos años los organismos de seguridad en Bogotá nos presentaron otra versión ¡macabra! Que el secuestrado murió en el fuego cruzado, entre un escuadrón del Ejército y la guerrilla en una operación de rescate. Cómo te parece. Pero el cadáver no apareció eso fue lo que dijeron.

Es absurdo, lo que esta mujer me cuenta pensé. La veo, la escucho y no puedo asimilar. No me cabe en la cabeza. ¿Cómo puede una mujer haber pasado por tanto? Una mujer delicada y frágil —esa fue mi reflexión.

La mujer hizo una pausa, se levantó llorosa y caminó por el pasillo hacia el baño. Regresó y se acomodó nuevamente en la silla.

Qué historias. Esta mujer podría venderle los derechos de sus tragedias a Hollywood pensé. Un director de cine obtendría un dinero con este libreto.

Se acomodó en su asiento y continuó su confidencia:

—Eddie Burgos, fue el hombre que me ofreció mayor seguridad. Con él viví los días más gloriosos de mi vida. Un hombre tierno y balanceado.

La mujer hace una pausa al recordar sus amores idos y lloriquea. No sé que hacer ante su dolor. Me siento incómodo. El llanto de una mujer desarma a cualquier hombre, ese es el mayor detonante de una charla.

—Era maravilloso dice gimiendo, hasta esta mañana que supe que tenía otra mujer. Saqué mi pañuelo y se lo di para que allí ahogara sus penas.

—Amárrense los cinturones dijo el capitán del avión, por los altavoces. Vamos a pasar por una zona de turbulencias. De inmediato se escuchó el movimiento de los pasajeros que reaccionaron ante el anuncio.

Mi amiga recién conocida se retocó y pronto estaba recuperada. Guardó el espejo en su bolso luego de retocarse y colocó la cobija y la almohada en una esquina del espaldar. La noté animada y volvió a ser la mujer provocadora con la boca de Angelina Jolie. Prefacio de la historia sentimental de la mujer que va a mi lado. Eran las tres de la mañana y el vuelo avanzaba sosegadamente.

El diálogo se mezcló con roces de piernas y apretones de manos. Eran caricias que traían fuego. Nos fuimos juntando más y más ensortijando brazos y piernas, con tal destreza que no se sabía donde empezaba un cuerpo y en que parte terminaba el otro. El primer roce me quemó los labios. Un beso trajo otro beso en la penumbra fría del amanecer y los escarceos eróticos eran como olas humanas en la oscuridad del vuelo. Viajábamos a cincuenta mil pies de altura y supongo que sobrevolábamos el maridaje de las olas del mar con el litoral de Portugal. Sentí que la sangre hervía entre las venas y que el deseo me obligaba a entregarme como una bayoneta.

¿Estaba yo viviendo una trama creada por esta mujer o era la venganza propia de una mujer adolorida?

—Les puedo asegurar que "cuando el amor llega así de esta manera / uno no se da ni cuenta". Simón Díaz, el compositor venezolano tiene toda la razón, pensé.

Imagino que fue en los cielos de España a las cinco de esa maravillosa madrugada donde lo logré, le robé un beso y se cumplió un sueño.

El gigantesco aparato pisó suelo francés suavemente, a la hora señalada. El aterrizaje lo presenciamos perfectamente a través de nuestras pantallas interiores.

Al llegar tomamos nuestro equipaje de mano y salimos como si nada hubiese ocurrido a 30.000 pies de altura. Yo no pude contener mi aire de triunfador, de hombre realizado. Al fin y al cabo, esto es lo que me llevo.

—Nosotras somos corazón y pasión pronunció ella. Pero aún no estoy preparada para lo que tú esperas.

—¿Y nosotros?

—Sexo como máquinas —me contestó con tono profesoral y desplegó su sonrisa. Yo también sonreí con el ceño fruncido y golpeado por la imprudencia.

—Pasamos la inmigración, recogimos las maletas y salimos a la puerta del aeropuerto de París. Nos despedimos, le dí un beso en la mejilla y entró a la fila. Cada uno tomó su taxi y siguió su destino. Fue el epílogo de lo que empezó con un tropezón un día antes, en la Capital del Sol, en Miami, con una mujer inolvidable.

—Lléveme a esta dirección —le solicité al taxista, y le entregué el papel con la indicación que me habían dado en el periódico.

Había un clima agradable, 20 grados centígrados, similar al de Medellín o Guatemala. —¡Que me quiten lo bailáo ! repetí en el taxi camino al hotel.

—El valor de la carrera es de 39 euros dijo al final. Cancelé el valor del servicio del taxi, entré al hotel, me registré y me asignaron la habitación. Subí, tomé un descanso en la cama, vi televisión y cuando me disponía a bañarme sonó el teléfono.

—Tiene una llamada anunció la operadora.

—Soy la fotógrafa free lance que lo acompañará en la cobertura del aniversario de París. —Nos vemos en una hora en el lobby propuse.

—De acuerdo aceptó la voz al otro lado de la línea.

Bajé, dí unos pasos a un lado entre una dama que se registraba y otra que salía y me acerqué a la recepción. Cuál sería mi sorpresa: tuve contacto visual inmediato con una mujer que me era conocida.

En segundos la ubiqué la mujer del vuelo Miami-París. Nos saludamos. Ella enmudeció y yo no podía creer lo que me ocurría.

—¿Será esta la fotógrafa? pasó por mi mente.

Transcurrieron unos segundos que parecieron días. Los dos estábamos en shock.

—Nunca en mi vida de azares, me había pasado algo igual pensé con un poco de confusión y opté por salir del embrollo:

—De modo que seremos compañeros de trabajo. Comenté.

—El mundo es un pañuelo. Replicó ella.

—¿Tu nombre? dije.

—Tamora Negrete —respondió.

—¿Y tú?

—Enrique Córdoba.

—¿Cómo?

—<<El fotógrafo va para el mismo hotel>>, allí se encuentran —fue todo lo que me informaron en el periódico. Nunca me dijeron quién era, ni me precisaron que se trataba de una fotógrafa.

—Yo, casi no vengo. Todo fue de carreras y con presión a última hora —dijo Tamora. Sin saber, ya te he contado parte de mi historia, —añadió sonrojada. <<Lo que ocurre conviene, dicen los cubanos>> —dije. No hay casualidades en la vida. Salimos del hotel y nos dirigimos a un rincón de París para empezar nuestro trabajo periodístico.

Agente de la CIA

<<Si. Yo empecé a trabajar como agente encubierto con los nazis y a la misma vez con los comunistas; es algo confuso. Estuve infiltrado en las pandillas de las motos y trabajé de encubierto profundo, es decir, viajando a otros países>>. Esto fue lo que me dijo, a los pocos minutos de haberme saludado, un gringo alto, macizo y con el cuerpo de Charles Atlas. La historia me interesa —pensé, y vi el reloj. Tenía premura de irme para el Aeropuerto Internacional de Miami. Seguí indagando.

—¿En qué países trabajaste?

—En Tailandia, varias veces durante la guerra de Vietnam. Cumplí misiones en Alemania e Israel. En América Latina viví cuatro años en Buenos Aires. Viajé por todos lados: Colombia, Chile y Bolivia. El hombre pidió leche fría para mezclarle al café y bajarle temperatura al "cortadito" —café con leche— que se iba a tomar. Aseguró haber investigado el caso de drogas de Roberto Suárez en Bolivia.

—Escribí el libro: "La gran mentira blanca" —sostuvo.

—¿Porqué ese título? —pregunté.

—Porque las guerras son una mentira tremenda —contestó. Yo trabajé con mucho éxito y llegué al tope. Pude conocer personalmente

los que dominan el negocio del narcotráfico. Cada vez me enteré de que esas personas estaban protegidas por la CIA. Me asombré de su declaración y le pregunté:
—¿Y cuál es la razón? —
—Por varias razones —dijo.
El hombre saboreó con gusto el café cubano y expresó:
—Mira, la CIA —por ejemplo— protegía a los jefes de la droga.
—¿Cómo puedo comprobar que tu fuiste agente secreto? —le pregunté. Sacó su licencia de conducir del estado de Nueva York, y me enseñó varios documentos. Efectivamente yo estaba hablando con Michael Levine. Uno de los agentes mas condecorados por las cuatro agencias del gobierno federal de los Estados Unidos para las que trabajó, incluida la DEA.
—¿Por qué las autoridades persiguen únicamente a los carteles de América Latina: México, Colombia, Perú, Bolivia? —pregunté de nuevo.
—Mira, sí tienes razón —respondió. Si enfocamos todos nuestros recursos, por ejemplo, en los compradores de droga, ganaríamos esa guerra en dos años.
—¿Qué intereses hay de por medio en esta guerra? ¿Por qué razón ingresa droga a los Estados Unidos, una nación tan poderosa y con tecnología para controlarla? — interrogué.
—Mira hay una demanda tremenda —argumentó. Hay menos de tres millones de personas que son los compradores grandes de los Estados Unidos. Compran el ochenta y cinco por ciento de todas las drogas.
—¿Porqué razón la Policía no los captura? —pregunté.
—Porque el "Partnership", no quiere que lo hagamos.
—Cuándo usted fue agente encubierto de la DEA y cumplía un operativo ¿recibió alguna vez orden de suspenderla?, —interrogué—.
—Si. Fue en mi primera operación secreta. Fue en 1971 en Tailandia para la guerra de Vietnam. Me metí con un grupo de traficantes chinos y conviví con estos en Bangkok. — ¿Qué operaciones has realizado en América Latina? —pregunté.
—Yo tengo filmado cuando soborné a un coronel del ejército mexicano y a un nieto de un ex presidente de México —afirmó—.

—En este caso los videocasetes de cada reunión fueron trasladados de inmediato a Edwin Meese, Procurador General de los Estados Unidos, en Washington. El llamó al Procurador General de México para advertirlo de nuestro caso. Esto sucedió en 1987. El ex agente hablaba con seguridad y precisión en perfecto español. Volví a preguntarle:

—¿Cuál es tu experiencia en actividades encubiertas en Cuba?

—Hay gente del gobierno de Castro involucrada con el narcotráfico. Un compañero me juró que una vez cuando estaban listos para dar el golpe final, entró la CIA para "jorobar" el caso y evitar que estos funcionarios cayeran presos. ¿No le preocupa andar tan tranquilo por una calle de Miami, no le preocupa que la mafia, que los carteles lo quieran asesinar? Secó el sudor de la frente con un pañuelo, por la alta humedad de Miami y enfatizó:

—No. Los carteles son hombres de negocios. Se dan cuenta que necesitan que exista un tipo como yo para ganar esas fortunas. Si no fuera porque hay gente trabajando encubierta en el mundo, este polvo valdría nada más que diez centavos. Por eso aceptan la existencia de tipos como yo. Michael Levine se acarició el bigote, tomó un sorbo de café y dijo:

—Yo me jubilé, fui jefe de la División de Toxicomanía, en Massachussets durante un año. Fui asesor de la Policía en estrategias de trabajo encubierto. En la pausa, Levine buscó un libro en su maletín y me lo enseñó. Su titulo: "Encubrimiento en profundidad".

—La versión en inglés es un "best seller" —afirmó.

—Léalo y me llama, ayúdeme a promoverlo —dijo. Me dio su tarjeta de negocios y nos despedimos. Así es Miami. Un lugar magnético del mundo. Una ciudad de película, multicultural, atractiva, con sol, playas y gente inesperada que aparece donde uno menos piensa. Este puede ser el Schwarzenegger de la Calle Ocho —dije al camarero a la salida del lugar.

Tom, billonario en Key West

Entre Miami y Key West hay tres horas de viaje y a lo largo del camino se viven momentos de estupendas sensaciones: paisajes de aguas cristalinas, puertos llenos de botes con cañas de pescar y los olores salobres del mar. Entrar a pueblitos y caseríos y acercarse a la vida de gente que no cambia la informalidad cotidiana y la orilla del mar por ningún otro lugar en el mundo.

Para ellos el paraíso es ese lugar donde pueden vivir despeinados por la brisa y sin más protocolo que unos pantalones cortos, una sonrisa y la piel bronceada por el sol abundante de todos los días. Los pobladores de Key West se sienten libres y alejados de la esclavitud de los relojes. Su único compromiso es aguardar la caída del sol junto a las dos compañeras: la mujer y una cerveza en la mano.

Más que una carretera, ésta es una vía de 150 millas que se dirige al mar y une islas, islotes y cayos hasta llegar a Key West, la última y la mayor. Exactamente son: 100 islas y 42 puentes, un regalo de la naturaleza. Key West ha sido un imán para pescadores, artistas, escritores y políticos. Además un edén para la comunidad gay, cuentan con hoteles exclusivos, bares, discotecas, tiendas y festivales publicitados en toda la nación. Cuando Harry Truman fue presidente de

Estados Unidos permaneció buena parte del año en Key West. The Little White House, es un monumento histórico gran atracción para los visitantes, que guarda instantes de la vida nacional. Frente, en el 303 Whitehead Street, se lee una tablilla con un aviso: lugar de nacimiento de Pan Am Airlines.

Cada esquina de esta ciudad de veraneo y turismo recuerda un personaje reconocido que estuvo por allí. La casa donde vivió el escritor Ernest Hemingway, Premio Nobel de Literatura, es una de las mayores atracciones, un museo al que acuden ejércitos de turistas de todos los países. Incluso, las calles, las casas y bares que ayer fueron establecimientos de ilegalidad y casas de prostitución, hoy son lugares que hacen gala de aquellas historias que escuchan alucinados miles de visitantes curiosos. Key West es puerto de cruceros, portal del Caribe y vitrina exótica, si no, que lo digan los gays, que pasan dichosos desfilando en las tardes por Duval Street.

La isla de Sunset Key, se encuentra a cien metros de Key West y tiene todas las comodidades que un ser exigente puede pedir. Se llega en un bote para soñar despierto. Oprah Winfrey, la popular presentadora de la televisión americana, celebró su cumpleaños en el cottage donde yo estaba alojado—, me comunica la camarera. Dice que Oprah vino con un séquito de amigos y famosos. La tarifa de un cottage de dos o tres cuartos y vista al mar, es de US 1800 por noche—, me dice. Yo no pago, —por supuesto— soy invitado. Alguna ventaja deja ser periodista. El periodismo es un oficio con el que se vive cómodo sin ser adinerado.

Sunset Key es un edén, con la exuberancia de luz y optimismo a esta hora de la mañana. Tomé mi café sin azúcar, revisé la prensa en internet y mi correo electrónico, para salir a la ventana, tocar la brisa y ver la gente gozando en los veleros. Todo es agradable aquí, las islas, el sol, el paisaje.

En la tarde recibo una llamada. Suena el teléfono con una buena noticia.

—Mr. Welsh me invita a ver la caída del sol en su casa y tomar una copa de champaña —dice su asistente— lo espera a las cinco.

Mr Welsh es el propietario entre otros negocios, de la cadena de hoteles de lujo Westin; el dueño de esta isla.

Me puse una guayabera y salí a la cita con el magnate. Según el maestro Luis Zalamea, los millonarios son personajes para mantenerlos lejos. Si uno busca a un millonario, lo primero que piensa es que uno va a pedirles su dinero. Por eso es mejor que ellos lo inviten a uno.

Caminé unos cien metros por una trilla de arena, al lado de las ochenta cabañas llegué a la propiedad de Tom Walsh.

Me recibe con sencillez tanto él como su esposa. La vista, ya se imaginarán, es incomparable. La mansión de varios millones de dólares la usa su dueño contadas semanas al año.

—Tiene una residencia para cada estación—, me comentó confidencialmente una de las camareras.

—Esta es para el invierno, tiene otra en la montaña, una más en Nueva York y la de California.

Esta casa de dos plantas y doce cuartos tiene jardines, piscina, helipuerto, una cava para dos mil botellas de vino y una playa con palmeras. El ángulo es ideal para vivir el momento culminante de la tarde. El mar atrapando al sol y los colores inundando el horizonte.

Compartimos con Thomas y su esposa muy cordialmente, y como recuerdo de la bella tarde nos tomamos unas fotos. Obviamente me engolosiné tomando fotos a la puesta del sol.

De la vida privada supe que Thomas fue un niño emigrante que llegó de Irlanda, con los zapatos rotos. Pasó angustias para conseguir un bocado de comida en sus primeros días en Estados Unidos. Hoy es miembro del club de billonarios del país y a sus ochenta años no cesa de pensar en los negocios.

El día que lo conocí supe que había firmado la compra de la isla que está frente a Sunset Key. Es un islote de varias hectáreas. Tiene en la orilla un galeón hundido al que solo se le puede leer el anuncio borroso de un antiguo casino.

Thomas —según mi fuente— es un hombre metódico y curioso. Después que enviudó adoptó la costumbre de ir siempre al mismo restaurante, buscar la misma mesa y sentarse en la misma silla. La camarera que lo atendía también era la misma, a quien le correspondía atender esa zona.

La camarera era una mujer rubia, elegante y educada. Siempre tuvo las mejores palabras y la mejor atención para el comensal habitual. Con el tiempo la relación se transformó. Nació un noviazgo de telenovela y se casaron. Hoy la mujer que lo atendía en el restaurante, es su fina y delicada esposa que estuvo dispuesta a posar junto a mi para unas fotos del espectacular atardecer.

Al regreso una parada y una foto para el recuerdo, en el bar Sloppy Joe's, donde Hemingway se tomaba el famoso daiquiri que en su tiempo le costaba 0.35 centavos de dólar.

—Key West es una fuente de relax, tan cercano de Miami que debería visitarlo más a menudo, sobre todo ahora que tengo un amigo billonario.

En Key West corre una brisa cómplice que invita a vacaciones. Uno de los mejores Key lime pie se consigue en la milla 78 donde venden cerámica mexicana en el jardín.

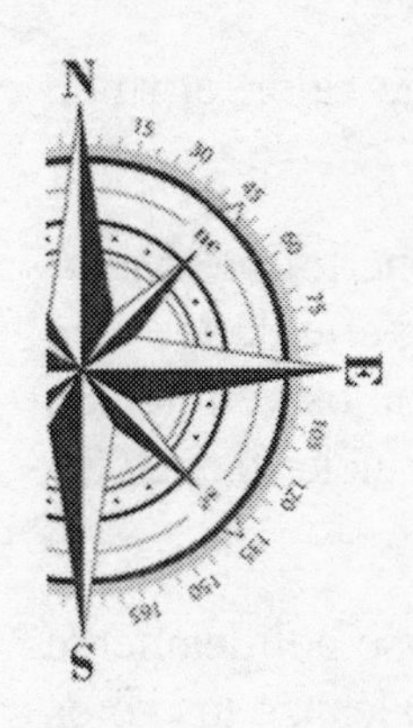

X. EN MIAMI EL CORCHO SE HUNDE Y EL PLOMO FLOTA

Haitianos en Florida

El vuelo aterrizó a las 5:30 pm. Llegar Miami, es entrar a un edén de azules, verdes, islas de casas fantásticas, conjuntos residenciales y autopistas por un lado y a un mundo de asalariados que sobreviven a la crisis, por el otro. El aire acondicionado del aeropuerto es tan fuerte que uno se siente dentro de una nevera gigantesca. Pero cuando se sale del edificio por el pasillo que da a la vía donde pasan los vehículos de los familiares y los taxis que reciben a los pasajeros se produce un cambio tan brutal que da la impresión que hubiéramos entrado a un horno.

El pasajero queda aturdido con la bocanada de calor, el ruido ensordecedor de los autos y el bullicio de la gente.

Salí sin demoras y busqué un taxi. En el aeropuerto Internacional de Miami hay muchos taxistas haitianos. Son parte de los cien mil inmigrantes que han llegado de allí en los últimos veinticinco años. Huyen de las condiciones de miseria y futuro incierto que aflige a los pobladores de la isla.

El éxodo a Miami les ha enseñado a movilizarse políticamente para obtener logros. Un haitiano —por ejemplo— alcanzó los votos para ser elegido comisionado en la ciudad de North Miami, donde se concentra la mayoría haitiana. Otro llegó a ser vocero del alcalde del condado Miami-Dade, en el año 2.000.

Haitianos son también muchos de los estudiantes de cursos del Miami Dade College, ingresan deseosos de aprender a hablar inglés correctamente. Los hay de otras nacionalidades, predominan los cubanos, y luego colombianos, venezolanos, argentinos, peruanos, etcétera. Si los miles de haitianos que se están formando en Estados Unidos regresaran para trabajar por Haití, el futuro del país cambiaría. Lo cierto es que, como ocurre con las otras migraciones, la gente prefiere quedarse y solo retorna a su tierra natal de vacaciones.

Taxista arreglador de muertos

Tengo una lista de amigos taxistas en Miami, uso sus servicios y los recomiendo a quien los necesita. Mi lista de taxistas en varios rincones del mundo es amplia. Hace poco Nicolás Aguirre, dirigente cívico de Miami por más de treinta años, oriundo de Ecuador y vecino en Brickel Bay me pidió referencias de uno en Guadalajara.

—Llama a Jacinto Delgadillo Curiel —le dije. Su vehículo esta bien cuidado, es confiable y solo pone música clásica en su taxi. Nicolás regresó encantado de los servicios de Jacinto. Los taxistas son termómetros de los pueblos, en todo el mundo.

—Yo he sido arreglador de muertos, yo he hecho de todo — me dijo un taxista oriundo de Pereira, tierra de mujeres bellas en Colombia.

—Vamos por la 836, en dirección a Brickell.

—Tuve que aceptar este trabajo porque no había más. Arreglaba cadáveres en una funeraria de la Calle Ocho.

—¿No me digas? —comenté curioso — .

—Era un turno de noche —imagínese—.

Trabajé en un cuarto que le llamaban la nevera, por la temperatura helada para mantener en buen estado docenas de cadáveres. Me tocaba solo, a media noche hasta el amanecer, cargar cadáveres, usted no sabe lo que pesa uno después de muerto. Ponérmelos en el hombro y vestirlos. Usted no se imagina eso. Al comienzo era una demora ponerle una camisa, le metía un brazo y cuando me daba cuenta, al final el muerto sacaba el otro brazo. Tenía que empezar el trabajo.

—Era una odisea —le digo—.

—No…no, eso era terrible. En la mañana me pagaban según el número de muertos que vistiera y dejara maquillados.

—Ah. ¿También los maquillabas?

—Claro debían quedar bonitos. Hubo una familia que pidió que le echara perfume a la señora, porque ese era su deseo en vida. En eso estuve casi un año. Pasé a vigilante en Dadeland Mall y hace cinco años soy taxista.

—¿El taxi es tuyo?

—No. Ojalá. Es rentado. Lo recibo a las 6 de la tarde y lo entrego a las 6 de la mañana. —¿Y el dueño?

—Vive en Nueva York, es dueño de varios medallones. El medallón es la licencia para tener un taxi. La historia terminó exacto frente al apartamento. Le pagué los 30 dólares, valor de la carrera. Me despedí del taxista. A los pocos dias, llamé al paisa Marino, otro colombiano. Se me presentó con un Hummer amarillo.

—Este es el único Hummer taxi —dijo orgulloso. A la gente le gusta tomarse fotos al lado de mi taxi.

Estar de paso, siempre de paso

"La capital del sol", otro de los títulos de Miami, ha tenido una rápida transformación. Los cambios se dieron a partir del 2.000. Son visibles especialmente en el sector urbanístico. Proliferación de nuevas ciudades en el Condado Miami Dade y llegada de otros grupos de América Latina: puertorriqueños, colombianos, venezolanos, argentinos y brasileros.

En el Miami de los 80, yo conocí historias cienfuegueras. De la familia de Cachao y del nacimiento de la Orquesta Aragón. Anécdotas de Chito Corao y de los restaurantes cubanos de la "sawesera", donde comí bistec de carne con yuca y fríjoles negros por US 2.99.

"Casablanca" era un restaurante en la Calle Ocho con avenida 16. Era frecuentado por cubanos y suramericanos de todos los bolsillos. Coincidimos más de una vez con Fernán Martínez Mahecha, César Marulanda, Jaime Flores, Gerardo Reyes, Darío Restrepo, el comentarista deportivo argentino Enrique de Renzis, (q.e.p.d.) Víctor Manuel Velásquez y Tuto Zabala. Hablábamos del Miami de aquellos años y de los contrastes que nos impresionaban.

—Tú caminas por un barrio aquí —dijo De Renzis— y si ves el garaje lleno de autos sabes que una familia numerosa vive allí.

—Si estás en Argentina, y ves muchos carros, es porque hay una fiesta, —decía. Todavía me encuentro en cafeterías y librerías con Raúl Salazar, un filósofo cubano nihilista, estudioso de la obra de José María Vargas Vila, el escritor más universal que tuvo Colombia en Iberoamérica, antes de Gabriel García Márquez.

Salazar es un personaje de Miami. Cuando él empieza a hablar, nadie lo detiene. Carlos Alberto Montaner sostiene: "No hay nada más peligroso que un cubano con micrófono". Bueno, Salazar no necesita micrófono. <<Estamos en una sociedad sensualizada o sexista, como la llama el sociólogo Soroki— agrega Salazar— donde los valores del espíritu se han aniquilado>>.

Peina su cabellera con la mano abierta y sigue: <<Nunca pensé vivir en Miami. Ni en otro país que no fuera el mío. Creía que no tenía madera para el desarraigo>>

La confesión de Salazar me remite al poema "Desterrados" de Miguel Ángel Asturias. El médico guatemalteco Oswaldo Mazariegos residente en Luxemburgo, a su paso por Miami grabó estos versos para mi programa de radio:

<<Y tú, desterrado: Estar de paso, siempre de paso, tener la tierra como posada, contemplar cielos que no son nuestros, vivir con gente que no es la nuestra, cantar canciones que no son nuestras>> Nadie sale de su país porque quiere, sino porque las circunstancias se cierran y uno cree que afuera le irá mejor. A todos nos ocurre igual. Empezamos aceptando oficios que jamás se nos pasó por la mente que iríamos a desempeñar. Aún cuando en este país existe un pensamiento que te meten en la psiquis desde que atraviesas la aduana: "El trabajo no es deshonra". Y con ese cuento lavas platos, conduces horas y horas, consigues otro "part-time" y terminas esclavo del sistema trabajando sin parar.

A los cinco años cuando levantas la cabeza ya eres una máquina. Dices "no hay como lo nuestro: la gente, la comida, el paisaje, pero no sé qué tiene este país, que ya uno no lo quiere dejar. Te acostumbras a él".

Vértigo americano

Miami me recibió con su luz mágica, calor, humedad y las cosas placenteras de siempre. Atrás quedó el desierto y las tradiciones árabes de donde venía. Aunque estar fuera de casa produce cierto grado de incertidumbre, la curiosidad de mi vocación para mantener los sentidos abiertos, me mantiene. Estoy feliz en casa luego de tanto tiempo por fuera. Me esperan cerros de mensajes, cuentas por pagar y más trabajo. Volver a Miami es subirse a un tren de 180 kms por hora. El sistema de Estados Unidos atrapa y el vértigo domina la vida. Asumo mis deberes por un tiempo, pero en el fondo sé que debo volver a mi peregrinar que es mi destino. Me gusta la organización y el respeto de la ley en este país, pienso mientras preparo un gin-tonic con toque de ginebra. Hago comparaciones con América Latina donde una fiesta dura hasta el amanecer y no hay quien proteja del ruido a los vecinos, si se llama a la policía y los dueños de la parranda son políticos o mafiosos, es tiempo perdido. Eso es lo que conquista a los inmigrantes, pueden ser los hijos del Presidente, pero si violan la ley se produce una sanción. No es que todo sea perfecto, pero la justicia tiene más presencia.

Sensaciones de Miami

Miami es un emporio de sensaciones. Más que una ciudad es un concepto espacial que nace a la orilla de la bahía de Biscayne. Se extiende desde los bordes de Homestead al sur, hasta la frontera de Palm Beach al norte. Cuando se habla de Miami, el pensamiento de la gente abarca todo este territorio, todas las ciudades del Condado Miami Dade y algunas ubicadas al norte. Miami tiene un encanto que solo disfrutan quienes viven allí. Ofrece sol 360 días y la luminosidad buscada por los pintores. Clima cálido todo el año, con excepción de diciembre, enero y febrero cuando se respira un leve frío. Tiene mar y se consigue cocina y gente de todos los países de América Latina y Europa. Además se puede vivir con lo mejor del primer mundo y las delicias del subdesarrollo.

El transporte no es tan eficiente, pero uno procura salir a los extremos del Condado en horas apropiadas.

Para qué voy a salir

Hay gente a quien no le interesa ir a otros lugares. Toño León, el boticario de Lorica, por ejemplo nunca quiso salir del área urbana del pueblo. "Para qué voy a salir de aquí si la gente es igual en todas partes", decía con vehemencia hasta el día de su muerte

—¿Cuando va a Colombia? —le dije alguna vez a Migdalia Membiela, la mamá de Roymi, mi primera esposa.

—A mí no se me ha perdido nada en Colombia —respondió.

—Déjeme tranquila aquí en Miami que ya ni a Cuba me interesa volver. La Cuba que yo dejé, no existe, —enfatizó.

Inés de Fátima Pereira, mi suegra, en cambio mantiene una maleta arreglada y lista todos los días del año.

—Estoy lista para salir de viaje —dice—. En cualquier momento cuando Antonio, indique ya tengo la ropa arreglada.

Existen otros que aborrecen los aviones y tienen que tomarse media botella de whisky para llenarse de valor y arrancar.

—Para mí —escribió el periodista Ryzard Kapuscinski, los más preciados son los reporteros etnográficos, antropológicos cuya finalidad consiste en un mejor conocimiento del mundo, de la historia, de los cambios que se operan en la Tierra.

En mi opinión viajar es la mejor inversión; salir y conocer otras culturas enriquece, despierta la solidaridad con los otros y abre la visión del mundo.

Periodismo en los ochenta

Hacer periodismo en Miami en la década de los ochenta era una proeza donde teníamos que soportar mucha presión.

<<Capturaron a los policías que le robaron la droga a los narcotraficantes y luego los mataron en el río Miami>>. <<Detenida una banda que le vendía automóviles de lujo al Cartel de Cali>>.

"¡Escribe de esto! ¡Mándanos sobre aquello!", eran las pautas que recibía de mis editores del periódico desde Bogotá. La información de esos años giraba alrededor del narcotráfico. Debía mantener contacto permanente con voceros de la DEA, la Policía, la Aduana, las Cortes, las prisiones y los abogados para mandar mis corresponsalías. Esas eran las principales fuentes.

Llegué a Miami en tiempos tenebrosos, recuerdo. Una época en que los colombianos caminábamos por las calles de Miami y Nueva York con un pie en la cárcel y otro en la mira de la sociedad, la prensa y los agentes encubiertos. "Los colombianos somos los únicos inmigrantes obligados a demostrar las veinticuatro horas del día y de la noche que no somos narcos”, decía Roberto García-Peña Jr., en sus tiempos de cónsul en Miami. García-Peña. El fue uno de los gestores de la acertada idea de negociar la adquisición de una sede propia para la misión consular colombiana en Coral Gables.

Pocas caras de aquellos tiempos quedan por ahí. Unos regresaron a Colombia, otros terminan condenas y uno que otro pasó a ser noticia de la crónica roja. Uno se echaba la bendición por la mañana al salir de la casa, buscando un poco de suerte y protección divina para no terminar en la noche en una celda. Andabas a la buena de Dios. Con tu moral entre cejas y confiando en que tu ángel de la guarda no se descuidara.

Una noche estaba en La Tranquera –un bar colombiano de la Calle ocho- con Héctor Alarcón —su propietario—, Rafael Vega, Edgar Chávez, Oscar Henao y unas personas que acaba de conocer. El ambiente era de trago va, trago viene, música salsa a todo volumen, humo y luces de colores. Meseras jóvenes de glúteos generosos y senos exuberantes, desfilaban por entre las mesas atendiendo los pedidos y cumpliendo su tarea de excitar los sentidos de los clientes.

—Esta botella es una invitación de aquella mesa—, dijo la muchacha que nos atendía, ahí en el bar de la calle 8.

Yo miré hacia esa mesa y no logré divisar caras conocidas.

—Ahí está Pedro.

—¿Quién es Pedro?, —pregunté.

—Después te contamos, —me dijo uno de los amigos de mi mesa. Consumimos la botella de whisky. Luego supe la historia. Era el encargado de administrarle los dineros a un peso pesado del narcotráfico. Pasados unos años se le veía al frente de una promocionada empresa de telecomunicaciones con sucursales en varios puntos de Miami y Broward.

—Murió Pedro, en Colombia, —informó alguien.

—¿Dónde? ¿Qué pasó?

—Tú sabes que él estaba detenido en una cárcel del Tolima. Lo que dicen es que al guardia se le salió un disparo del arma que limpiaba y lo mató. La gente especulaba y creaba versiones.

—Eso no lo cree nadie. No lo mataron aquí y fue a morir en Colombia. Acudir a casa de alguien a cenar, ir de parranda o subirse a un automóvil era una decisión con final desconocido y muy difícil de tomar. Igual deliberación requerían los negocios. Los periódicos, la radio y la televisión local disfrutaban concediendo grandes despliegues informativos al desarrollo de los operativos antidrogas. La única nacionalidad que se mencionaba entre los delincuentes era la colombiana. Un poco de injusticia porque más de uno se lucró con el ilícito.

—Parte del esplendor de Miami y de los capitales y pujanza de muchos se deben a la corrupción de muchos gobiernos en el mundo y a los dineros de la mafia y los narcos —, sostiene en North Miami el economista Ricardo Rocha, el "Adam Smith" de María La Baja.

Amante de Siete Reyes

Al frente tengo un libro de una exitosa escritora uruguaya a quien conocí en Montevideo.

Con Carmen Posada nos hemos visto en Montevideo, Miami y en Madrid. Reside en España donde lleva más de dos décadas haciendo goles en el campo literario. Ganó un premio de novela Alfaguara y las obras que publica se convierten en best-seller.

Carmen me pidió que la presentara con ocasión de su asistencia a Miami Book Fair, con "La Bella Otero" y yo encantado leí la obra cuya historia me enganchó y la comparto.

La protagonista es una bailarina gallega, no reconocida por su padre, que terminó convertida en "sex simbol" de la "belle époque". Tuvo por amantes a reyes y magnates, luego de haber pasado necesidades en su infancia.

Cambió su nombre de pila Agustina Carolina Otero Iglesias por: Carolina y dilapidó una fortuna calculada en unos 409 millones de euros al cambio actual. Conocida en Francia como "La Bella Otero", se le recuerda por haber sido una de las tres mujeres más hermosas de su tiempo. Jugó con el amor de los hombres más poderosos de la época y viajo haciendo presentaciones por Inglaterra, Rusia, Argentina y Estados Unidos.

El Príncipe de Gales le obsequió una diadema de oro y esmeraldas colombianas. Leopoldo de Bélgica, dueño del Congo tuvo con ella una cita de amor en el Castillo de Saint Michel.

No podía quedarse atrás el zar Nicolás II. La mandó a buscar en su carruaje personal para que juntos disfrutaran a orillas del río Neva. Después durmió con el káiser Guillermo. Alberto de Mónaco la apabulló con joyas. Por último, Alfonso III, el benjamín del grupo, cerró el círculo de los hombres poderosos que la asediaron.

Los multimillonarios la seguían con sus caprichos por Nueva York, Australia, París y San Petesburgo. Era una "trabajadora horizontal" que sabía cotizarse. Llegó a ser la medida de los que gastaban en mujeres costosas. El 4 de noviembre de 1898 cumplió treinta años. Ese día un amigo le preparó una fiesta sorpresa. Cuando entró al Restaurante Maxim´s de París la esperaban gobernantes y hombres de fortuna y fama. Aseguran que fue la primera artista española conocida internacionalmente.

La historia de la vida de la vedette, que se inventó que era de origen gitano, parece un guión de película.

Viene lo absurdo: la mujer más codiciada huye de la vida mundana a los 45 años. Rechaza presentaciones teatrales en la Opera de París. Se aleja del mundanal ruido y no quiere que la vean cuando le lleguen las arrugas. Se esconde en un chalet en Niza donde le llevan la comida a domicilio desde un restaurante. Allí espera la muerte, que solo le llega el 12 de abril de 1965, a los 96 años. Es decir que más de la mitad de su vida transcurrió en soledad, escondida para que no la vieran envejecer. Una mujer irrepetible.

Mi infancia es un aguacero

Esa mañana llegué al Barrio de "La Candelaria" de Bogotá para conversar con el novelista Manuel Zapata Olivella, un médico, investigador y folclorólogo de Lorica, a quien admiré desde mi infancia.

—Maestro ¿cómo se siente la vida a los 82 años?

—Uno descubre a esta altura no los pasos andados a lo largo de la vida sino un reencuentro con la infancia. En vez de 82 años uno se siente un niño de cuatro años y esa memoria infantil lo alimenta como para vivir otros ciento ochenta años. En el caso mío, todas estas memorias están íntimamente ligadas con la familia y con el pueblo donde igual que tú, nací: Lorica. Así pues que contrario a lo que puedas estarte imaginando, en las experiencias de un vagabundo que no dejó de visitar ningún Continente, hoy en día está metido ese ambiente placentero.

—Usted es un hombre que no ha desperdiciado un minuto en la vida — dije. ¿Qué ha dejado de hacer, qué más quiere hacer?

—Uno siempre tiene en mente muchas cosas por realizar. Sin embargo, en este momento yo me siento plenamente realizado. Yo espero que dentro de 50 u 80 años, estos libros que hoy en día muy pocos han leído, me pongan a caminar otra vez en la mente de los lectores. Para entonces, seguramente ya en Colombia habrá un cien por ciento de lectores activos.

—Al final de mis estudios de médico fuí donde el doctor Alfonso Uribe, profesor de clínica médica a preguntarle si estaba loco —relató Zapata Olivella.

—El me examinó con mucho cuidado y dijo: pues si quiere vagar, lárguese, porque usted no está loco, lo que tiene es afán de ser. Y me lancé a la aventura.

—Este diagnóstico me dio vía libre para abandonar la medicina y salir a vagar por el mundo como Panai Istrati y Jack London, mis autores favoritos.

Zapata fue estibador en Panamá, boxeador en Centroamérica y enfermero en México. En 1945 llegó a Estados Unidos y le entregó los manuscritos de "Tierra mojada" a Ciro Alegría, escritor y político peruano, uno de los máximos representantes de la narrativa indigenista. "El arte de escribir no es más que mañas propias y mañas aprendidas de otros escritores" —, le aconsejó para escribir y él lo hizo: "La calle 10", "Chambacú, corral de negros", "En Chimá nace un santo", "¡Changó, el gran putas!", "Hemingway, el cazador de la muerte". Caminante, antropólogo, cineasta, cuentista, médico de la Universidad Nacional de Bogotá.

—¿Qué nostalgias le trae la Bogotá de hoy…?

—La nostalgia, desde luego, frente a una tragedia como la que vive el país es una cosa cotidiana. Se refugia uno en esa memoria para poder soportar los impactos de los cambios violentos que se han vivido aquí, pero, por mi condición de antropólogo preocupado por la historia y particularmente por los procesos de colonización que hubo en este país, no puedo dejar de relacionar lo que se está viviendo hoy con lo que se debió vivir aquí en esa época terrible de la conquista, cuando sabemos de un país como el nuestro que tenía unos 15 o 20 millones de habitantes y cuyo número fue reducido a la mitad por actos de violencia. Estas experiencias vividas, como dice Frantz Fanon, se acumulan en el inconsciente... en los códigos genéticos.

Es pues necesario tratar de contraponer a esa realidad caótica, dolorosa, fratricida, la idea de que siendo todos nosotros multiétnicos, no hay aquí en Colombia nadie que no tenga una gota de sangre amerindia o africana o española. Si se llegase a tomar conciencia de que ese mestizaje nos está determinando, no creo que haya alguien consciente de este hecho que se atreva a lanzar una piedra contra un vecino. Yo sueño, ese futuro, ojalá no se demore, y esa es la añoranza que tengo, no tanto del pasado sino una añoranza por lo que considero que ha de venir: la fraternidad".

—¿Cómo recuerda su infancia?

—Yo nunca he podido determinar si lo que yo estoy diciendo es verdad o es fantasía. Pero mi primer recuerdo de Lorica es el gran aguacero que cayó en el momento en que yo nací.

En "Tierra Mojada" está retratado el ambiente de animales, caimanes, pisingos y garzas llegando por las tardes a los árboles. Esto pervivió en mí que quise ser zoólogo y mi padre insistió que dejara ese capricho. Me matriculó en medicina y al salir de la oficina del decano me echó el brazo y me dijo: te saliste con la tuya, serás un gran zoólogo. Te he matriculado aquí para que estudies al más grande de los animales: al hombre. Desde entonces para mí la carrera de medicina fue el conocimiento del hombre como animal y de allí que me hubiera matriculado espontáneamente además en la carrera de antropólogo. Zapata Olivella murió a los 84 años, y cumpliendo su voluntad sus cenizas fueron lanzadas al río Sinú. "Aquí está enterrada la placenta de Zapata Olivella", decía un pasacalle a la entrada de Lorica. Lo ordenó el novelista en una campaña electoral.

En Cartagena: *buena esquina, buen escenario*

Los rayos del sol caen sobre el mar de Cartagena de Indias. Me llega el olor salobre y el colorido del ocaso. Atrás ha quedado la caminata por las calles que han visto pasar conquistadores, piratas, inquisidores, clérigos, esclavos, reinas, millonarios, escritores y aventureros. Charlar con un nativo en una esquina es una experiencia cultural.

Los turistas se detienen y toman fotografías de las murallas, a un vendedor callejero de café y a un cochero que desafía la humedad de la tarde.

Nicomedes Vergara, guía de turistas, sentado frente a mí reconstruye su diario:

—Los cartageneros nos levantamos a las ocho de la mañana. Luego se comparte y se habla de los temas que apremian a la familia. Para mitigar el bochorno de la tarde pide una cerveza fría al tendero el kiosco. Continúa:

—Si no se tiene nada que hacer, no hay nada mejor después de un buen desayuno que irse a la esquina del barrio con los amigos para hablar de deporte, de música, de política, de comida y de planes.

Toma un trago de cerveza y sigue:

—Ya todos sabemos que las cartageneras son muy hermosas, una buena esquina es un buen escenario para verlas pasar y echarles un piropo. Así se hace en el barrio —dice—, pero hay quienes se van al centro.

Desde el mismo instante en que el viajero llega en avión o por barco, se enamora de esta ciudad que tiene un poco de Cádiz, de La Habana, de San Juan de Puerto Rico. Si además es amante de la música, la historia, de conversar con la gente y del pescado, los días pasarán volando. Cartagena es una de las ciudades más fotogénicas del mundo.

Es el único sitio del Caribe donde se mantiene en pie una extensa muralla de más de doce kilómetros de largo. Construida por España para proteger a la ciudad de los ataques de los piratas y corsarios ingleses, franceses y holandeses. Es una joya que le da carácter y belleza a la urbe.

Cartagena es una ciudad de islas y canales. El barrio Manga está unido al casco colonial por el estratégico puente "Román". Aún se conservan algunas casas de espaciosas salas, cuartos y terrazas construidas por familias adineradas a comienzos del siglo XX. Siguen el estilo y la pauta de los ingenieros que hicieron casas en La Habana. Una de las que mejor se conserva pertenece a Teresita Román, autora de un libro con 1300 recetas de cocina criolla, titulado "Cartagena en la olla".

Ariel Román, oriundo de Cartagena y promotor turístico se ofrece y nos conduce hasta el cuarto de las muñecas en la casa de su tía Teresita. Maripaz se asombra al ver el cuarto lleno de muñecas.

—¿De quién son tantas muñecas?—, averigua.

—Esta es una colección hecha por mi tía—, afirma Ariel.

Son más de mil muñecas traídas de todo el mundo.

Aún cuando Cartagena está rodeada de mar por todos lados, el mejor programa de playa y lancha y pesca, está en el archipiélago de las islas del Rosario. Se llega en solo cuarenta minutos en lanchas que salen desde la Bahía de las Ánimas, el malecón de Castillo Grande o el Club de Pesca. Como resultado de la mezcla del negro, el europeo, el indígena calamarí y la gran inmigración árabe que arribó en el siglo XX, el cartagenero es un ser único con un toque caribeño que le da colorido a la ciudad. Más allá del área turística, existe una Cartagena amarga y excluida del bienestar que gozan los "blancos". Esta es una situación que avergüenza a la sociedad cartagenera y al Estado colombiano, que debe resolverse para bien de la ciudad.

Cartagena es cadencia, cuna de la cumbia, fortín de la salsa y propulsora de un ritmo creado en los arrabales populares: la champeta, bailada por los jóvenes con arte y sensualidad.

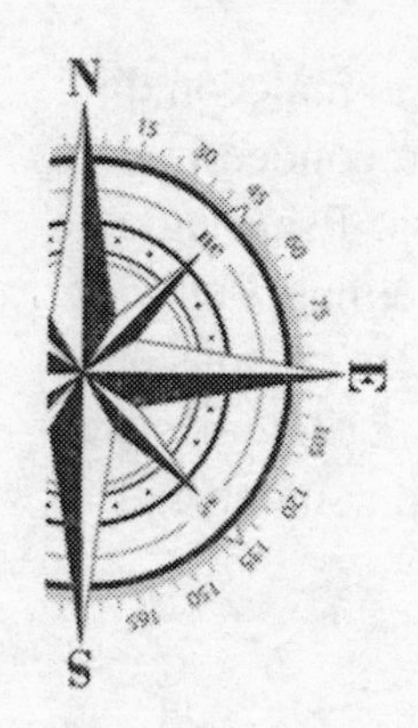

XI. LORICA ES UN INVENTO ZENU

Nelson Pinedo en la Cuba de Oro

Nelson Pinedo cumplió su palabra empeñada desde Caracas, el sábado fue a Nueva York a recibir un premio de la ACE y el lunes llegó a Miami, a mi programa "Cita con Caracol".

Las canciones de su época sonaron de fondo y él abrió el baúl de los recuerdos.

—Me tocó vivir la Cuba de Oro, eso fue algo increíble. Fue una época que disfruté a plenitud. Considerada la Meca Mundial de la música. Cuba hacía música para el mundo.

—Los triunfadores tenían que refrendarse en La Habana —comenté.

—Tú lo has dicho: El triunfo era en La Habana.

—¿Cómo era esa Habana?

—Te lo voy a resumir con una frase que pronunció Agustín Lara cuando llegó a la isla. Después que lo pasearon por el malecón dijo: "Habana, el que no te conoce no te ama". Hay que conocerla para amarla. Es una ciudad viva, tiene alma, es mágica. Esa magia se esparce hacia la isla. Esa isla, toda es mágica. Tiene magia en todo. Tú sientes la música. El cafecito que se tomaba en las paradas de la guaguas, todo eso era una cosa que uno sentía. Había ritmo hasta en el modo de caminar de la mujer cubana por la acera, con una cadencia; eso hay que verlo para entenderlo.

—Ubícate en una calle y descríbela —le digo.

—Yo hice un tema que me llevó Zenén Suarez. Él me compuso varios temas, como este: "De las calles de La Habana, todos tienen que decir, todos tienen que decir, pero de muy buena gana. Como si esto fuera poco es la nota del momento, el comentario que tiene La Esquina del movimiento...". Esta guaracha tiene su historia. Yo le pregunto a Zenen: ¿por qué le pusiste ese nombre? "La Esquina del Movimiento" y él me lo explicó. Y ahora yo te lo voy a explicar: En La Habana había dos tiendas famosas, "Mis Encantos" y "Fin de Siglo", eran dos tiendan de gran categoría. Las empleadas eran muchachas seleccionadas como si fueran para un concurso de belleza. Al salir a las cinco, cinco y media de la tarde, las de una y otra tienda, —todo ese mujererío— se encontraba en la esquina entre Neptuno y Galiano, Industria y San Rafael, ese era el rumbo por donde ellas se encontraban. Nosotros, tú sabes, los que queríamos estar viendo ese movimiento nos íbamos a esas esquinas a ver pasar a esas mujeres y aquello era una catarata de belleza, de color, de movimiento, de cadencia. Entonces Zenen le puso a esa canción, dedicándosela a esa esquina "La Esquina del Movimiento".

—Me imagino que los piropos llovían por montones...

—Eran buenos piropos. Porque el buen piropo tiene el propósito de hacer sonreír y ruborizar un poco a la mujer. Me acuerdo de un cantante ocurrente que le decíamos "Cascarita". Era ocurrente y contestaba rápido, repentista. Te lo encontrabas en la calle: Vaya Cascarita y ¿qué? "Aquí —decía— disfrazado de taburete pa' que te sientes".

—Y el piropo…

—Este piropo se convirtió en algo universal. Es la muchacha que va caminando, el tipo se queda viéndola y dice: "si cocinas como caminas me como hasta la raspa". La raspa, tú sabes, es el cucayo, para nosotros, los colombianos.

—Nelson, ¿qué significó Matanzas en tu carrera?

—Significó mucho para mí, porque es la cuna de la Sonora Matancera, de donde salió esa agrupación increíble. De allí salieron músicos famosos.

—Tu debías de ser muy buen profesional pues ir a Cuba, una tierra desconocida para un colombiano y triunfar…

—Déjame decirte que La Habana que yo conocí tenía un ambiente de competitividad impresionante, porque era la Meca. Allí estaba lo mejor del mundo. Lo mejor de Cuba y lo que iba del mundo. Esta anécdota es maravillosa. Yo no pensaba ir a La Habana nunca porque a mí no me conocía nadie, para llevarme contratado. Yo llegué a La Habana con una orquesta española, vestido de andaluz.

—Esto es histórico…

—A mi me tocó eso. Fue una orquesta que pasó por Colombia, me vieron cantando en la Casba, en un local donde yo trabajaba en Bogotá y cuando ellos se fueron para La Habana me mandaron a buscar porque necesitaban un baladista que cantara las canciones románticas. Me dijeron: aquí tienes que pasar por español y tienes que vestir como andaluz. Me tocó hacerlo, yo grabé cuatro temas en La Habana, entre esos pegó un Chotis. Pero no decía mi nombre, decían "Serenata Española-Monísima". Se fueron los españoles y yo me quedé en La Habana. Grabé con un grupo de Luis Sant y después fui a la Sonora Matancera.

—Tú cantaste con otras grandes figuras…

—Mira, a mí me tocó reemplazar a Daniel Santos en Radio Progreso en un programa donde Daniel Santos era la estrella. Era un programa de seis de la tarde que se llamaba Iron Berry. A él lo acompañaba la Sonora Matancera. El cantante de planta de la Sonora era Bienvenido Granda, el legendario, y como artista femenina invitada, la dama de todos los tiempos, Celia Cruz. Y Daniel, en una de esas cosas de él, se fue para México sin previo aviso y dejó el programa en el aire. Me llamaron para reemplazarlo. Es ahí donde yo arranco acompañado por la Sonora Matancera.

—Y el Beni Moré...

—Bueno yo pertenecí a un elenco que manejaba un empresario cubano Eugenio "Tito" Garrote. El tenía a Beni Moré, Olga Guillot, René Cabel, Fernando Albuerne y yo.

—Eran pesos pesados de la música…

—Esas eran Grandes Ligas. Con esa gente yo fui haciendo mi historial. El Beni era un personaje querido. Ese era un genio natural. Todo lo de él era música, temperamento, compositor, autor, intérprete, director de orquesta, era completo. Era un mulato alto, elegante, un poco desgarbado. El no era muy cuidadoso en el vestir, tenía ropa muy buena, pero no era ese dandy que se preocupaba. A él le gustaba que la ropa le quedara un poco holgada, con cierta displicencia.

Los recuerdos arrebataron a decenas de oyentes en Miami. Llamaron y saludaron al aire, al "Almirante del Ritmo". Despedimos la cita con su famosa canción: "Yo no soy de por aquí, yo soy muy barranquillero, nadie se meta conmigo que yo con nadie me meto. ¡Ay me voy pa'la Habana y no vuelvo más, el amor de Carmela me va a matar!". Luego dijo chao, mi hermano. Nelson abordó un avión y viajó a Caracas.

Nariño, el novedoso sur

El piloto maniobró diestramente el avión en el que salí de Bogotá y aterrizó aquel medio día de abril sobre la pista del aeropuerto "Antonio Nariño" de Chachagüí, una hora y media después de haber salido.

De inmediato una gama de tonos verdes de las montañas, bajo el azul intenso del cielo. Atrás quedó el susto de llegar a ese aeropuerto de pista corta y de fuertes vientos cruzados construido en una meseta a 5.951 pies de altitud en la cima de un pico de los Andes. El portaviones, la denominan los pilotos, porque se eleva 50 metros sobre el área vecina.

Emocionante visitar el sur de Colombia. No era para menos, tener a mano la frontera lejana de la patria y atravesar la línea divisoria con Ecuador.

Era novedoso ver en su hábitat a los valerosos pastusos, de rostros cobrizos que se le atravesaron a Bolívar. El cacique Agualongo y la gente leal al Rey de España hicieron frente al Libertador y lo doblegaron. Por esa razón Simón Bolívar llegó a Quito dieciséis días después de la Batalla de Pichincha en 1822.

Las carreteras del departamento de Nariño fueron construidas sobre el rastro de los caminos incas. Vías que serpentean por entre las faldas de la cadena de montañas de los Andes. Se convierten en balcones para detener el automóvil y apreciar paisajes de ríos en la profundidad y minifundios en las montañas. Ese colorido del horizonte lo dan no solo las ropas y trapos buscando sol en los alambres de los patios de las viviendas, sino los cultivos de trigo, cebada, papa, hortalizas y frutales.

Nariño es un cofre de reliquias turísticas. Una noche llegué de pasear por la Laguna de la Cocha y me alojé en una de sus orillas, en la Hostería San Antonio. Sus dueños, de origen suizo, me hicieron sentir en un paraje alpino. Me acomodé en un salón con chimenea de leña y me sirvieron un "canelazo", un delicioso trago preparado con vino caliente y canela. Es lo habitual para disfrutar la temperatura de 5 y 10 grados centígrados del anochecer en ese páramo. Las truchas arco iris al ajillo de la Cocha hay que comerlas allí y acompañado, en ese ambiente romántico de media luz, con la laguna en la ventana. La Guaneña es la canción popular para escuchar por estas latitudes de geografía escarpada de postales.

Tengo una colección de recuerdos de Nariño. Como periodista del Incora visité a los campesinos desde Guachucal, el municipio más alto de Colombia hasta Carlosama. El nombre se debe a unas campanas que regaló y envió desde Madrid, el Rey de España con la inscripción en bronce "Carlos os ama", y en su honor le dieron el nombre al municipio. Esta historia me la contaron en medio de un cultivo de cebada en una finca que tenía una parte en Colombia y otra en Ecuador, separada por el río Carchi.

Como diplomático colombiano en el Consulado de Guayaquil y en la Embajada de Quito, visité Ipiales y Pasto. Me aprendí de memoria la carretera por la que transité cien veces para recibir o despedir funcionarios, amigos y familiares que llegaban de visita al Ecuador o retornaban a Colombia.

La frontera entre Colombia y Ecuador era algo único, que no sé si habrá cambiado. Yo salía de Quito y si llegaba a la frontera después de las seis de la tarde debía quedarme en un hotel de Tulcán, último municipio ecuatoriano en la provincia del Carchi. ¿Motivo? Una cadena con candado cerraba la frontera hasta las seis de la mañana, impidiendo el paso de vehículos. Lo mismo ocurría con los viajeros de Colombia hacia Ecuador. Del lado colombiano me quedaba en la Hostería Mayasquer de Ipiales, donde la noche transcurría entre música de tríos y la bohemia de épocas de las que solo queda el recuerdo.

En diciembre llegaban los amigos

En aquel pueblo caribeño compuesto de mestizos y mulatos que acudían al malecón del mercado a la orilla del río, para ver la llegada de las lanchas que venían de Cartagena bordeando el mar y entraban cansadas por la desembocadura del Sinú, cargados de mercancías, libaneses y pasajeros de estirpe española; la llegada de la navidad era un acontecimiento parecido al arribo de un ciclón que contagiaba el ánimo de la gente tornándolos alegres y receptivos.

Ese pueblo no debía tener más de 30.000 habitantes, contados los pescadores, galleros, loteros y los vendedoras de empanadas, buñuelos y patacón, a la entrada del teatro Martha. Era la época de mi niñez y Lorica era bonita y sin igual como Venecia. Las calles eran largas, los barrios monumentales, las ciénagas remansos ecológicos de garzas y tortugas; todo quedaba lejos y en mi pueblo siempre había un gentío variopinto como en las láminas de las enciclopedias.

La navidad se vislumbraba desde la noche de las velitas del 7 de diciembre. Las calles, terrazas y balcones de las casas, se alumbraban para esperar el 8 de diciembre, día de la Virgen de la Inmaculada.

Los sucesos cotidianos continuaban sin alteración: el alcalde se vestía de pantalón de dril caqui y camisa blanca. Los pescadores vendían los bocachicos producto de su trabajo para el sancocho del almuerzo. Los agricultores madrugaban los sábados con sus gallinas, cerdos y frutos de la tierra para cambiarlos por sal, azúcar, jabón y aceite. Las señoras dedicadas al oficio, lavaban las camisas de los ricos en bateas de madera en la ribera del río o de la ciénaga grande. Ellos, mientras tanto, iban a contar el ganado a sus fincas en jeep Willys, fabricados en Detroit, los mismos utilizados durante la II Guerra Mundial e importados a Colombia por la compañía de Leonidas Lara e hijos. Los caciques atendían a los jefes de los partidos políticos de Bogotá, liberal o conservador, con bandas de música papayera y después los paseaban por las playas del mar de Coveñas.

Las únicas novedades del pueblo eran: el desembarco de otro árabe que instalaba un negocio en la calle del Comercio o de un nuevo cura oriundo de Italia, Suiza, Alemania o España. Los sacerdotes llegaban con la sagrada misión de evangelizar a los feligreses de la parroquia de Lorica, aún cuando, por el alto grado fosfórico del pescado de la región, se dieron más de tres casos de enamoramiento y algunos de ellos cayeron en la humana tentación de la carne; solicitaron permiso del Papa, se casaron y formaron sus hogares en el vecindario.

El único loriquero que se atrevía a desafiar la fe del Vaticano, era José Luis "Jopse" Córdoba Reyes, hijo de mi tío, Lilín Córdoba, quien me cautivó con sus historias de cuando trabajó de peluquero, en la construcción del Canal de Panamá. Jopse, se decía que era testigo de Jehová, —el único de la comarca— pero yo nunca encontré coherencia entre su convicción religiosa, su vocación anticipada de "Facebook" hablado, y su oficio. Vivía metido en la Iglesia católica decorando altares, pintando las imágenes de los santos y fabricando todos los años un pesebre inmenso en el que participaban los hijos de las familias más cercanas al párroco o a las señoras más rezanderas.

Yo no podía faltar, puesto que mi mamá lideraba la fraternidad del Santo Cristo, una cofradía con miles de devotos. "Vas a ser San José" me dijeron y me enfundaban en una sotana de popelina blanca asegurada a la cintura con un cordón de tres nudos, que usaban los franciscanos. De Virgen María vestían a Rocío Sánchez Juliáo, la hermana de David, nuestro siempre recordado gran escritor loriquero.

El arribo de Cartagena, Medellín o Bogotá, —y uno que otro de Estados Unidos— de la muchachada que estudiaba bachillerato o estaba en la universidad, presagiaba los vientos navideños. Todo era sorprendente, cordial y memorable en tiempos de diciembre. Los papás se reunían a charlar, alrededor de la puerta de la casa hasta altas horas de la noche mientras los menores organizábamos juegos de grupos; escondidas, cartas, ajedrez, monopolio o teléfono roto, que consistía en sentarse uno al lado del otro, originar un mensaje y pasarlo en cadena de oído a oído, del vecino, con creatividad y picardía para sorprenderse con el sentido de la frase final que ya nada tenía que ver con la inicial.

No faltaban los paseos a las fincas, al mar y los bailes donde nacieron muchos amores que prosperaron y hoy son parte de esa sociedad.

El día 358 del año, generalmente es el 24 de diciembre. La algarabía se tomaba el pueblo y reinaba un ambiente de villancicos, luces, regalos y ropa nueva. En el Club Lorica se hacían los bailes con la orquesta de Juancho Torres, la Sonora Cordobesa o una banda de La Doctrina.

Por reglamento al Club no se permitía entrar sin traje completo de saco y corbata aun cuando la temperatura promedia los 40 grados centígrados. A las 12 de la noche no cabía un alma en la iglesia para la celebración de la Misa de Gallo. Existía la creencia que fue un gallo el primero que anunció el nacimiento del hijo de María en Belén y esto dio origen al nombre.

En mi inocencia de infancia y la de mis amiguitos, el amanecer del 25 de diciembre tenía un encanto y un misterio. Vivirlo se convertía en un toque de magia y cercanía celestial, pues era el día más esperando para saber lo que nos regalaba el Niño Dios. No esperábamos que saliera el sol para correr a la terraza o a la casa del vecino para acariciar los juguetes y mostrarlos a los compañeros y al mismo tiempo curiosear los regalos de los otros amigos.

Ropa, juegos y un camión de madera, me trajo el niño Dios en una ocasión, asi que me quedé esperando la bicicleta. "El niño Dios siempre se equivoca de dirección" me aseguraba mi mamá. "La deja en la casa del lado", insistía. Era la casa de un buen amigo, Alfredo de León Naar que alcanzó a coleccionar ocho bicicletas Monark de color verde, mientras yo pasaba los años esperando la mía.

Reconozco que soy de una época pasada, bella e ingenua, tiempo en que los niños obedecíamos y respetábamos a los padres y teníamos la suerte de soñar y jugar con la imaginación.

Me costó trabajo aceptar, pasados mis diez años de edad, que la sombra que se cruzó en la oscuridad de mi cuarto, una noche de diciembre, no era la del Niño Dios, sino la de mi papá en calzoncillos que me traía los regalos de navidad. Pero guardo los buenos recuerdos de aquella linda época donde no había tanta maldad y se jugaba con la imaginación.

La Navidad es un viaje a la infancia, a la familia, a nuestras creencias, a las costumbres y una evocación de nuestro pueblo, de lo que fuimos y de lo algunos seguimos siendo: siempre niños.

Coincidencias en el tren

Le sucedió a un pintor y escritor colombiano, profesor de Literatura Latinoamericana en Bérgamo, a quien el prestigioso escritor italiano Humberto Eco se llevó para la Universidad de Bologna hace más de 20 años.

Ese mes de julio yo aguardaba en Milán una llamada para viajar a Florencia y entrevistar al escultor Fernando Botero.

Mientras sonaba el teléfono me dediqué a entrevistar latinoamericanos y uno de ellos fue precisamente el bogotano Fabio Rodríguez Amaya, colaborador del "Corriere de la Sera".

Al terminar la entrevista que le hice en el lobby de un hotel de paso, de la Vía Nationale, cerca de la terminal de transportes, abordó el tren Milán-Roma.

"Voy a Roma a participar esta noche en un programa de televisión sobre América Latina", me dijo.

Lo que le sucedió en ese viaje a la capital italiana lo contó así: "me monto en un vagón del tren y de pronto veo a un tipo extrañísimo. Parecía medio gringo, medio latino, medio hebreo, medio todo, que hablaba un inglés muy estrecho, que trataba de hablar italiano y bueno, organiza sus cosas y agarra un libro de Primo Levi que es un escritor de Turín que yo idolatro. Entonces se voltea y le pregunta a su hija. Oye hija que querrá decir "aimé" que no lo encuentro en el diccionario y entonces la niñita le contesta. Papi pues no sé, no sé que quiere decir, no lo sé. Entonces yo me volteo y le digo: disculpe no le molesta si yo me entrometo: "aimé" es una interjección que expresa un profundo dolor y que viene del modo adverbial español "ay de mí", ese grito de dolor que se implantó en Italia alrededor del año 1600 por los tiempos de dominación de la monarquía española en el norte de Italia y después en el reino de las dos Sicílias con sede en Nápoles. Bueno y de ahí nació una conversación y empezamos que aquí, que allá, que esto y que lo otro y que usted habla español y porque a usted le interesa el italiano y que me cuenta esta historia. Me dice: mira yo soy en realidad un medio mexicano y medio gringo. Yo nací en el Distrito Federal, me eduqué en Berkeley, me doctoré en Londres, he vivido en l0 o 12 países del mundo, pero la cosa más increíble se la voy a contar a usted porque es colombiano. Mi abuelo era Don Rómulo Rozo, nacido en Colombia, fue uno de los mayores escultores del siglo XX en México.

—Pues mire, mi abuelo Rómulo Rozo emigró a México muy joven, se casó con una mexicana en la época que Lázaro Cárdenas le encargó el monumento de la historia nacional para la ciudad de Mérida, Yucatán. Se trata del monumento escultórico más grande en piedra que existe en el mundo. Mi abuela no se quiso ir con él y entonces él allí se consiguió una querida y tuvo otros dos hijos y esto creó un lío tal en mi familia que parte de ella lo desconoce y parte lo reconoce y entonces mi padre que es medio poeta, medio pintor, medio músico, medio de todo, un loco que ha dedicado toda su vida a seguir los pasos de su padre, montó un libro histórico hasta que finalmente el gobierno mexicano le reconoció la importancia a la obra de mi abuelo y le hicieron en Bellas Artes una inmensa exposición hace 4 años.

A la información dada por mi nuevo amigo, he de agregar que don Rómulo Rozo es nada más y nada menos que el escultor del famoso "Pensador mexicano", una obra muy difundida que aunque fue caricaturizada y vulgarizada con la intención de mostrar un hombre perezoso durmiendo bajo un sombrero, en realidad se hizo para representar a un hombre pensante bajo su atuendo típico.

Me contó de su hermana pintora, del sitio donde vivía en el norte de la Bahía de San Francisco, llamado el Cerrito, lugar que conozco y visito todos los años con mi esposa que se educó en Berkeley. Esta no fue la última casualidad; su esposa, asesora de la FAO estudió con mi hermano en la Universidad de Denver. Me doy cuenta entonces que el mundo está completamente conectado y uno se encuentra con quien tiene que encontrarse.

Belice es verde, coralino y sin ruidos

Para aprovechar un viaje a Belice hay que ir a los templos mayas, hacer un paseo por las islas y arrecifes coralinos más espectaculares del hemisferio y dejarse llevar por la tranquilidad y belleza de sus bosques tropicales.

Dos horas tardó el vuelo de Miami al aeropuerto Internacional "Philip SW Goldson", de Belice City, la ciudad más grande, aunque la capital es Belmopan. Este es un país centroamericano sobre el Caribe, muy verde y sin ruidos. Da la impresión que la gente viviera sin prisa y que el país fuera un gran parque natural.

En Ka'ana, el resort donde nos alojamos, cerca de San Ignacio Cayo, se respira naturaleza viva.

A 40 kilómetros por una carretera secundaria se llega a "El Caracol", un yacimiento arqueológico dentro de la civilización maya. "Conocido como Oxhuitza, fue sede del mayor de los estados de la región", explicó el guía. "Su valor radica en su incomparable huella histórica con rasgos que se manifiestan sobre Tikal y Naranjo".

Entre las ruinas se pueden visitar; una acrópolis, templos ceremoniales, campos de pelota y observatorios astronómicos, de la época maya.

El inglés es el idioma oficial de Belice, por haber sido colonia británica. También se habla español y la lengua maya entre los descendientes de los aborígenes.

Al viajar por este pequeño país de 22.996 kilómetros cuadrados y 322.000 habitantes se recorren aldeas donde la gente vive contenta y trabaja en paz. No tienen lujos, ni centros comerciales y conviven con la naturaleza. Poseen los servicios básicos y los índices de delincuencia son mínimos. Las viviendas son de gran colorido con inmensos jardines.

"Tenemos una mezcla de más de diez culturas diferentes, incluyendo la garífuna, maya, criolla, mestiza, indios orientales y menonitas alemanes".

El caso de los garífunas es muy interesante ya que sus fiestas atraen a muchos turistas. Este grupo de caribes negros descienden de unos africanos nigerianos que viajaban en dos barcos de esclavos y naufragaron 1635 en la isla de San Vicente. Su peregrinaje los llevó a Jamaica y la isla de Roatán, y hoy son más de 600.000 diseminados por las costas de Guatemala, Nicaragua, Honduras y Belice.

Los menonitas de Belice salieron de Manitoba, Canadá a Chihuahua, México, de donde emigraron a Belice en el año 1958. La colonia de Shipyard cultiva sus parcelas donde venden productos agrícolas.

Belice es ideal para gente amante de la aventura. Hay excursiones para observación de aves y paseos por cuevas, ríos y cascadas. Tiene islas de arena blanca y aguas color turquesa. El círculo azul es otro de los puntos de interés, se trata de un agujero de 300 metros de diámetro perfectamente delineado, a 100 kilómetros del litoral. El viaje en lancha a San Pedro, la "isla bonita" se realiza en una hora y quince minutos. Cayo Caulker, a 45 minutos, es una isla reconocida por la existencia de hoteles, bares y restaurantes donde se come pescado y mariscos.

La comida principal es “rice and beans” dijo Jacqueline Martínez, de la oficina de turismo. “Lo acompañamos con chile y ensalada”.

Yucatán es Mérida y Chichen Itzá

El mundo maya con su gran pirámide de Chichén Itzá y la exuberancia de la naturaleza y playas de Yucatán están a solo una hora de viaje de Miami.

Las haciendas que alcanzaron esplendor por la bonanza del henequén en el siglo XIX y luego decayeron, son algunos de sus atractivos turísticos. Las "Haciendas Misné" y "Baspul" de la familia Millet fueron rescatadas y hoy tienen calificación cinco estrellas, en medio de maravillas naturales.

Mérida casi llega al millón de habitantes y se levanta en el norte de la península a 300 Km. de Cancún. El recorrido por pueblos pintorescos mayas se realiza por excelentes autopistas.

En Pisté, en la orilla de la vía y a 120 kilómetros de Mérida, nos detuvimos para apreciar el trabajo de Raúl, un artesano a quien encontramos sentado en un banco en la puerta de su casa, tallando una tabla con un cuchillo. "Estoy haciendo un calendario maya para una mesa de centro", nos dijo mientras su mujer lijaba la cabeza de un felino, moldeado en un tronco de cedro. "Es un legado que nos dejaron los antiguos mayas y lo que se trata es de que no se pierda esta cultura de los mayas", explicó. Cada jeroglífico representa un mes maya. El año se componía de veinte meses, el mes de veinte días.

—¿Es usted maya?

—No, mi mujer, Alicia.

—¿Cuáles son sus apellidos?

—Haas Mex.

—¿Cómo es Pisté?

—Este es un pueblo muy precioso, la gente es amable, muy hospitalaria. Sobre la pared colgaban hamacas, telares, máscaras de madera y cerámica para la venta. "Son figuras y dibujos basados en lo que hay en las piedras mayas de Chichén Itzá", expresa el artesano. Confesó que ese día almorzó pepitas de calabaza, tomate y huevos fritos. En el salón en un larguero del mesón, pintado en letras grandes, estaba su correo: artesanias-mayas@hotmail.com

En el caserío Kaua, donde La Tía (Mari Noh Poot), comimos Poc Chuc, un plato típico de los mayas a base de puerco al carbón, servido con tortillas. Llevan huevo dentro, y le llaman encamisado. Cecilia Morales, de la Secretaria de Turismo de Yucatán recomendó acompañarlo con Kabach, una sopa de fríjol de olla sazonada con cilantro, cebolla y limón. El almuerzo por persona costó US. $3.80.

En Chichén Itzá, Edgar Dzultec, el guía -de ancestros mayas, — explicó: "Esta es la ciudad mas importante que existió en el mundo maya en un periodo conocido como el periodo postclásico, el momento decadente de los mayas".

Es la única ciudad que tiene un centro ceremonial y muestra las influencias de las culturas del centro de México: la serpiente emplumada, Quetzalcoaltl y el campo de juego de pelota más grande de mesoamérica, explica Dzultec.

Los tres días del viaje alcanzaron para comer ceviche y mero, y tomar fotos de la espectacular caída del sol, en el puerto de Río Lagartos, a la salida del Golfo de México.

Desde Río Lagartos navegamos en un estero rodeado de manglares que tiene poblaciones de flamencos, cocodrilos, garzas, pelícanos, alcatraces, pájaros y piscinas de sal para uso industrial.

Lorica es un invento zenú

Lo de Lorica es inusual. No es una ciudad hermosa, como Cartagena de Indias, Río de Janeiro o La Habana.

Tampoco hay grandes torres, museos o bulevares arborizados.

En Lorica las postales son su gente y lo que cautiva es su idiosincrasia. Este es un pueblo donde la cultura popular se da silvestre y se puede vender como oro en polvo. Las cosas que le suceden a los loriqueros no le ocurren a nadie más y ellos mismos las recrean y se divierten de su cotidianidad.

De manera que desde que llega el día y sale el sol, todos se buscan, para contarse historias. Pueden ser las vividas en carne propia, las escuchadas en la esquina o las inventadas; el hecho es que nadie se queda inactivo y ese es el peligro, porque nadie se escapa. No importa que sea rico o pobre, blanco, indio, negro, árabe, mulato o mestizo.

—Yo soy el único en Lorica que no tiene apodo —dijo en una tertulia, un vecino de Chepe Morales, un chofer de taxi del barrio Cascajal. Al anochecer ya estaba bautizado. Desde entonces se le conoce como: el único.

A la semana siguiente apareció un emigrante de San Juan Nepomuceno. Al final de la reunión pidió a sus amigos que no le pusieran apodo por tratarse de un abogado que buscaba reconocimiento en asuntos legales en su nueva plaza.

—Ahora me dicen "el man legal" dijo a su esposa al llegar a casa.

Fue Pedro de Heredia luego de fundar a Cartagena en 1534 quien llegó a las tierras de lo que hoy es Lorica, por la vía de Santiago de Tolú, buscando el oro de los indígenas, según relatos del cronista Juan de Castellanos.

Lorica ha sido un universo de sorpresas, mucho antes de que en 1740 naciera como un asentamiento poblado de indios zenúes, en la isla de Gaita, gobernado por el cacique Orica.

En 1776 el colonizador español Antonio de la Torre y Miranda, llegó con su cuadrilla desde Cartagena y trasladó el pueblo al lugar actual para evitar inundaciones.

¡Qué tal! Imagínense la cara que pondría, si Don Antonio se diera una pasadita de nuevo por estas latitudes anegadas! Siempre estoy pendiente de los buses que llegan al terminal, quien quita que llegue Don Antonio.

Si en las próximas guerras, el mundo chocara por el control de las fuentes del agua, el Pentágono lo moverían a Lorica. Esta población tiene río -el Sinú-, caños, ciénagas y a media hora las aguas del mar de las Antillas. Cuenta con las playas de San Bernardo del Viento, San Antero y Coveñas.

A principios del siglo XX emigrantes libaneses ingresaron por Puerto Colombia, la antesala de Barranquilla. Desde Cartagena viajaron en lanchas de mediano calado, navegando por la costa del Golfo de Morrosquillo.

Los viajeros subieron río arriba, por las aguas del Sinú y desembarcaron en Lorica, puerto fluvial, pueblo de pescadores y cabecera de un rico emporio agropecuario.

Allí se establecieron con sus familias, abrieron negocios y trajeron sus costumbres, la cocina árabe y su afinidad con el comercio. Pronto se integraron a las tradiciones regionales de la agricultura y la cría de ganado.

Lorica mantuvo un fuerte contacto comercial con Cartagena. A su vez algunas familias cartageneras adineradas como los Martínez, eran dueñas de fincas en los valles del Sinú. Fueron tiempos de prosperidad y leyendas como "Cartagena Oil Refining Co.", primera empresa petrolera colombiana creada en 1923 para la exploración. También estuvo y residió en Lorica por razones de negociaciones del petróleo, Jorge Isaacs, el autor de "La María", "flor pura del romanticismo hispanoamericano" y la que se considera primera novela colombiana leída por amplios públicos en el exterior. Su padre que era inglés tenía la concesión de exploración petrolera. Isaacs vivió en la casa de los Martinez Recuero que luego se dividió en dos propiedades y fueron adquiridas por Felix Manzur Saab y Manolin Martinez, ubicadas al lado de la Iglesia.

En mi infancia los loriqueros teníamos el mundo a la vuelta de la casa, recuerdo a Lacharme, el mecánico que le arreglaba el jeep Willys a mi padre, era francés y estaba a pasos de mi hogar. La leche y el queso lo vendían en la casa de los Buvoli, unos italianos; el pan se conseguía donde los Vega, andaluces de Jaén, España, quienes salieron espantados en la postguerra, todo estaba ahí al alcance de la mano.

Había gente de todas partes, recuerdo a los curas: Fernando Slovez, oriundo de Trieste y Schlesinger, suizo. De vez en cuando pasaba uno que otro inversionista procedente de Estados Unidos.

Cuando yo quería escaparme de Lorica me refugiaba en el almacén de José Jattin, compadre de mi abuelo, José Miguel Córdoba. El edificio ubicado allí —en una esquina junto al Mercado— era frecuentado por familiares y amigos de don José que solo hablaban árabe, jugaban bacarat, escuchaban la radio de Beirut y comían tahini, tabule, aceitunas y kibbe.

—En esa caja fuerte está guardado el dinero de tu abuelo José Miguel Córdoba —me dijo una mañana don José Jattin. Efectivamente mi abuelo se ganó la suma de 40.000 pesos por su trabajo de largos meses como carpintero en la construcción del Packing House, en Coveñas, bajo la dirección de Mr. Cheene. Fue una edificación que se levantó en el marco de un proyecto para exportar carne en canal a Cuba y la Florida. Hoy es la Base de Entrenamiento de Infanteria de Marina.

Mi abuelo se presentó con esa importante suma de dinero, suma que más tarde multiplicó y le alcanzó para adquirir fincas, casas, lotes y ganado, y le solicitó a su compadre Jattin que se la guardara porque con él estaba más segura en una caja fuerte grande como un escaparate, en tiempos cuando no existían los bancos.

Luis Striffler, geólogo francés, escribió que desde su llegada a Cartagena en 1841 oyó en varias ocasiones sonar estas misteriosas palabras: "Desgraciado del Perú si se descubre el Sinú". Fue un dicho relativo a la riqueza de las tierras de la zona de Lorica y sus vecindades. Fue tan importante a finales del XIX y comienzos del XX que en un puerto francés se vendían tiquetes en barco para la ruta Marsella-Lorica.

El escritor escocés Roberto Bontine Cunninghame Graham, visitó la zona en 1917 y publicó en Londres en 1920 un libro titulado: "Cartagena y las riveras del Sinú". Dijo: "La vida en estos caseríos de las riberas del Sinú transcurre lo mismo que en las tiendas de Arabia, pero es mas industriosa, porque cada vivienda tiene su parcela de ñame y maíz..."

El comercio prosperó en Lorica y los árabes se consolidaron. El 5 de octubre de 1929, el periódico local "Renovación" publicó una lista de los forasteros y "por lo menos 40 comercios eran sirio-libaneses y 7 cartageneros", concluye el educador loriquero Fernando Díaz, en su historia de Santa Cruz de Lorica.

Por esa época —precisa Díaz— los loriqueros compraban a 0.60 cada libro y leían las obras de Emilio Salgari y José María Vargas Vila. Curiosamente, treinta años mas tarde en esa misma librería de

Indulfo Zapata, tío del escritor Manuel Zapata Olivella, adquirí yo la primera novela que leí en mi vida y me despertó como a Marco Polo, la curiosidad de explorar otros lugares del mundo; se trataba de El Quijote de la Mancha.

El mercado público de Lorica, es uno de sus principales atractivos. Construido en 1938, de estilo mudéjar, a la orilla del río, alberga vendedores de sombreros, hamacas, abarcas y pieles de caimán. Bajo su techo se encuentran restaurantes típicos donde se cocinan los más deliciosos sancochos del mundo, el de bocachico, —en leche de coco— y el de gallina..

Los viernes y sábados se vive una pintoresca feria comercial y se exhiben coloridas artesanías de barro fabricadas en San Sebastian. Si es temporada invernal el río se llena de pescadores.

La residencia de la familia Manzur Jattin en el área del centro histórico, es no solo una joya arquitectónica de corte republicano sino un auténtico museo con muebles, adornos y tesoros libaneses muy bien conservados.

Otro lugar para visitar además de la Iglesia y el Club Lorica, es la casona de Ana Gabriela Martínez, en la Plaza de la Cruz, que recuerda las casas del barrio Manga de Cartagena, o el Vedado, en La Habana.

A través de la literatura oral, el escritor David Sánchez Juliao, interpretó y difundió con sus personajes el alma popular de Lorica. "El Pachanga", "El Flecha", "Abraham al humor" y "Fosforito" representan a miles de personajes que van y vienen por sus calles y se congregan a charlar en las noches tropicales.

Los frescos o batidos de níspero con leche de "Siboney", un kiosco frente al Club Lorica, son de campeonato. "Volvería a Lorica, solo por tomar batido de níspero", dijo en Miami Marisol De Ornelas, mi hija adoptiva, una venezolana de 18 años, que visitó a Lorica en julio de 2010 y quedó impactada con el exquisito sabor.

Al lado una señora de peineta de carey y delantal blanco instala una venta de fritos para educar a dos hijos y malcriar al marido.

Vende arepas de huevo, empanadas de carne y carimañolas a base de yuca y rellenas de queso, para acompañar los batidos. Los kibbes que trajeron los árabes juegan de "home club" y hacen parte de la gastronomía de Lorica y la región.

—De almuerzo te tengo una sorpresa —le dije en mi casa a Juan Gossaín—: comida loriquera, kibbe y tahini. Corría el año 1981 y me desempeñaba como cónsul de Colombia en Quito.

—Y ¿quien te dijo a ti que el kibbe es de Lorica? —replicó Juan.

—Verdad que sí —comenté y caí en cuenta del tamaño de mi equivocación.

Sin embargo no ha sido la última vez que he pensado que el kibbe lo inventaron las fritangueras a la entrada del teatro Martha, en Lorica y la receta se la llevó en el bolsillo, el primer "turco" que regresó de vacaciones al Medio Oriente.

Hay varios puntos de venta, pero usted debe ir a las siete de la noche al pie de la alcaldía, si quiere probar los que hace Pabla. Ella aprendió a hacerlos en casa de Musa Jattin, un libanés de Zahle, Malaka, que vi llegar de 15 años cuando yo también era adolescente. Ahora Musa, reside en un palacio que construyó frente a la alcaldía de Lorica, en una casa monumental conocida como la mezquita.

—Todavía no habla español y el árabe se le olvidó —comenta Jorge Manzur, su primo.

—María, yo voy a cortar cabeza tuya —le sentenció Musa una mañana de sábado a la empleada que descuidó la nevera la noche anterior y permitió que un chofer se comiera el queso y las galletas turcas.

—Don Musa, diga solamente: María te voy a cortar la cabeza, no es necesario que diga más –le contestó en tono pedagógico, la empleada.

—Es que voy a cortar cabeza tuya —insistió Musa— si no digo así, gente puede pensar que es cabeza mía.

Los viernes y sábados Lorica se convierte en una réplica del bazar de las especias de Estambul. Esos días se vive una feria comercial y de productos agropecuarios en la plaza y calles del mercado. Si es temporada invernal el río se llena de canoas de pescadores.

Arteaga, Babilonia, Burgos, Benedetti, Corena, Doria, De León, Figueroa, Martínez, Mangones, Negrete, Vega, Zapata, fueron algunos de mis condiscípulos en la escuela. Otros que yo pensaba que venían de más allá de San Bernardo del Viento eran: Amin, Abdala, Abuchaibe, Behaine, Dumet, Gossaín, Jattin, Louis, Manzur, Safar, Saleme, Saker, Zarur.

Con la alborada empieza el bullicio en el "downtown". Se inicia la entrada de vehículos cargados de animales como cerdos, gallinas, conejos, pájaros, además de plátano, yuca, ñame, verduras, legumbres y frutales.

Lorica es un pueblo de 80.000 habitantes, en el departamento de Córdoba, en el norte de Colombia, en el que la gente se levanta temprano. Toman café negro a las seis. Leen periódico —en castellano y árabe— y desayunan a las siete. Van al banco y hacen sus diligencias a las ocho. A las nueve, ya quedan desocupados y hombres y mujeres empiezan a darle trabajo a la sin hueso: la lengua. Son organizados, hablan de prójimo, y van calle por calle, casa por casa.

La mañana se va en hablar de la insolencia de los políticos perversos que no dejan progresar al municipio, de los ricos que atesoran el dinero en fincas y ganados y no invierten en el desarrollo de la ciudad y de los muchachos que se van a estudiar a Bogotá y no regresan.

Al medio día el sol suelta un sopor con temperatura de 38 grados centígrados, que noquea a los nativos en las hamacas y a los extraños les obliga a buscar la sombra bajo un palo de mango o en el aire acondicionado de una oficina bancaria.

—¿Está haciendo un retiro de dinero? —le pregunté al hombre que encontré en el espacio del cajero del banco, tentándolo para ver si salía del cuartito y me dejaba hacer la operación solo.

—Siga, haga su retiro, yo espero. Es que afuera hace calor —contestó.

La noche se acaricia familiarmente en mecedoras de mimbre en la puerta de la casa o en tertulias amigueras en la zona rosa de La Muralla, a la orilla del río o junto al bar del "Burro" Colón.

Así se repiten los días de este pueblo inmenso y el más lindo del mundo en mi recuerdo, de cuando yo era un monaguillo y madrugaba con mi mamá —la niña Rosa—, todos los días a misa de cinco. Hoy no estoy seguro si lo viví o si es un cuento que me inventé y me sé de memoria.

Lorica tuvo su odisea por un asalto cultural mexicano. Ocurrió en el bus de pasajeros de las 5 de la tarde, procedía de Cartagena y se llamaba "La Milagrosa". El recorrido por carretera incluía paradas en Carmen de Bolívar, San Jacinto, Ovejas, Corozal, Sincelejo y Chinú, lo hacía para entregar encomiendas y permitirle a los pasajeros con problemas urinarios ir al baño para desocupar la vejiga.

El chofer y el ayudante de los buses estaban exentos de pagar sus alimentos donde "Fidel", la mas concurrida fonda de sancochos de la ruta. Así la bautizaron porque el propietario mantenía sintonizado su radio "Phillips", permanentemente en la señal de onda corta de Radio Habana Cuba "territorio libre de América". Para el dueño, noticia que no trasmitiera la emisora cubana, en su concepto no había ocurrido.

Junto con las maletas de los pasajeros —muchos de los cuales eran mecánicos, boxeadores, acordeoneros y cocineras, que regresaban de buscar el sueño americano en Venezuela—, llegaba la cultura mexicana en latas de zinc. Eran cintas de películas cuyos protagonistas eran Pedro Armendáriz, Tony Aguilar y su caballo blanco o galanes como Pedro Infante y Jorge Negrete. Las películas se rotaban por las salas de cine de pueblo; el Colombia, el Granada y el teatro Martha. Llegaron éxitos de: Tin-Tan, Clavillazo, Cantinflas, Vitola y Santo, "el enmascarado de plata". Con las mexicanas llegaban las del oeste americano con la actuación de Burt Lancaster, Gary Cooper y Errol Flynn.

“Película en tecnicolor y cinemascope” decía el cartel promocional con fotografías ilustrativas —20 x 25 cms— y letras a color dibujadas por el profesor Viola, que colocaban en la esquina del edificio de Manolín Martínez, al lado de la Iglesia.

Los temas de la barbería de Doria —donde me peluqueaban frente a un aviso de “Hoy no fío, mañana sí” —se referían a los amores de Ninón Sevilla, Tongolele, María Antonieta Pons, Silvia Pinal, Lilia del Valle, Toña la Negra y a los acuerdos políticos del Frente Nacional.

Mi fama de dibujante de mapas fue leyenda en los extramuros de Ciénaga Grande, el río Sinú y los caseríos de San Antero, que en mi infancia quedaban más lejos de Lorica, que hoy.

El cuento fue creciendo a medida que pude meterme en las páginas del “Atlas”, los tomos de “El mundo pintoresco” y la colección de “El Tesoro de la Juventud”. Ahí, aunque no lo sabía, ya me había picado el gusanito que habría de decidir mi destino trashumante.

Si yo quería indagar cómo eran los rasgos de la gente de Petra, si tenía inquietud por reconstruir la ruta de Orellana por el Amazonas o había curiosidad sobre los misterios del Machu Pichu, con solo abrir un volumen de la enciclopedia satisfacía mi intriga. El secreto de la precisión de mis trabajos quedó al descubierto el día del examen final.

Mis condiscípulos quedaron asombrados cuando me vieron sacar de mi mochila un instrumento de madera articulado con un tornillo de mariposa. Era un pantógrafo que permitía la reproducción en tamaños mayores de un pequeño mapa.

—Y ¿qué es la nostalgia para un loriquero? —preguntó Edgar Chavez, un amigo de Miami.

—Cuando los loriqueros tenemos nostalgia se nos prende en la frente un botón rojo invisible —le respondí. Indica la necesidad de regresar a darle una vuelta al pueblo y pedir un sancocho de pescado en el mercado. Es la fórmula para recargar baterías y seguir para donde sea.

Olvidaba decirles que cuando lleguen a Lorica no se confundan, sigan, no crean que están en Shanghai; entren. Lo que ocurre es que en Lorica hay más motos y moto-taxis que en la misma China, donde las fabrican.

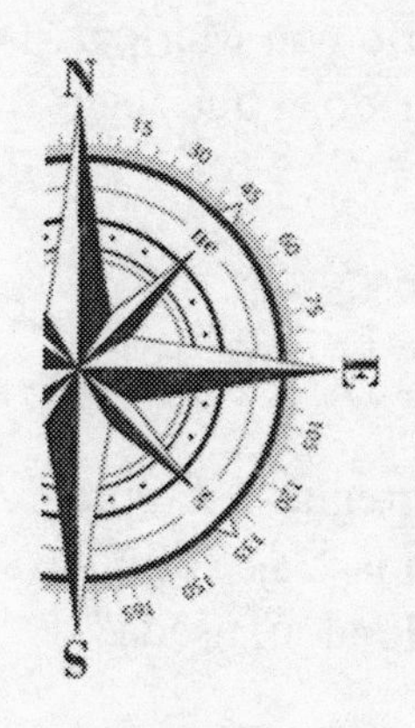

XII. VIVIR PARA VIAJAR

Hace 50 años.....

Con el propósito de desandar mis pasos, refrescar la memoria y celebrar los cincuenta años de "nuestra escapada" (y digo "nuestra escapada", por elemental crédito a mi mentor, el padre Slovez que se fugó con la bella libanesa) viajé desde Cartagena a Lorica, vía María La Baja y Tolú, por la vieja y destapada carretera que en el último medio siglo ha sido inaugurada y reinaugurada con discursos, whisky, bombos y platillos, once veces.

Luego de cinco horas de viaje, por fin establecí conexión emocional con estos diez lustros de ausencia: retorné a "Villa Rosa", el rancho que adquirí por un desvarío sentimental en las riberas del Sinú, para sentir de nuevo el ancla pegada a la tierra de Lorica.

Esa mañana, desde el rancho, contemplaba el río con Maripaz. Al fondo se escuchaba el canto de un gallo trasnochado al que seguramente se le atrasó el reloj.

—¿Cómo te pareció el café?, —le pregunté.

—Delicioso.

—Tiene cuerpo y sabor, está rico, ¿cierto? —agregué— Lo preparó Juana Dominga, la mujer del mayordomo, con la vieja fórmula de las abuelas: "colado con una media de hilo de algodón, usada".

—Y qué brisa tan agradable —comentó— No desperté en toda la noche. Me quedé profunda, con el susurro del viento.

En esos días de brisa, las hojas de las palmeras chocan entre sí produciendo una sensación de arrullo tropical.

—¡Sopla brisa que es tu tiempo! —repetí la manida frase de mi madre cuando celebraba un bonito día.

Me di cuenta que Maripaz contemplaba divertida a las cuatro gallinas calenturientas que corrían a disfrutar detrás de los cocoteros, a ese gallo trasnochado y arrecho que con tanto entusiasmo las perseguía. De pronto me soltó por sorpresa esta pregunta.

—¿Por qué te seduce esta tierra?

—Porque entiendo a mi tierra y a su gente. Porque aquí todo es auténtico: el pescado, sabe a pescado, el arroz con coco es exquisito, los patacones, la arepa de huevo y hasta el whisky importado, adquieren un sabor sabanero.

—Eso lo explica todo Enrique: estás de regreso a la semilla.

—¡Mierda! No lo había pensado. ¡Claro! Puedo estar en París o en Moscú, en Mumbay o en la Cochinchina, en el desierto de Gobi o en la Patagonia, en Cafarnaum, o en el fin del mundo… siempre encuentro un personaje, un sabor, un gesto, una palabra, un sonido que me recuerda a esta mágica Lorica que dejé cincuenta años atrás. No tenemos remedio, los loriqueros somos así: cargamos mucha nostalgia y poco remordimiento.

En la corta siesta de sobremesa, después del desayuno, me interrogué para mis adentros: ¿Qué diablos me impulsó a escribir todas estas notas? La respuesta es sencilla: lo que no se escribe se pierde.

Ahora sí, luego de descargar de mis hombros tantas nostalgias, recuerdos y experiencias, aliviado de ese peso de las remembranzas siento que he hecho la contabilidad y el corte de esta primera etapa.

—Maripaz, nos estamos acercando al final del viaje y quiero escuchar el balance de tus experiencias en este recorrido.

Ella estiró las piernas, entrecerró los ojos y suspiró varias veces, como ganando tiempo para organizar sus pensamientos. Al final, se incorporó de la mecedora de mimbre, alzó su mano y me apuntó con el índice.

–Enrique te percibo fatalista. Estás dando la impresión que, ésta etapa que hoy concluimos, es la final de tu vida.

—No, mi querida Maripaz. Confiando en el de Arriba, estoy listo para iniciar, de inmediato, ligero de equipaje, las siguientes etapas que me aguardan. Claro, que como todo loriquero que se respete, aspiro a continuar corriendo muchísimas más vueltas al mundo, y ganar una que otra meta volante y algunos premios de montaña.

Maripaz probó el agua de coco fría, se abanicó con una ramita de hojas de mango y sentenció prudente:

—La vida me premió con esta fantástica experiencia que se llama "Enrique". De ella aprendí que la felicidad no hay que buscarla al otro lado del mundo, cargando a la espalda un pesado morral de remordimientos. La felicidad bulle entre nosotros. Y esa sensación es aún más intensa, cuando los dos decidimos hacer coincidir nuestros caminos, con la mirada fija en el mismo Norte.

En ese momento todos esos pensamientos trascendentales fueron interrumpidos por la alegre musicalidad de Juana Dominga que entró con un "buenos días mis niños, aquí les traigo un dulce de guayaba con queso, acabadito de hacer".

—Doctor Enrique, espero que haya dejado dormir a la niña Maripaz, porque usted siempre que viene a "Villa Rosa" nos mantiene hasta la madrugada, boquiabiertos, con todos esos cuentos que nos echa de sus viajes por el mundo.

Luego de una pausa agregó en tono de picardía:

—Niña ¿usted si le cree todo lo que Don Enrique le cuenta? Yo a veces me pongo a pensar, que la mitad de sus historias son puro embuste.

(Hace 689 años)

El 9 de enero de 1324, Marco Polo-con 70 años muy bien vividos- firmó su testamento.

A las pocas horas, se coló por Venecia la noticia que el anciano explorador estaba a punto de expirar. Amigos y familiares corrieron a su lecho para ayudarlo a bien morir. "Marco Polo, para la tranquilidad de su alma ¡Confiese qué parte es mentira de todo lo que relató en su libro!"

El anciano sonrió. "Todo es verdad. Es más, ahí no conté ni la mitad de lo que vi".

Miami, julio 1, 2013